阅读与讲解

叶圣陶 著

生活·讀書·新知三联书店

写在前面

叶圣陶（1894～1988）是我国著名的作家和教育家，从20世纪初期起，即从事语文教学、出版和编辑工作，写了许多文章，也做过很多讲座与讲话，对我国语文教育的利弊得失分析得透彻详明，提出了许多建议与意见。

本书包含“阅读与理解”和“精读与略读”两个部分。第一部分主要写给教师的，探讨了阅读教学的目的和范围，并介绍了讲解的方法，还就值得参考的书籍提出了不少建议。第二部分为作者与朱自清合写的《精读指导举隅》和《略读指导举隅》中作者撰写的部分，也是为帮助教师指导学生而写的。

这些文章大多写于1949年以前，虽然已经过去了半个多世纪，但在今天看来，仍有着深刻的现实意义。吕叔湘曾总结说，在叶圣陶的语文教育思想中，有两点是最重要的：一是语文学科的性质，他认为语文是每个人日常生活中不可或缺的工具；二是语文教学的任务，在与帮助学生养成良好的语文学习习惯，而不仅仅拘泥于文字的解释。（吕叔湘：《叶圣陶语文教育论集》序，1980年）叶圣陶说：“凡为教者必期于达到不须教。教师所务惟在启发导引，俾学生逐步增益其知能，展卷而自能通解，执笔而自能合度。”他十分看重学生课前预习，认为有了预习，再辅以适当的指导，才能培养起学生的兴趣与自主学习的能力，而指导亦当有度。读书要活读不死读，无论精读还是略读，都不必执著于字词的解释，而应从语文角度去理解和思考。

每个人都有自己的阅读习惯，而养成良好阅读习惯，对尚在学习过程中的中学生尤为重要。让学生在阅读中把语言、文字、思想联系起来，在学习中把知识、能力、习惯联系起来，更是语文教学应尽力达到的目标。我们衷心希望，本书所提出的问题能够给今天每一位喜爱读书、勤于思考的读者带来启发。

生活·讀書·新知 三联书店编辑部

2012 年 1 月

目录

阅读与讲解

精读与略读

阅读与讲解

国文教授之商榷

文　题

研究国文之教授者多矣，顾文题往往略而不讲。不知文章之佳者必先有精审之文题。古人撰文，类多研究题字，既精且当，然后下笔。如欧阳永叔为《醉翁亭记》，则力摹醉翁情状；苏子瞻为《喜雨亭记》，则侈陈喜雨之意；苏子由为《快哉亭记》，则处处不脱快哉二字：其为文皆精心结撰，针对文题，不容放过。即教科书中今人之文，亦莫不标题明确，罔可改易。苟教师于教授之时加以注意，则学者文不对题之病或可因之而免。故余等教授文题，注意之时分而为二。先揭文题于黑板，将题中意义一一向学生发问，使无遗漏；然后将题中要旨标明板上。用此法时约费十余分钟，不令学生展阅教科书，以便其为大体的记忆。此其一也。迨全文教授既毕，复令儿童回顾文题而审查此文与此题果否对照。此法用之得宜，儿童于作文方面，自有领悟。此又其一也。

生 字

我校高等级生均购用《学生字典》，且各给笔记簿。至教授某课时预为说明，使归家预习，将本课生字之音义一一笔之于簿。及教授文题既毕，即令将所检音义书于板上，或用互相订正法，或径由教师订正之。其音义为字典所弗具者，必简明补述之，以诱起其研究之兴味。

句 法

今日教授作文，每任儿童自由发挥。一二聪颖儿童不无思想，而多数儿童往往随意凑合，绝无秩序。教师不察儿童之能力，不行基本之练习，故有此弊。余等于教授国文时恒注意句法练习，大抵为敷衍法、约缩法、修辞法等，举例如下（例见商务印书馆《高等小学新国文》第四册《生财之本》篇）：

“生财之本有三：曰土地，曰勤劳，曰资本。”用敷衍法改换之，可云：“生财之大本约有三端：一曰土地，二曰勤劳，三曰资本。”用约缩法改换之，可云：“生财之本，曰土地、勤劳、资本。”又同篇中“空气日光满布宇宙”，如改为“日光空气布满宇宙”，亦自可通，唯欠修辞工夫，故当用修辞法改于原文。

按古人用字炼句均有不可遽改处，试取古文而为之敷衍或约缩，则神味全失。即如上之举例，用两法改换，所得终不如原文。

顾以是诏示儿童者，使明造句之法，初不限于一轨，伸之缩之，皆成文章耳。

段　落

初学作文往往思想杂糅，前后矛盾，或则语句历乱，漫无统纪。欲矫此弊，唯有于教授国文之时，分清段落，辨别主宾，庶几眉目清楚，洞见腠理。更于前后呼应之处，彼此详略之点，使之循次而求，悟其神理，则上述之弊，或可免焉。举例如下（例见商务印书馆《高等小学新国文》第二册《自立》篇）：

凡物莫不有死。草木、鸟兽、昆虫，有朝生而暮死者，有春夏生而秋冬死者，有十年百年千年而死者。虽有迟速，相去曾几何时。（此篇用反起法首言生物总有一死。）唯人亦然。方其生时，劳之以所为，淫之以所好，汩之以所思，其经营不已若无复有尽期者。及其气散而死，则髐然不能肉其白骨，与草木、鸟兽、昆虫之变灭何异乎？（次言人之生死与草木等无异，以呼起下文人当求其所以不死者。）君子知之。故不以形体之有无为生死，而以志气之消长为生死。（言死不死全视志气。）吾今日形体无恙而志气已竭，斯为死矣。吾志气配乎道义，发乎文章，且与天地同流，而奚有于形体乎？（更为剖解，见得志气消长，关系至巨，然后得归重到志气。）故简策所载，古圣贤人虽死已久矣，而其辉光常如日星之灿然，盖其人至今存也。（证明有志者不死。）然则死而不死，亦在人之自为之而已。士宜何如自立哉？（结出本题，语意含蓄不尽，且回应上文，见不死自有方法。）

篇　法

我国文字不难于识字而难于造句，尤难于明白文章之体裁。古文之类别，有论著、词赋、序跋、诏令、奏议、书牍、哀祭、传志、叙记、典志、杂记等。论著有论著之体，序跋有序跋之体，其余种种，亦莫不各具特性。其间方圆壁，界画分明，失之毫厘，谬遂千里，辨别之时，端赖精审。虽然，此等要求当责诸已入门径之青年，而非所语于才学操觚之儿童也。独是高小学生已略有国文程度，与为严密之区分，固属不必，而大体之判别，究非可缓。爰将国文教科一一为之辨其体裁，使以类相从，而玩味其同异焉，庶几作文基础于焉建立，定势制体，得所准则也。

一、叙记体

今之小学作文，类多令为叙记体。夫学作一种文体，必先明其性质，而后有进境可言。大抵叙记文者，犹幻灯之影片也。幻灯影片有二：一活动者，一不活动者。成人之文多如活动影片，绘声绘色，务求妙肖，故易以夺人心目。初学作文多如不活动影片，词无神味，意兴索然，故阅者易生厌倦。苟以此理详譬曲喻俾儿童玩索于教材之中，然后援笔为文，想不难由不活动而臻于活动也。

今区叙记文为五类：曰写生的，所谓绘声绘色之文属之，如《桃花源记》；曰简单的，单记一客观事之文属之，如《漆贾》、《周亚夫》；曰复杂的，并记数客观事之文属之，如《我国矿业》、《周游世界》；曰叙情的，抒情之文属之，如《记游定惠院》；曰叙智的，智计之文属之，如《李侃妻》、《田单》、《井陉之战》、《记与欧公语》。

二、说明体

以公平正确之思想，阐明一种事理，是谓说明文。亦区为五类：曰叙情的，抒情之文属之，如《病梅馆记》、《木假山记》、《爱莲说》；曰叙智的，智计之文属之，如《物体之轻重》；曰例证的，引例说明之文属之，如《图书馆》、《博物馆》；曰汇类的，会合诸事证明一理之文属之，如《植物之繁殖》、《动物之色彩》；曰议论的，论断见理之文属之，如《开矿》、《郑和》、《猫说》。

三、论说体

论说文之体裁区为三类：曰演绎的，先提出论旨，其后逐次推阐说明之文属之，如《习惯说》、《日喻》、《上古创造之圣人》、《师说》、《生财之本》、《戒赌博》；曰归纳的，先胪列事项，而后断定一说之文属之，如《自立》、《人之职分》、《为学》、《艰难》、《原人》、《分业》、《戒酗酒》；曰对比的，两相比证之文属之，如《都会与乡村》、《戒兄子严敦书》。

按高等小学国文教材，或有不用课本专事选读者，或有拘泥课本顺次讲诵者。一则漫无范围，恐失之滥，一则执成不化，恐失之死。我校鉴此二弊，将课本斟酌活用，教材既无过量，学者自获实益。进而研究，尚俟异日。

与陈文钟合作

1916 年 4 月发表

论国文精读指导不只是逐句讲解

教书逐句讲解，是从前书塾里的老法子。讲完了，学生自去诵读；以后是学生背诵，还讲，这就完成了教学的一个单元。从前也有些不凡的教师，不但逐句讲解，还从虚字方面仔细咬嚼，让学生领会使用某一些虚字恰是今语的某一种口气；或者就作意方面尽心阐发，让学生知道表达这么一个意思非取这样一种方式不可；或者对诵读方面特别注重，当范读的时候，把文章中的神情理趣，在声调里曲曲传达出来，让学生耳与心谋，得到深切的了解。这种教师往往使学生终身不忘；学生想到自己的受用，便自然而然感激那给他实益的教师。这种教师并不多，一般教师都只逐句讲解。

逐句讲解包括（一）解释字词的意义，（二）说明成语典故的来历这两项预备工作；预备工作之后，（三）把书面的文句译作口头的语言，便是主要工作了。应用这样办法，论理必作如下的假定：（一）假定学生无法了解那些字词的意义，（二）假定学生无法考查那些成语典故的来历，（三）假定学生不能把书面的文句译作口头的语言。不然，何必由教师逐一讲解？（四）假定读书的目标只在能把书面的文句译作口头的语言；译得来，才算读懂了书。不然，何以把这一项认为主要工作而很少顾及其他？还有（五），假定教学只是授受的关系，学生是没有能力的，自己去探讨也无非徒劳，必待教师讲了授了，他用心地听了受了，才会了解他所读的东西。不然，何不让学生在听讲之外，再做些别的工作？——教师心里固然不一定意识到以上的假定；可是，如果只做逐句讲解的工作，就不能不承认有这几个假定。而从现代教育学的观点，这几个假定都是不合教学的旨趣的。

从前书塾教书，不能说没有目标。希望学生读通了，写通了，或者去应科举，取得功名；或者保持传统，也去教书；或者写作书信，应付实用；这些都是目标。但是能不能达到目标，教师似乎不负什么责任。一辈子求不到功名的，只怨自己命运不济，不怪教师；以误传误当村馆先生的，似是而非写糊涂书信的，自己也莫名其妙，哪里会想到教师给他吃的亏多么大？在这样情形之下，教师对于怎样达到目标（也就是对于教学方法），自然不大措意。现在的国文教学可不同了。国文教学悬着明晰的目标：养成阅读书籍的习惯，培植欣赏文学的能力，训练写作文章的技能。这些目标是非达到不可的，责任全在教师身上；而且所谓养成，培植，训练，不仅对一部分学生而言，必须个个学生都受到了养成，培植，训练，才算达到了目标。因此，教学方法须特别注重。如果沿袭从前书塾里的老法子，只逐句讲解，就很难达到目标。可是，熟悉学校情形的人都知道现在的国文教学，一般地说，正和从前书塾教书差不多。这不能说不是一个相当严重的问题。

阅读书籍的习惯不能凭空养成，欣赏文学的能力不能凭空培植，写作文章的技能不能凭空训练。国文教学所以要用课本或选文，就在将课本或选文作为凭借，然后种种工作得以着手。课本里收的，选文入选的，都是单篇短什，没有长篇巨著。这并不是说学生读一些单篇短什就够了。只因单篇短什分量不多，要做细琢细磨的研读工夫正宜从此入手；一篇读毕，又来一篇，涉及的方面既不嫌偏颇，阅读的兴趣也不致单调，所以取作精读的教材。学生从精读方面得到种种经验，应用这些经验，自己去读长篇巨著以及其他的单篇短什，不再需要教师的详细指导（不是说不需要指导），这就是略读。就教学而言，精读是主体，略读只是补充；但就效果而言，精读是准备，略读才是应用。精读与略读的关系如此，试看，只做逐句讲解的工作，是不是就尽了精读方面的指导责任？

所谓阅读书籍的习惯，并不是什么难能的事，只是能够按照读物的性质作适当的处理而已。需要翻查的，能够翻查；需要参考的，能够参考；应当条分缕析的，能够条分缕析；应当综观大意的，能够综观大意；意在言外的，能够辨得出它的言外之意；义有疏漏的，能够指得出它的疏漏之处：到此地步，阅读书籍的习惯也就差不多了。一个人有了这样的习惯，一辈子读书，一辈子受用。学生起初当然没有这样的习惯，所以要他们养成；而养成的方法，唯有让他们自己去尝试。按照读物的性质，作适当的处理，教学上的用语称为“预习”。一篇精读教材放在面前，只要想到这是一个凭借，要用来养成学生阅读书籍的习惯，自然就会知道非叫他们预习不可。预习的事项无非翻查、分析、综合、体会、审度之类；应该取什么方法，认定哪一些着眼点，教师自当测知他们所不及，给他们指点，可是实际下手得让他们自己动天君，因为他们将来读书必须自己动天君。预习的事项一一做完了，然后上课。上课的活动，教学上的用语称为“讨论”，预习得对不对，充分不充分，由学生与学生讨论，学生与教师讨论，求得解决。应当讨论的都讨论到，须待解决的都得到解决，就没有别的事了。这当儿，教师犹如集会中的主席，排列讨论程序的是他，归纳讨论结果的是他，不过他比主席还多负一点责任，学生预习如有错误，他得纠正，如有缺漏，他得补充，如有完全没有注意到的地方，他得指示出来，加以阐发。教师的责任不在把一篇篇的文章装进学生脑子里去；因为教师不能一辈子跟着学生，把学生所要读的书一部部装进学生脑子里去。教师只要待学生预习之后，给他们纠正，补充，阐发；唯有如此，学生在预习的阶段既练习了自己读书，在讨论的阶段又得到切磋琢磨的实益，他们阅读书籍的良好习惯才会渐渐养成。如果不取这个办法，学生要待坐定在位子上，听到教师说今天讲某一篇之后，才翻开课本或选文来；而教师又一开头就读一句，讲一句，逐句读讲下去，直到完篇，别无其他工作：那就完全是另一回事了。

第一，这里缺少了练习阅读最主要的预习的阶段。学生在预习的阶段，固然不能弄得完全头头是道；可是叫他们预习的初意本来不要求弄得完全头头是道，最要紧的还在让他们自己动天君。他们动了天君，得到理解，当讨论的时候，见到自己的理解与讨论结果正相吻合，便有独创成功的快感；或者见到自己的理解与讨论结果不甚相合，就作比量短长的思索；并且预习的时候决不会没有困惑，困惑而没法解决，到讨论的时候就集中了追求解决的注意力。

这种快感、思索与注意力，足以鼓动阅读的兴趣，增进阅读的效果，都有很高的价值。现在不叫学生预习，他们翻开课本或选文之后又只须坐在那里听讲，不用做别的工作；从形式上看，他们太舒服了，一切预习事项都由教师代劳；但是从实际上说，他们太吃亏了，几种有价值的心理过程都没有经历到。第二，这办法与养成阅读书籍的习惯那个目标根本矛盾。临到上课，才翻开课本或选文中的某一篇来；待教师开口讲了，才竖起耳朵来听；这个星期如此，下个星期也如此，这个学期如此，下个学期也如此，还不够养成习惯吗？可惜养成的习惯恰是目标的反面。目标要学生随时读书，而养成的习惯却要上课才翻书；目标要学生自己读书，而养成的习惯却要教师讲一句才读一句书。现在一般学生不很喜欢而且不很善于读书，如果说，原因就在国文教学专用逐句讲解的办法，大概也不是过火的话吧。并且逐句讲解的办法，对于一篇中的文句是平均看待的，就是说，对于学生能够了解的文句，教师也不惮烦劳，把他译作口头的语言，而对于学生不甚了解的文句，教师又不过把他译作口头的语言而止。如讲陶潜《桃花源记》，开头“晋太元中，武陵人捕鱼为业”，就说：“太元是晋朝孝武帝的年号，武陵是现在湖南常德县；晋朝太元年间，武陵地方有个捕鱼的人。”凡是逢到年号，总是说是某朝某帝的年号；凡是逢到地名，总是说是现在某地；凡是逢到与今语不同的字或词，总是说是什么意思。如果让学生自己去查一查年表、地图、字典、辞典，从而知道某个年号距离如今多少年；某一地方在他们居处的哪一方，距离多远；某一字或词的本义是什么，引申义又是什么：那就非常亲切了，得到很深的印象了。学生做了这番工夫，对于“晋太元中，武陵人捕鱼为业”那样的文句，自己已能了解，不须再听教师的口译。现在却不然，不管学生了解不了解，见文句总是照例讲，照例口译；学生听着听着，非但没有亲切之感与很深的印象，而且因讲法单调，不须口译的文句也要口译，而起厌倦之感。我们偶尔听人演说，说法单调一点，内容平凡一点，尚且感到厌倦，学生成月成年听类似那种演说的讲解与口译，怎得不厌倦呢？厌倦了的时候，身子虽在座位上，心神却离开了读物，或者“一心以为有鸿鹄将至”，或者什么都不想，像禅家的入定。这与养成读书习惯的目标不是相去很远吗？曾经听一位教师讲曾巩《越州赵公救菑记》，开头“熙宁八年夏，吴越大旱；九月，资政殿大学士右谏议大夫知越州赵公，前民之未饥，为书问属县……”在讲明了“熙宁”、“吴越”、“资政殿大学士”、“右谏议大夫”、“知”之后，便口译道：“熙宁八年的夏天，吴越地方遇到大旱灾；九月间，资政殿大学士……赵公，在百姓没有受到灾患以前，发出公文去问属县……”若照逐句讲解的原则，这并没有错。可是学生听了，也许会发生疑问：（一）遇到大旱灾既在夏天，何以到了九月间还说“在百姓没有受到灾患以前”呢？（二）白话明明说“在百姓没有受到灾患以前”，何以文句中的“前”字装到“民”字的前头去呢？这两个疑问，情形并不相同：（一）是学生自己糊涂，没有辨清“旱”和“饥”的分别；（二）却不是学生糊涂，他正看出了白话和文言的语法上的异点。而就教师方面说，对于学生可能发生误会的地方不给点醒，对于学生想要寻根究底的地方不给指导，都只是讲如未讲。专用逐句讲解的办法，不免常常有这样的情形，自然说不上养成读书习惯了。

其次，就培植欣赏文学的能力那个目标来说。所谓欣赏，第一步还在透彻了解整篇文章，没有一点含糊，没有一点误会。这一步做到了，然后再进一步，体会作者意念发展的途径及其辛苦经营的功力。体会而有所得，那踌躇满志，与作者完成一篇作品的时候不相上下；这就是欣赏，这就是有了欣赏的能力。而所谓体会，得用内省的方法，根据自己的经验，而推及作品；又得用分析的方法，解剖作品的各部，再求其综合；体会决不是冥心盲索、信口乱说的事。这种能力的培植全在随时的指点与诱导。正如看图画听音乐一样，起初没有门径，只看见一堆形象，只听见一串声音，必得受了内行家的指点与诱导，才渐渐懂得怎么看，怎么听；懂得怎么看怎么听，这就有了欣赏图画与音乐的能力。国文精读教材固然不尽是文学作品，但是文学与非文学，界限本不很严，即使是所谓普通文，他既有被选为精读教材的资格，多少总带点文学的意味；所以，只要指点与诱导得当，凭着精读教材也就可以培植学生的欣赏文学的能力。如果课前不叫学生预习，上课又只做逐句讲解的工作，那就谈不到培植。前面已经说过，不叫学生预习，他们就经历不到在学习上很有价值的几种心理过程；专叫学生听讲，他们就渐渐养成懒得去仔细咀嚼的习惯。综合起来，就是他们对于整篇文章不能做到透彻了解。然而透彻了解正是欣赏的第一步。再请用看图画、听音乐来比喻，指点与诱导固然仰仗内行家，而看与听的能力的长进，还靠用自己的眼睛实际去看，用自己的耳朵实际去听。这就是说，欣赏文学要由教师指一点儿门径，给一点儿暗示，是预习之前的事。实际与文学对面，是预习与讨论时候的事。现在把这些事一概捐除，单叫学生逐句听讲，那末，纵使教师的讲解尽是欣赏的妙旨，在学生只是听教师欣赏文学罢了。试想，只听内行家讲他的对于图画与音乐的欣赏，而始终不训练自己的眼睛与耳朵，那欣赏的能力还不是只属于内行家方面吗？何况前面已经说过，逐句讲解，把它译作口头的语言而止，结果往往是讲如未讲，又怎么能是欣赏的妙旨？如归有光《先妣事略》末一句，“世乃有无母之人，天乎痛哉！”要与上面的话联带体会，才知道是表达孺慕之情的至性语。上面说母亲死后十二年，他补了学官弟子；这是一件重要事，必须告知母亲的，母亲当年责他勤学，叫他背书，无非盼望他能得上进；然而母亲没有了，怎么能告知她呢？又说母亲死后十六年，他结了婚，妻子是母亲所聘定的，过一年生了个女儿；这又是一件重要事，必须告知母亲的，母亲当年给他聘定妻子，就只盼望他们夫妇和好，生男育女；然而母亲没有了，怎么能告知她呢？因为要告知而无从告知，加深了对于母亲的怀念。可是怀念的结果，对于母亲的生平，只有一二“仿佛如昨”，还记得起，其余的却茫然了；这似乎连记忆之中的母亲也差不多要没有了。于是说“世乃有无母之人，天乎痛哉！”好像世间不应当有“无母之人”似的。由于怀念得深，哀痛得切，这样痴绝的话不同平常的话正是流露真性情的话。这是所谓欣赏的一个例子。若照逐句讲解的原则，轮到这一句，不过口译道：“世间竟有没有母亲的人，天啊！哀痛极了！”讲是讲得不错。但是，这篇临了，为什么突兀的来这么一句呢？母亲比儿子先死的，世间尽多，为什么这句中含着“世间不应当有的‘无母之人’似的”的意思呢？对于这两个疑问都不曾解答。学生听了，也不过听了“世间竟有没有母亲的人，天啊！哀痛极了！”这么一句不相干的话而已；又哪里会得到什么指点与暗示，从而训练他们的欣赏能力？

再其次，就训练写作文章的技能那个目标来说。所谓写作，也不是什么了不得的事。从外面得来的见闻知识，从里面发出的意思情感，都是写作的材料；哪些材料值得写，哪些材料不值得写，得下一番选剔的工夫。材料既选定，用什么形式表现它才合适，用什么形式表现它就不合适，得下一番斟酌的工夫。斟酌妥当了，便连布局、造句、遣词都解决了。写作不过是这么一个过程，粗略地说，只要能识字能写字的人就该会写作。写作的技能所以要从精读方面训练，无非要学生写作得比较精一点。精读教材是挑选出来的，它的写作技能当然有可取之处；阅读时候看出那些可取之处，对于选剔与斟酌就渐渐增进了较深的识力；写作时候凭着那种识力来选剔与斟酌，就渐渐训练成较精的技能。而要看出精读教材的写作技能的可取之处，与欣赏同样（欣赏本来含有赏识技能的意思），第一步在对于整篇文章有透彻的了解；第二步在体会作者意念发展的途径及其辛苦经营的功力。真诚的作者写一篇文章，决不是使花巧，玩公式，他的功力全在使情意与文字达到一个完美的境界；换句话说，就是使情意圆融周至，毫无遗憾，而所用文字又恰正传达出那个情意。如范仲淹作《严先生祠堂记》，末句原作“先生之德，山高水长”，李泰伯看了，叫他把“德”字改为“风”字；又如欧阳修作《醉翁亭记》，开头历叙滁州的许多山，后来完全不要，只作“环滁皆山也”五字：历来传为写作技能方面的美谈。这些技能都不是徒然的修饰。根据《论语》"君子之德风"那句话，用个"风"字不但可以代表"德"字，并且增多了"君子之"的意思；还有，"德"字是呆板的，"风"字却是生动的，足以传达德被世人的意思，要指称高风亮节的严先生，自然用"风"字更好。再说《醉翁亭记》，醉翁亭既在滁州西南琅琊山那方面，何必历叙滁州的许多山？可是不说滁州的许多山，又无从显出琅琊山，唯有用个说而不详说的办法作"环滁皆山也"，最为得当。可见范仲淹的原稿与欧阳修的初稿都没有达到完美的境界，经李泰伯的代为改易与欧阳修的自己重作，才算达到了完美的境界。要从阅读方面增进写作的识力，就该在这等地方深切地注意。要从实习方面训练写作的技能，就该效法那些作者的求诚与不苟。无论写一个便条，记一则日记，作一篇《我的家庭》或《秋天的早晨》，都像李泰伯与欧阳修一样的用心。但是，国文教学仅仅等于逐句讲解的时候，便什么都谈不到了。逐句讲解既不足以培植欣赏文学的能力，也不足以训练写作文章的技能。纵使在讲过某一句的时候，加上去说"这是点题"或"这是题目的反面"，"这是侧击法"或"这是抑宾扬主法"，算是关顾到写作方面：其实于学生的写作技能并没有什么益处。因为这么一说，给予学生的暗示将是：写作只是使花巧、玩公式的事。什么"使情意圆融周至"，什么"所用文字恰正传达那个情意"，他们心中却没有一点影子。他们的写作技能又怎么训练得成功？

因为逐句讲解的办法仅仅包含（一）解释字词的意义，（二）说明成语典故的来历，（三）把书面的文句译作口头的语言三项工作，于是产生了两个不合理的现象：（一）认为语体没有什么可讲，便撇开语体，专讲文言；（二）对于语体，也像文言一样读一句讲一句。语体必须精读，在中学国文课程标准里素有规定；现在撇开语体，一方面是违背规定，另一方面是对不起学生——使他们受不到现代最切要的语体方面的种种训练。至于讲语体像讲文言一样，实在是个可笑的办法。除了各地方言偶有差异而外，纸面的语体与口头的语言几乎全同；现在还要把它口译，那无非逐句复读一遍而已。语体必须叫学生预习，必须在上课时候讨论；逐句复读一遍决不能算精读了语体。关于这一点，拟另外作一篇文章细谈。

逐句讲解是最省事的办法；如要指导学生预习，主持课间讨论，教师就麻烦得多。但是专用逐句讲解的办法达不到国文教学的目标，如前面所说；教师为忠于职责忠于学生，自该不怕麻烦，让学生在听讲之外，多做些事，多得些实益。教师自己，在可省的时候正不妨省一点讲解的辛劳，腾出工夫来给学生指导，与学生讨论，也就绰有余裕了。

1941年1月7日作

读些什么书

本志这一期出版的时候，读者诸君已经放了寒假了。平时在学校里，因为课程多，各科的练习忙，很少有阅读课外书籍的时间；心里虽然想阅读，可是事实上办不到，很觉得难受。寒假没有暑假那么长，但是也有几个星期，正好用来弥补这个缺憾；就是说，在寒假里应该有头有尾阅读几本书。

阅读什么书呢？读者诸君或许要这样问。我们以为举出一些具体的书来回答，是不很妥当的。第一，这中间或许会掺杂着我们的偏见；第二，不一定适合读者诸君的口味；第三，举出的书，读者诸君未必就弄得到手。因此我们只能提出几个项目，给读者诸君作为选书的参考。

关于各科的参考书是可以选读的。在学校里只读教科书；教科书是各科知识的大纲，详细的项目和精深的阐发，都没有包容进去。例如本国史教科书，对于一代的政治、文化、人情、风俗，至多用几百个字来叙述就完事了；少的时候，只用一句两句话就带过了。单凭那几百个字或一句两句话，固然也可以算知道了历史；但是知道的只是些笼统的概念，或者知其然而不知其所以然，实在不能算知道了历史；如果选一些专讲某代的政治、文化、人情、风俗的参考书来读，由于已经知道了大纲，决不至于摸不着头脑，而阅读的结果就是明白得详细而且透彻。

关于当前种种问题的书是可以选读的。教科书中大多说些原理原则的话，对于随时遇到的具体问题，或者附带提到，或者简直不说。例如日本是我国的大敌，我国与它作战已经四年半，最近它又发动太平洋大战，与一切民主国家为敌；它的凭借究竟怎样，它那狂妄的欲念怎样才可以扑灭，这些都是我国人亟待解答的具体问题；但是本国史、外国史和外国地理的教科书中，对于这些仅有简略的叙述，没有综合的解答。如果选一些专谈日本问题的书来读，就可以得到许多精确的认识，从精确的认识发而为种种行动，自然会有切实的力量。日本问题只是例子罢了，此外如建国问题、大战后世界秩序问题等等，现代青年都得郑重注意。必须注意当前的问题，青年才能够认识时代；认识了时代，自身才能够参加进去，担负推动时代的任务。

关于修养的书是可以选读的。所谓修养，其目的无非要明了自己与人群的关系，要应用合理的态度和行为来处理一切。修养的发端在于“知”；如果不“知”，种种关系就不会明了，怎样才是合理也无从懂得。修养的完成在于“行”；如果“知”而不“行”，所知就毫无价值。读关于修养的书，假定是《论语》，好比与修养很有功夫的孔子面对面，听他谈一些修养方面的话，在“知”的扩展上是很有益处的。“知”了，又能化而为“行”，那就一辈子受用不尽了。

关于文学的书是可以选读的。文学的对象是人生。文学的特点是把意念形象化，不用抽象的表达。所以读文学可以认识人生，感知人生。善于读文学的人，他所见的人生一定比不读文学的人来得深广。这当然指上品的文学而言。同样是诗，有优劣的分别；同样是小说，也大有好坏。我们没有这么多的精力和时间来读一切坏的劣等的作品（就是有这么多的精力和时间也无须读那些），自应专选上品的来读。还有，不要以为自己准备学工学农，就无须理会文学。要知道学工学农也是人生；无论是谁，能够接触以人生为对象的文学，是一种最为丰美最有价值的享受。

就以上提出的几个项目来选择，至少可以选到三四本书，尽够寒假中阅读了。如果能够认真阅读的话，除了吸收书中的内容而外，阅读和写作的能力也自然会长进。常常有人这样问：要使国文程度长进，该读些什么书？我们的回答是：认真读前面提到的几类书，就可以了；专为要人家长进国文程度而写作的书是没有的。

1942 年 1 月作

略谈韩愈《答李翊书》

国文课本中往往选用古人论文的文章。这类文章，多数表白作者自己的甘苦，犹如现在所谓写作经验。其中有的持论很高，说理近乎玄奥。一个中学青年学习国文，在写作一方面所求并不很高，无非要在组织思想、处理材料、运用语言文字等事项上养成良好习惯而已。所求不过如此，而用这类文章作为指导的理论，就会使读者觉得写作是非常艰难的工作，在修养还没有到家的时候，简直没有执笔的资格。这就会抑制写作的动机，妨碍写作的应用，所受的影响不免是"负"面的了。

然而这类文章也未尝不可读，只要能活读而不死读。所谓活读，就是辨明古人持论的范围，酌取其大意，而不拘泥于一言一句的迹象。辨明了范围，就知道古人持论的所以然；这是知识方面的事。酌取其大意，化为自己的习惯，就增长自己的写作能力；这是行为方面的事。如果在讲解和记诵以外不再作什么研讨，那就是死读。

韩愈的《答李翊书》，各种高中国文课本差不多都选了，有些初中课本也选了。这篇文章以"蕲至于古之立言者"为作文的标的，又以"行乎仁义，游乎诗书"为修养的基本，都是非常艰巨的事。一个中学青年如果也要认定这样的标的，立下这样的基本，然后写作，那就一辈子别想写作了。可是韩愈也并非故为高论。他所说的原是“著述之文”，不是一般的文。“著述之文”必待存养有所得，学术成系统，然后写作。古来成一家言的作者差不多都是存养有所得，学术成系统的。所以他以“蕲至于古之立言者”为标的。他又是自认为继承儒家道统的人。儒家最大的修养纲领是仁义，儒家最重要的教科书是经籍（以偏赅全就是“诗书”），所以他们“行乎仁义，游乎诗书”为基本。知道了这些，就辨明了他这篇文章持论的范围。从此更可以推想开来。现在一个中学青年作文，不过要表白自己所经验的事物，发抒自己所蕴蓄的情意，以适应处于人群之中的需要；决不是要“立言”，也决不是要写“著述之文”。写“著述之文”只是极少数人的事，并非人人所必需。而运用语言文字叙事达意却是生活的重要条件，实为人人所必具。二者不可混为一谈。因此，我们不妨理解韩愈为什么这样说，可是不必攀附他的说法，也以“蕲至于古之立言者”为作文的标的。再说，韩愈以文见道，为了要继承道统。我们写文，或者给朋友寄封信，或者向父母有所报告，都只是日常生活的事，无所谓道统。存心和制行要不违仁义，原是不错的；但是我们不必为了作文而“行乎仁义”。阅读记载前人经验的书，也是有道理的；可是我们不必而且不该限于经籍而“游乎诗书”。若是作者自命要继承儒家道统，原无妨依照韩愈的说法；但是我们只要做一个能够利用语言文字的人，就不须依照韩愈的说法了。

这篇《答李翊书》中用了这些譬喻，如“养其根而俟其实，加其膏而希其光，根之茂者其实遂，膏之沃者其光晔”，“气，水也，言，浮物也，水大而物之浮者大小毕浮”。读譬喻，必须究明它所喻的是什么，才有用处。“根茂实遂，膏沃光晔”，无非说内面越充实，表现于外的越完美；所以从根本入手，须求内面的充实，这就得“养根”，“加膏”。“气”是个玄奥的名词，包括人的一切修养成果——包括孟子所谓“浩然之气”的“气”和曹丕所谓“文以气为主”的“气”，前者是德性方面的修养成果，后者是语言文字方面的修养成果。表现于外面的“言”决定于修养成果的“气”，正如浮物的“大小毕浮”与否决定于水的大小。这些意思，对于希冀“立言”的作者固然有用，对于通常学习写作的人，如中学青年，也未尝无用。一般人学习写作，往往只从记诵和摹仿入手。常常听到这样的发问：“要把文章写好，该读些什么书?”就是例证。殊不知写作的根源在于自身的生活，脱离生活，写作就无从说起。即以一封平常的信来说，也必须把所要说的弄得清清楚楚，才写得好；而把所要说的弄得清清楚楚，就是生活方面的事，不是记诵和摹仿方面的事。生活内容有繁简和深浅的分别，在简和浅的阶段的人固然不能强求其繁和深；可是连简和浅的阶段也抛开了，就只能一阵胡写，决无是处。从韩愈所说气与言的关系，又可知一切修养是写作的基本。德性方面有修养，观物论事自然中节；语言文字方面有修养，遣词谋篇自然合度。修养在乎平时，文章随时而作；随时的写作有了平时的修养，就可以依习惯着手，无所容心，而“物之浮者大小毕浮”。就一个中学青年说，德性方面的修养是通于各种学科各项行为的事，语言文字的修养是国文科所专重的事；要希望写作得像个样子，还必须平时在这两方面努力才行（还得补充一句，德行方面的修养，其目的不在于写作，而在于要做一个健全的人）。

韩愈这一篇“抑又有难者”以下一段，写创作的心理与过程，如果能够活读，也有受用处。此外也还有可说的，恐怕头绪太繁，不再说了。

1942年1月发表

介绍闻一多先生的《楚辞校补》

校勘《楚辞》的著作，整部的和零星的，古今已有了不少，这是最近的一种。做这种工作，跟文学创作不一样，但凡作者材料丰富，方法精善，思考周密，总是后来居上。这本书正是如此。

作者在《引言》里说："我的目的本是想替爱好文艺而关心我们自己文艺的遗产的朋友们，在读这部书时，解决些困难。为读者便利计，本应根据这里校勘的结果，将全部《楚辞》的白文重印一次，附在书后。但因种种关系我没有能这样做。这是应该向读者道歉的。"《凡例》里又说："诸家说已精确，而论证亦略备，本书作者无可附益者，本书概弗征引。"作者实做"校补"，如此原已足够。但是我们站在读者的立场，有了这个最新的"校补"，还得参览"诸家"之说，才能比较顺利地读一部《楚辞》，的确不很便利。作者若能编一部《楚辞汇校》啊什么的，重印白文，逐处列入"校补"，并收入"精确"的"诸家"之说——按照作者的才能，选择精当，自不必说——那对于读者太有益了。希望作者能这样做，再花几年光阴也并非不值得（作者《引言》里说在这个工作上"已经花了十年左右的光阴"了）。

这本书的好处在所据的材料丰富，所用的方法精善，推阐的思考又极周密。

凡例之后列《校引书目版本表》，除“注释《楚辞》诸书”、“载录《楚辞》全篇诸书”外，所以据“杂引《楚辞》零句诸书”计有五十七种，多数是以前的校勘家未经采用的。材料既多，可以参互比较，不凭孤证，所得结论当然可靠。

次说作者所用的方法，请先录《凡例》的第五条：

> 本书论列之内容，其范围如下：
>
> 今本误，可据别本以諟正之者，
>
> 今本似误而不误，当据证说明者，
>
> 今本用借字，别本用正字，可据别本以发明今本之义者，
>
> 各本皆误，而以文义，语法，韵律诸端推之，可暂改正以待实证者，
>
> 今本之误，已经诸家揭出，而论证未详尚可补充证例者。

可见作者的企图在订定个《楚辞》的比较完善的本子，也就是比较近乎原样的本子。本子恢复了原样，读者才可以凭文学的迹象，领会古诗人的用心，终于跟古诗人的心思相契合。否则脱字衍文，误写错简，满处都是，读者凭这么个坏烂的本子，即使用功甚勤，总不免有缠夹之处，也许完全不是这么回事，要想跟古诗人的心思相契合，自然更难办到。作者实现他的企图，在这本书里做了两项工作，校正文字和诠译词义。这两项工作，如作者在《引言》里所

说，“常常没有明确的界线”，你要校正文字，除参互对勘外，必须提出论证，就不能不涉及诠释词义的方面。这原是一般校勘的常法，但作者的方法特见精善，能从博观中求其会通，现在据作者自己所列五项范围，各举一例，以见一斑。

《离骚》皇览揆余初度兮一本余下有于字[1]

案当从一本补于字。度即天体运行之宿度，躔度“初度”谓天体运行纪数之开端。《离骚》用夏正，以日月俱入营室五度（日月如连壁，五星如贯珠）为天之初度。历家所谓“天一元始，正月建寅”，“太岁在寅日摄提格”是矣。以“摄提贞于孟陬”之年生，即以天之初度生。“皇览揆余于初度”者，皇考据天之初度以观测余之禄命也。要之，初度以天言，不以人言。今本余下脱于字，则是以天之初度为人之初度，殊失其旨。唐写本《文选集注》残卷，今本《文选》，朱熹《楚辞集注》本，钱杲之《离骚集传》本，明正德王鏊刊本，明朱燮元重刊宋本，大小雅堂本并有于字。《文选》沈休文《和谢宣城诗》注引亦有。《文选·西京赋》注及马永卿《嬾真子》四引并作於，本篇于於错出。

〔1〕 作者所用的底本是《四部丛刊》洪兴祖《楚辞补注》本，校语是底本原有的。

这是“今本误，可据别本以諟正之者”的例子。

《离骚》举贤而授能兮

朱骏声谓授为援之误，举《礼记·儒行》“其举贤援能有如此者”为证。案朱说非也。《庄子·庚桑楚篇》曰“且夫尊贤授能，善义与利，自尧舜以然”，《荀子·成相篇》曰“尧授能，舜遇时，尚贤推德天下治”，“授能”之语，并与此同。《吕氏春秋·赞能篇》“舜得皋陶而尧受之”，高注曰“受，用也”。受授古同字。授能犹用能也。(《左传》闵二年“授方任能”，《管子·幼官篇》“尊贤授德则帝”，授亦皆训用。) 本篇王注曰“举贤用能”，训授为用，与高说正合。然则《儒行》“举贤援能”，实授能之误，(汉曹全碑、永受嘉福瓦、陈受印受并作受，与爰形近，故援授二字古书每相乱。《九歌·东君》“援北斗兮酌桂浆”，《御览》七六七误引作授《吕氏春秋·知分篇》“授绥而乘”，《意林》引作援。) 当据本篇及《庄》、《荀》之文以订正，朱氏反欲援彼以改此，疏矣。

这是“今本似误而不误，当举例说明者”的例子。

《九辩》泬寥兮天高而气清清古本作瀞

刘永济氏云为清之通借。(《庄子·人间世篇》“爨无欲清之人”，释文曰“清，凉也”，《吕氏春秋·有度篇》“清有余也”，高注曰“清，寒也”，皆应作清。）一本作瀞，当为瀙之或体。《说文》曰“瀙，冷寒也，楚人谓冷曰瀙。”案刘说是也。《唐韵》清，七正切，瀙，七定切，音同，是清瀙一字。诸书清字训凉训寒者，均当为瀙之省。《书钞》一五四，《类聚》三，《初学记》三，《御览》二五，《合璧事类前集》一四，《文选·秋兴赋》注，江文通《杂体诗注》，《山谷内集》注二《赠惠洪》注，李壁《王荆公诗注》三八《登中茅山》注，王得臣《麈史》中引并作清。曹植《秋思赋》曰“云高气静兮露凝衣”，疑所见即作瀞之本，而读瀞为静也。王注曰“秋高气朗，体（《山谷内集注一》《次韵刘景文登邺王台见思》注引作气）清明也”，读清如字，则与下句清字韵複矣。（本书同字例不连叶。《离骚》“来吾道夫先路，……既遵道而得路”，上路读为辂，“岂唯是有其女，……孰求美而释女”，下女读为汝，本篇“泬寥兮天高而气清，宋廫分收潦而水清”，上清读为清，皆其例。）

这是“今本用借字，别本用正字，可据别本以发明今本之义”的例子。

《离骚》昔三后之纯粹兮固众芳之所在杂申椒与菌桂兮岂维纫夫蕙茝

案四句当在上文“纫秋兰以为佩”下。知之者，此处上云“乘骐骥以驰骋兮，来吾道夫先路也”，下云“彼尧舜之耿介兮，既遵道而得路”，上下均言行止，中忽阑入此四句，则文意扞格。实则此云杂申椒纫蕙茝，仍以服饰为言，纫蕙茝之纫，即前“纫秋兰以为佩”之纫，故知四句当与彼文相承。夫如此，而后自“纷吾既有此内美兮”至“恐美人之迟暮”一段专言服饰，自“不抚壮而弃秽兮”至“伤灵修之数化”一段专言行止，层次井然，文恬理顺矣。或疑四句既本在上文，则此处“来吾道夫先路也”与“既遵道而得路”两路字相次为韵，恐无此例。不知“先路”之路本读为辂。(《书·顾命》“先辂在左塾之前”，《周礼·典路》郑众注，《文选·东京赋》李注引并作路)，与下“得路”之路，字同义异，不妨相叶，犹后文“孰求美而释女”亦与“岂维是其有女”相叶而不嫌。学者正以不明上路之义，以为连用二路字不合韵法，遂私移此四句于其间，以隔绝之耳。彼其意方以为如此，则三后尧舜，以类相从，于文弥顺，而不悟其先三后后尧舜，叙次已颠倒矣。注家顾从而竟为之辞，以发明其倒叙之义，不已惑欤?

这是就文义而推知各本倒误的例子。

《天问》伯强何处

案何当为安。“伯强何处，惠气安在”，二句平列（伯强，北方主司寒风之神，惠气，即寒风也)。下句“在”为动词，“安”为疑问代名词，上句“处”亦动词，“何”亦疑问代名词也。然本篇通例，凡表方位之疑问代名词皆用“安”或“焉”(用安者十二见，用焉者十四见)，无用“何”者(“何所”二字连用时不在此例)。有之，唯此文之“何处”，及下文鲮鱼何居(居今误所，此从一本)二例，疑皆传写之误。此文本作“伯强安处”，与下“惠气安在”句同字，学者误读“处”为名词，因改“安”为“何”以就之也。《御览》一五引此正作“安”，是其确证。

这是就语法而推知各本误传的例子。

据语法校读古书，清儒王氏俞氏已颇能运用，但他们的语法观念是朦胧的，不如现代学者的明确；所以现代学者此方面之成绩，往往胜过清儒。作者有一篇《怎样读〈九歌〉》，载在《国文月刊》第一卷第五期，专谈一个“兮”字，说《九歌》里的“兮”字不但具有音乐的作用，并且具有文法的作用，它“代替了许多专责分明的虚字”，便是篇极有价值的文字。在这里附带提起，希望有兴趣的读者检来阅看。

《离骚》孰信修而慕之

案慕与占不叶，义亦难通，郭沫若氏谓当为莫□二字，因下一字缺坏，写者不慎，到与“莫”误合为一而成慕字。案郭说是也。唯谓所缺一字，耽钦琛探寻朋等必居其一，则似不然。知之者，此字必其音能与“占”相叶，其义之与“求美”之事相应，此固不待论，而字形之下半尤必须能与“莫”相合而成“慕”。今郭氏所拟，音固合矣，义亦庶几近之，于形则殆无一能与“莫”合而成“慕”者，于以知其不然。余尝准此三事以遍求诸与“占”同韵之侵部诸字中，则唯“念”足以当之。“念”缺其上半，以所遗之“心”上合于“莫”，即“慕”之古体“慕”（杨统碑、繁阳令碑，慕字如此作）矣。念，思也，恋也，“孰信修而莫念之”，与上下文亦正相符契。郭氏殆失之眉睫耳。夫此文占慕失韵，久成疑案。朱子二“之”字为韵之说，固近臆测，后之说者亦未有以易之，故亦莫敢定其必非。逮至近人王树枏永济二氏始谓占为卜之伪，“卜”与“慕”侯鱼合韵，余尝疑其所见视朱子为后来居上矣。及见庞元英《文昌杂录》二引此文正作卜，则益私喜其说之果信而有征。今复谛审“骚”文，乃恍然于二氏之说之非也。遍考古书，凡言篮者，皆自篮而神占之〔1〕。

这是就韵律和文义而改正各本伪谬的例子。

在未得实证以前，这句是否作“莫念”自难成为定论。但确是个比较可信的假定。此外就叶韵和各篇韵法而推知错简脱简的地方颇不少，不再举例。

---

〔1〕 以下博引曰占不曰卜的证据，他书之外且有《离骚》本篇的句子，并说杂录自是传抄之误，不足为据，文繁从略。

《九歌·少司命》与女游兮九河冲风至兮水扬波　王逸无注　古本无此句

洪兴祖曰“此二句《河伯》章中语。”案洪说是也。《河伯》“冲风起兮横波”，一本兮下有水字（王鏊本，朱燮元本，大小雅堂本均有）与此同，而《文选》载本篇至作起（《合璧事类外集》四引同）又与彼同。是二篇之异，唯在波上一字，一作横，一作扬耳。然蔡梦弼《草堂诗笺补遗》七《枯枏》注引《河伯》曰“冲风起兮扬波”。任渊《后山诗注》三《次韵苏公涉颍》注引“冲风起兮扬波”，又引注曰“冲，隧也”，今此语在《河伯》注中，知所引正文亦出彼篇。然则《河伯》二句与此全同矣。洪谓此是《河伯》中语，信然。考《九歌》旧次，《河伯》本与《少司命》衔接，此本《河伯》篇首二句，写官不慎，误入本篇末，后人以其文义不属，又见上文有“与女沐兮咸池，晞女发兮阳之阿”二句，与此格调酷似，韵亦相叶，因即移附其后，即成今本也。

这是“今本之误，已经诸家揭出，而论证未详，尚可补充证例者”的例子。

有些校勘家不表意见，不具论证，单把若干本子对勘，记下某本作某。这只是供人家一些材料，让人家自己去择善而从。就读者的立场说，当然具有论证的校勘有用得多，论证坚强可靠，就可知如何为原样，最可信从。这本书的作者扩充引用材料的范围，论证务求详尽，必叫人家释然首肯，然后罢休，这是方法方面的长处。其所以能够如此，又在乎思考的周密。如前引“伯强何处”应作“安处”，若非细审用字之例，必然忽略过去。又如“占慕失韵”的问题，有人改“占”为“卜”，似乎轻快爽捷，但作者列举实证，以明“凡言筮者，皆自筮而神占之”，以见讹谬不在“占”在“慕”。这些都可为思考周密的显证。

我们愿意介绍这本书给“爱好文艺而关心于我们自己的文艺遗产的朋友们”。

像《楚辞》这种书，爱好文艺遗产的人喜欢读自然可读，大学本国文学系是必读，高中不一定要读，但《湘夫人》、《涉江》等篇常常被选在高中国文教本里，却是事实。现在一班笃好“固有文化”的先生们常叫人不要捧着什么史什么概论当宝贝，最要紧的直接与旧籍对面，让自己涵泳其中。这个话当然有道理，可是旧籍的问题很多，校勘方面训诂方面虽经以前学者努力，有了许多成绩，但不能说已经完全解决。一般读者跟高中生大学生个个得做校勘家训诂家，自然决无此理，就是要会合以前学者的成绩在一起，参看互证，事实上也必办不到。你叫人家直接与旧籍对面，至少要让人知道这种旧籍的某些问题已经解决了，某些问题至今还未解决，才可以比较的不致缠夹，不感朦胧。对于这一点，一班先生似乎不大注意；只看学校油印的文选和书局出版的国文教本，有的只印白文，有的随便抄些“不求甚解”的注释，再听中学大学的讲授，大半是因袭一般陈说的多，博考研究成绩而采一精当之说的少，便可以见得他们的不大注意。刻薄的说起来，岂不是他们以为旧籍有一种神秘的力量，你只要面对着它，就会有种种好处吗？其实读旧籍不留心校勘和训释的成绩，非但得不到什么好处，并且有把头脑弄糊涂了的坏处。即如高中生常读的《涉江》，据这本书的作者研究，中间颇有错简断简脱简，其说甚精，而现在唯据旧本诵习，强为之解释；读者便将觉得古来的诗人作诗原是这样七颠八倒的，无形中受它的影响，自己遣思说话也同样七颠八倒起来，岂不糟糕？且不忙劝人读旧籍，你先弄些个可靠的适用的本子出来吧。——以上的话与介绍这本书无大关系，因联带想起，便写在这儿。

1943年7月15日发表

读《经典常谈》

学校国文教室的黑板上常常写着如下一类的粉笔字："三礼：周礼，仪礼，礼记。""三传：公羊传，穀梁传，左传。"学生看了，就抄在笔记簿上。

学期考试与入学考试，国文科常常出如下一类的测验题目："《史记》何人所作？《资治通鉴》何人所作？""什么叫'四书'？什么叫'四史'？""司马相如何代人？杜甫何代人？他们有哪一方面的著作？"与考的学生只消写上人名、书名、朝代名就是。写错了或者写不出当然没有分数。

曾经参观一个中学，高中三年级上"中国文学史"课，用的是某大学的讲义《中国文学史要略》，方讲到隋唐。讲义中提及孔颖达的《五经正义》，杜佑的《通典》，王通的《中说》等，没有记明卷数，教师就一一写在黑板上，让学生一一抄在本子上。在教室里立了大约半点钟，没听见教师开一声口，只看见他写的颇为老练的一些数目字。

书籍名，作者名，作者时代，书籍卷数，不能不说是一种知识。可是，学生得到了这种知识有什么受用，咱们不妨想一想。参与考试，如果遇到这一类的测验题目，就可以毫不迟疑地答上去，取得极限的分数，这是一种受用。还有呢？似乎没有了。在跟人家谈话的当儿，如果人家问你“什么叫‘四史’？”你回答得出“就是《史记》、《汉书》、《后汉书》、《三国志》”你的脸上自然也会有一副踌躇满志的神色。可惜实际上谈话时候把这种问题作话题的并不多。

另外一派人不赞成这种办法，说这种办法毫无道理，不能叫学生得到真实的受用。这个话是千真万确的。他们主张，学生必须跟书籍直接打交道，好比朋友似的，你必须跟他混在一块，才可以心心相通，彼此影响，仅仅记住他的尊姓大名，就与没有这个朋友一样。这个话当然也没有错。可是他们所说的书籍范围很广，差不多从前读书人常读的一些书籍，他们主张现在的学生都应该读。而且，他们开起参考书目来就是一大堆，就说《史记》吧，关于考证史事的有若干种，关于评议体例的有若干种，关于鉴赏文笔的有若干种。他们要学生自己去摸索，把从前人走过的路子照样走一遍，结果才认识《史记》的全貌。这儿就有问题了。范围宽广，从前读书人常读的一些书籍都拿来读，跟现代的教育宗旨合不合，是问题。每一种书籍都要由学生自己去摸索，时间跟能力够不够，又是问题。这些问题不加注意，徒然苦口婆心地对学生说：“你们要读书啊！”其心固然可敬，可是学生还是得不到真实的受用。

现代学生的功课，有些是从前读书人所不做的，如博物、理化、图画、音乐之类。其他的功课，就实质说，虽然就是从前读书人学的那一些，可是书籍不必再用从前人的本子了。一部历史教本就可以摄取历代史籍的大概，经籍子籍的要旨。这自然指编撰得好的而言；现在有没有这样好的教本，那是另一问题。试问为什么要这么办？为的是从前书籍浩如烟海，现代的学生要做的功课多，没有时间一一去读它。为的是现代切用的一些实质，分散在潜藏在各种书籍里，让学生淘金似的去淘，也许淘不着，也许只淘着了一点儿。尤其为的是从前的书籍，在现代人看来，有许多语言文字方面的障碍；先秦古籍更有脱简错简，传抄致误，清代学者校勘的贡献虽然极大，但是否完全恢复了各书的原样，谁也不敢说定；现代学生不能也不应个个劳费精力在训诂校勘上边，是显而易见的。所以，为实质的吸收着想，可以干脆说一句，现代学生不必读从前的书。只要历史教本跟其他学生用书编撰得好，教师和帮助学生的一些人们又指导得法，学生就可以一辈子不读《论语》、《庄子》，却能知道孔子、庄子的学说；一辈子不读《史记》、《汉书》，却能明晓古代的史迹。

可是，有些书籍的实质和形式是分不开的，你要了解它，享受它，必须面对它本身，涵泳得深，体味得切，才有得益。譬如《诗经》，就不能专取其实质，翻为现代语言，让学生读“白话诗经”。翻译并不是不能做，并且已经有人做过，但到底是另外一回事；真正读《诗经》还得直接读“关关雎鸠”。又如《史记》，作为历史书，尽可用“历史教本”、“中国通史”之类来代替；但是它同时又是文学作品，作为文学作品，就不能用“历史教本”、“中国通史”之类来代替，从这类书里知道了楚汉相争的史迹，并不等于读了《项羽本纪》。我想，要说现代学生应该读些古书，理由应该在这一点上。

还有一点。如朱自清先生在这本《经典常谈》的序文里说的，“在中等以上的教育里，经典训练应该是一个必要的项目。经典训练的价值不在实用，而在文化。有一位外国教授说过，阅读经典的用处，就在叫人见识经典一番。这是很明达的议论。再说做一个有相当教育的国民，至少对于本国的经典也有接触的义务。”一些古书，培育着咱们的祖先，咱们跟祖先是一脉相承的，自当尝尝他们的营养料，才不至于无本。若讲实用，似乎是没有，有实用的东西都收纳在各种学科里了；可是有无用之用。这可以打个比方。有些人不怕旅行辛苦，道路几千，跑上峨嵋金顶看日出，或者跑到甘肃敦煌，看石窟寺历代的造像跟壁画。在专讲实用的人看来，他们干的完全没有实用，只有那股傻劲儿倒可以佩服。可是他们从金顶下来，打敦煌回转，胸襟扩大了，眼光深远了，虽然还是各做他们的事儿，却有了一种新的精神。这就是所谓无用之用。读古书读的得其道，也会有类似的无用之用。要说现代学生应该读些古书，这是又一个理由。

这儿要注意，“现代学生应该读些古书”，万不宜忽略“学生”两字跟一个“些”字。说“学生”，就是说不是专家，其读法不该跟专家的一样（大学里专门研究古书的学生当然不在此限）。说“些”，就是说分量不能多，就是从前读书人常读的一些书籍也不必全读。就阅读的本子说，最好辑录训诂校勘方面简明而可靠的定论，让学生展卷了然，不必在一大堆参考书里自己去摸索。就阅读的范围说，最好根据前边说的两个理由来选定，只要精，不妨小，只要达到让学生见识一番这么个意思就成。这本《经典常谈》的序文里说："我们理想中一般人的经典读本——有些该是全书，有些只该是选本节本——应该尽可能地采取他们的结论；一面将本文分段，仔细地标点，并用白话文作简要的注释。每种读本还得有一篇切实而浅明的白话文导言。"现代学生要读些古书，急切需用这样的读本。口口声声嚷着学生应该读古书的先生们，似乎最适宜负起责任来，编撰这样的读本。可是他们不干，只是"读书啊！读书啊!"的直嚷；学生实在没法接触古书，他们就把罪名加在学生头上，"你们自己不要好，不爱读书，叫我有什么办法?"我真不懂得他们的所以然。

朱先生的《经典常谈》却是负起这方面的责任来的一本书。它是一些古书的"切实而浅明的白话文导言"。谁要知道某书是什么，它就告诉你这个什么，看了这本书当然不就是读了古书，可是古书的来历，其中的大要，历来对于该书有什么问题，直到现在为止，对于该书已经研究到什么程度，都可以有个简明的概念。学生如果自己在一大堆参考书里去摸索，费力甚多，所得未必会这么简明。因这本书的导引，去接触古书，就像预先看熟了地图跟地理志，虽然到的是个新地方，却能头头是道。专家们未必看得起这本书，因为"这中间并无编撰者自己的创见，编撰者的工作只是编撰罢了"(序文中语)；但是这本书本来不是写给专家们看的，在需要读些古书的学生，这本书正适合他们的理解能力跟所需分量。尤其是"各篇的讨论，尽量采择近人新说"(序文中语)，近人新说当然不单为它"新"，而为它是最近研究的结果，比较可作定论；使学生在入门的当儿，便祛除了狭陋跟迂腐的弊病，是大可称美的一点。

这本书所说经典，不专指经籍；是用的“经典”二字的广义，包括群经、先秦诸子、几种史书、一些集部，共十三篇。把目录抄在这儿:《说文解字》第一,《周易》第二,《尚书》第三,《诗经》第四,“三礼”第五,“《春秋》三传”第六（国语附),“四书”第七,《战国策》第八,《史记》《汉书》第九，诸子第十，辞赋第十一，辞第十二，文第十三。 前头十一篇都就书讲，末了“诗”“文”两篇却只叙述源流，不就书讲,“因为书太多了，没法子一一详论，而集部书的问题也不像经、史、子那样重要，在这儿也无需详论”（序文中语)。

1943 年 8 月 5 日发表

介绍《经典常谈》

朱自清先生的这部书是一些古书的“提要”。他把这些书称为“经典”，意思是历来受教育的人常读的书；并不限于“经部”。历来受教育的人常读的书，现代受教育的人虽不必照样全读，但多少总该接触一点儿，知道那些书是什么东西。朱先生称这种工夫为“经典训练”；序文里说：“经典训练的价值不在实用，而在文化。”这个话很通达。我们生在这么一个文化环境之中，如果不知道一些记录文化的书，就像无根之草无源之水似的，难望发荣滋长，流长波阔。从这个观点，无论学理科工科的人都该受经典训练；而普通教育中高中的阶段必须接触经典，也有了充分的理由。以前受教育的人专受经典训练，可是大多数人的目标并不如前所说；他们认为这是利禄之途，受了经典训练才可以应考，取功名。只有少数明达之士，明白“学以为己”的道理，努力钻研，着眼在文化方面。现在很有些嚷嚷的人，叫人读经典，为什么要读，他们可说不上来。在现代，经典已经不是利禄之途，我们当然不必走以前大多数人的途径；如果漫无目标地读着，费时费力，干这不自觉解的工作，又何苦来？唯有明白觉解，着眼在文化方面，受经典训练才有意义。

有一句流行的话，叫做“了解固有文化”。接触经典就为的了解固有文化。不过了解不是囫囵吞枣的办法能够得到的，我们眼见有许多老先生，他们把一些旧籍读得烂熟，某一句在某篇第几行都说得出，可是问他们什么是固有文化，不是回答你一套因袭的偏见，就是什么也回答不出；这不能算了解，只能算做了个活书橱。必须弄清楚什么是什么，不增不减，不偏不诬，才算了解。现代人接触经典，必须得到这样的了解；否则还是不要接触的好——把头脑搅糊涂了，把思想拘束住了，所以说还是不要接触的好。无奈要从经典得到这样的了解真也不容易。语言文字版本校勘方面有问题，就难作确切的解释。古人著书自有古人的派头，与现代作者大不一样，要从其中钩稽要旨，看出条理，也非仓促可办。尤其是历代人大多宝爱经典，因宝爱而生莫名其妙的崇敬，阐说发挥，又喜欢给加上主观的见解；我们要把这些一一检别，去掉后人的附加成分，还它个原来的面目，是一种非常艰巨的工作。说老实话，一个人如果没有方法，不经指导，即使一辈子钻在图书馆里，也未必能对固有文化真有点儿了解。何况所有受教育的人，怎能够为要了解固有文化，一辈子钻在图书馆里？所以，为一般人着想，一部“提要”的书，说明经典是什么，不增不减，不偏不诬，是需要的。做专门研究的人当然不需要，可是普通人有了这个，就可以知道某书是什么，直到现在为止，对它的研究已经到了如何程度；从而接触某书，就不至于走入歧途，或者茫无所得。朱先生的《经典常谈》就是这样的一部书。

传统的经学家子学家及至文学家不肯写这样的书，也写不来这样的书：因为他们专弄某一方面，往往把这一方面看得特别了不起，喜欢说得过了分寸，这在要知道这一点儿固有文化的人并不需要。例如皮锡瑞的《经学历史》里说："读孔子所作之经，当知孔子作六经之旨。孔子有帝王之德而无帝王之位，晚年知道不行，退而删定六经，以教万世。其微言大义实可为万世之准则。后之为人君者，必遵孔子之教，乃是以治一国；所谓'循之则治，违之则乱'。后之为士大夫者，亦必遵孔子之教，乃足以治一身，所谓'君子修之吉，小人悖之凶'。此万世之公言，非一人之私论也。孔子之教何在？即在所作六经之内。故孔子为万世师表，六经即万世教科书。"别的且不说，如果遵从皮氏这个话，我们非注定做"今文家"不可。可是要了解固有文化，却须超越了"今文家"与"古文家"的界限，才更近于真际。有人不喜欢把专家治学者和普通人知道一些的途径混为一谈，以为不这样就无由知道；其实了解固有文化也不消这么麻烦，专家研究是一回事，普通人知道一些又是一回事。例如吕思勉的《经子解题》里说："治学之法，忌偏重主观。偏重主观者，一时似惬心贵当，而终不免于差谬。能注重客观则反是。大抵时代相近，则思想相同。故前人之言，即与后人同出揣度，亦恒较后人为确。况于师友传述，或出亲闻；遗物未湮，可资目验者乎。此读书之所以重'古据'也。宋人之经学，原亦有其所长；然凭臆相争，是非难定。自此入手，不免有失漫汗。故治经当从汉人之书入。此则治学之法如是，非有所偏好恶也。治汉学者，于今古文家数，必须分清。汉人学问，最重师法。各守专门，丝毫不容假借。凡古事传至今日者，率多东鳞西爪之谈。掇拾丛残，往往苦其乱丝无绪；然苟能深知其学术派别，殆无不可整理成两组者。夫能整理之成两组，则纷然淆乱之说，不啻皆有线索可寻。且有时一说也，主张之者只一二人；又一说也，主张之者乃有多人。似乎证多而弥繁矣。然苟能知其派别，即可以知其转辗祖述；仍出一师。不过一造之说，传者较多，一造之说，传者较少耳。凡此等处，亦必分清家数，乃不至于听荧也。”这儿注重客观，寻求本义，确是很有用的法门；但说必须治了汉学方始懂得经，这岂是人人能够办到的事？要使高中学生这么做，尤其担负不了。所以《经学历史》《经子解题》等书，作者虽然抱着“金针度人”的热诚，仅对大学文科或者有些用处，在普通要知道一点儿固有文化的人，实嫌求之过狭或过繁。普通人只有这么一种指导，不管什么今文古文，不管什么汉学宋学，但把一些已经或者几乎成为定论的东西，简明扼要的，化而为常识的叙述出来。看了这种叙述，再去接触经典，就可以省却许多冥行盲索的工夫，而对固有文化就有了了解，且不会了解在歪里；如果要进而深求，即将此作为入门的第一步，也就没有“择术不正”之嫌。作这种指导，即使自己是个专家，必须脱去个人的偏好与学术的架子，只站在普通人的立场说话；对于所谓经典，指说固不须引经据典，但必须语语有据，而且是可靠的据；态度自然愈客观愈好，但必须充满“了解的同情”。朱先生这部书似乎能够做到了这些，所以是值得称赞的成绩。

书分十三篇：一、《说文解字》，二、《周易》，三、《尚书》，四、《诗经》，五、三“礼”，六、《春秋》三传（《国语》附），七、“四书”，八、《战国策》，九、《史记》《汉书》，十、诸子，十一、辞赋，十二、诗，十三、文。前面十一篇都以书为主，末后两篇却只叙述源流，因为书太多了，没法详说，而且关于这两类书没有多大问题，也不需详说。他的叙说，一句话包括，在于“还它个本来面目”。试从第一篇中举个例子：

东汉和帝时，有个许慎，作了一部《说文解字》。这是一部划时代的书。经典和别的书里的字，他都搜罗在他的书里，所以有九千字。而且小篆之外，兼收籀文“古文”；“古文”是鲁恭王所得孔子宅“壁中书”及张苍所献《春秋·左传》的字体，大概是晚周民间的别体字。许氏又分析字形，定出部首，将九千字分属五百四十部首。书中每字都有说解，用晚周人作的《尔雅》，扬雄的《方言》，以及经典的注文为体例。这部书意在帮助人通读古书，并非只供通俗之用，和秦代和西汉的字书是大不相同的。它保存了小篆和一些晚周文字，让后人可以溯源沿流；现在我们要认识商周文字，探寻汉以来字体演变的轨迹，都得凭这部书。而且不但研究字形得靠它，研究字音字义也得靠它。……

现在有些国文老师喜欢选《说文解字序》给高中同学读，以为借此可以让高中同学知道“说文”是什么样子的书，但汉朝人的文字既较难读，讲解又未必得法，结果同学们还是不了然“说文”是什么样子的书。看朱先生这段文字，简明扼要，“说文”的作旨、取材、体例、功用都在里头了，正是“说文”的本来面目，现代受教育的人应有的常识。以下又说：

“说文”序里提起出土的古器物，说是书里也搜罗了古器物铭的文字，便是“古文”的一部分。但是汉代出土的古器物很少；而拓墨的法子到南北朝才有，当时也不会有拓本，那些铭文，许慎能见到的怕是更少。所以他的书里还只有秦篆和一些晚周民间书，再古的可以说是没有。到了宋代，古器物出土的多了，拓本也流行了，那时有了好些金石图录考释的书。“金”是铜器，铜器的铭文称为金文。铜器里钟鼎最是重器，所以也称为钟鼎文。这些铭文都是记事的。而宋以来发见的铜器大都是周代所作，所以金文全部是两周的文字。清代古器物出土的更多，而光绪二十五年（西元一八九九）河南安阳发现了商代的甲骨，尤其是划时代的。甲是龟的腹甲，骨是牛胛骨，商人钻灼甲骨，以卜吉凶，卜完了就在上面刻字记录。这称为甲骨文，又称为卜辞，是盘庚（约西元前一三〇〇年）以后的商代文字。这大概是最古的文字了。甲骨文、金文以及说文里所谓“古文”，还有籀文，现在都算作古文了，这些大部分是文字统一以前的官书。

这是关于古代文字系统的常识，有了这点常识，就会知道“说文”的真价值，而不至于过分看得它了不起，以为古代文字的形声义尽在于此，只此一家，不须他求。这部书中，“尽量采择近人新说”，即此可见一斑。近人并非特别比古人高明，只因为所据材料比古人多而可靠（也就是吕思勉先生所说的“古据”），方法方面又比较进步，就有了些发现。这部书收入这些新发现，因为不是学术论著，没有“注一”“注二”的详说来历，仔细案求起来，却是近人研究这些经典的一篇总结账。这篇总结账，正是现代普通人应该知道的常识。

我以为要接触经典的人，不妨先看一看这一部书，看了之后，某书是什么，可以有个大概的观念。再从某书中选取精要的部分来读（自己没法选，请教高明些的人指导），或读全书，当不至于空手而回，一无所得。高中国文教本的材料，一部分取自这些经典，比较可靠的教法，老师应把各种经典的大概指示一番，这部书可以供老师们预备提示时作为参考。

1943 年 8 月 10 日发表

读《文言虚字》

说话作文不通，有两种原因，一是不合逻辑，二是不合语法。一个人思路清楚，说出话来写出文来都顺当有理，又一律依照语言习惯说出，不闹什么别扭，他的话与文就是通的了。至于见解不很高明，情感不够深至，那是由于生活经验的限制；只能说他不好，不能说他不通。

这儿撇开逻辑不说，单说语法。大概要熟习一种语法，对于语言中的语法成分该比实义成分多加注意。如烟卷习惯说“一枝”或“一根”，不说“一只”，若说“一只”，就是不合语法。但这种实义成分一说就明白，只要知道说“一只”不合，自然会改说“一枝”或“一根”。语法成分就没有这么简单。语法成分没有实义，如单独一个“虽”、“而”、“吗”、“呢”等字意义都很空；可是组织在语言里头却表示种种的意义，而且像人身的脉络似的。人身的脉络有了阻碍就是病身，语言的语法成分不顺条理就根本不成语言，更不用说什么达意表情了。唯其意义空，必须把握得切实；唯其是语言的脉络，必须把它的条理弄得清清楚楚。我们应该多加注意，就是为此。

我们常常想，供给一般人应用的辞典里应该包含一种成分，就是把语言中每一个语法成分作为一个条目，多举一些例句，分析它的用法，再加说明；如“于”、“以”、“然而”、“罢了”等各为一个条目，就若干例句观察，看出各有若干用法，再给说明为什么这样用可以，那样用不成。这对于读者很有帮助，听话读书如有疑惑，取来翻查，不致有误会；说话作文如有疑惑，也可以在翻查之后决定个不背语法的说法。可惜现在通用的辞典里没有这种成分。这儿并不是说辞典里没有这些条目；是说在条目之下大多只做了解释的工作，一个意义是什么，另一个意义又是什么，却没有仔细地做分析说明的工作，像前面所说的。要这么做，须是语法学家当行；而编辑辞典的人往往只是注释家，他们的辞典里缺少这种成分也就无怪其然。其实，不必撮合在辞典里头，单把语法成分分析说明，也就是一种非常有用的著作。刘淇的《助字辨略》，王引之的《经传释词》，杨树达的《词诠》，裴学海的《古书虚字集释》，都属于这一类。可是这几种著作有两个共通之点：一是偏重古语的语法成分；二是解释考证多，辨析说明少。为此，对少数阅读古籍的人见得有用，一般人却未必要利用，而且未必能利用。吕叔湘先生这本《文言虚字》也属于这一类，却跟前面说的几种著作有不同处：第一，讲的虽也是古语的语法成分，但没有“古”到秦汉以前，只以所谓“普通文言”为范围；第二，完全用语法学的观点来辨析说明，常取现代口语作参照，作比较，特别详于每个语法成分的各种习见用法。现代人固然不一定要读秦汉以前的古籍，可是“普通文言”却不能不通晓，有许多的书都是用“普通文言”写的；写作方面，虽然我们主张不必用古语，但是事实上还有许多人在用，在提倡用，他们用的跟提倡用的就是“普通文言”。“普通文言”虽说“普通”，到底也是古语，不像经常挂在口头的语言那样易于熟习。要熟习它，多读是一法；读得烂熟，不知不觉之中就懂得了它的条理。不过这样的懂得只是知其然而不知其所以然。要知其所以然，别有一法，就是作语法研究。语法研究好像是专门学者的事情，其实不然，咱们普通人也常常在做零星的研究。外省人初到川省，听到川省人说“我莫得钱”，“我莫得工夫”，“他没有来”，“我没有遇见他”，觉得奇怪，因为外省人说普通话，这些话里一律说“没有”，不说什么“莫得”。奇怪之后，不免留意地听，考求川省人口中的“莫得”跟“没有”到底有什么分别，该怎么用法。从听到的许多语言中，条理发见出来了；“莫得”指事物而言，没有某种事物，就说“莫得”，相当于文言的“无”字；“没有”指动作而言，没有某种动作，就说“没有”，相当于文言的“未”字。普通话不论指事物还是指动作，一律说“没有”；川省人口中却分开来，这情形正与文言相同。这样的考求就是语法研究，研究的结果是知其所以然。知其所以然，你就能够解释为什么川省人决不说“他莫得来”，“我莫得见他”，你若说川省话，也不会依照普通话的习惯说“我没有钱”，“我没有工夫”了。文言跟口语，比起川省话跟普通话来，差别的程度还要大；对于文言的语法成分，要一个个的知其然并知其所以然，实在有一个个的作语法研究的必要；不能说这是语法学者的事情，由语法学者去费心思好了；应该知道谁要想通晓文言，知其所以然，谁就得在这上头费心思，费心思为的是自己得益，受用。这本《文言虚字》正是引导读者对“普通文言”的语法成分作语法研究的一种著作，所以我们愿意把它介绍给读者。

这儿请举一个例子，“之”字的一种用法，让读者窥见这本书的一斑。作者先列举如下的例句：

孤之有孔明，犹鱼之有水也。

有功之生也，孺人比乳他子加健。

大道之行也，天下为公。

余之识君，且二十年。

君子之爱人也，以德。

异哉，此人之教子也！

这些句子里的“之”字都安在主语和谓语的中间，似乎不是必要的，若作“孤有孔明，犹鱼有水。”“余识君且二十年。”……意义并无改变。然则为什么要加用“之”字？作者用语法学的观点说明道：

这里的“之”字的作用可说是化词结〔1〕为词组。词组指加词和端词的配合；词结指主语和谓语的配合。句子是独立

〔1〕词结和下文中的加词、端词，都是过去语法书里的用语。词结相当于现在说的句子结构。加词，在连接作用的“之”字上面的词，相当于现在说的附加语。端词，在连接作用的“之”字下面的词，相当于现在说的中心词。

的词结，句子里头又常常包容一个或多个不独立的词结。词结有主语有谓语，本来具备句子的资格，包含在别的句子里面，暂时失去这个资格。加一个“之”字就在形式上确定它的地位，因为词组不能独立成句，至少是寻常的句子不取词组的形式。这是就形式而论。我们还可以从心理上加以说明。“大道行”可以断句。虽然接着说“则天下为公”，我们就知道“大道行”并不独立，不如加一“之”字，让我们从头就知道句子未完，就期待下文。这样，句子更觉紧凑。

以上的说明显然只适用于前三例。其余三句原来就只有一个词结，何以也加用“之”字呢？这里是因为“二十年”“以德”“异”等词语本来是附加词（或称副词短语），附加词只是谓语的一部分，且在形式上是不重要的部分，现在要重视这些附加词，所以在主语和动词之间加一“之”字，化成词组的形式，做句子的主语，原来的附加词就升为句子的谓语，占据重要的地位了。

咱们看了以上的说明，就可以解释

人之为学有难易乎？

昔者先王知兵之不可去也，是故天下虽平，不敢忘战。

鸟之将死，其鸣也哀，人之将死，其言也善。

人之欲得产业谁不如我？

这些句子里的“之”字的作用。同时，如果看见

> 人爱我，以我能自爱也。
> 某君至，余伏案读书。
> 我父适昆明，不以车而以飞机。
> 人皆称美余好学。

这些句子，就会觉察这些句子有些生硬，不紧凑，要加用个“之”字（有的再加用个语气词），才成合式入调的文言。

取现代口语作参照，作比较，极容易见出文言之所以然，这儿也举一个例子。作者说明现代口语里已经不用了的“所”字，就用文白对照的办法。

> （甲）耕田的牛：耕田之牛。
> （乙）牛耕的田：牛所耕（之）田。
> （甲）式“的”变为“之”，（乙）式“的”仍变为“之”，但“牛”与“耕”之间必须再加一“所”字。从白话的立场看，这个“所”字好像多余似的，但在文言里，“之”字倒可省，“所”字倒必不可省。因为“之”字既可省，若无“所”字，则“牛耕田”（=牛耕的田）就和“牛耕田”（句子）无分别了。

这个对照扼要而且明白，咱们看了就可以懂得“所”字在文言里的必要；文言说“我读书”（我读的书）“我见物”（我看见的东西）

既嫌表达不明，又不通行“我读之书”、“我见之物”的说法，怎么能不用个在这种场合上特具任务的“所”字？同时，咱们也可以懂得现代口语不必用“所”字的所以然；现代口语通行说“我读的书”，“我看见的东西”，自然无须用“所”字了。推想开来，咱们又可以悟出现代人口头笔头（指白话的写作）有时还用着这个“所”字，那只是文言的残留，并非非用不可；说“我读的书”、“我看见的东西”，比较说“我所读的书”、我所看见的东西”，是更普遍的方式。

这本书详于文言语法成分的各种习见用法，在还须用“普通文言”的今日，这个办法甚为得要，前面已经说过。至于别义僻解，索性丢开不谈；如“所不与舅氏同心者”、“君子所其无逸”的“所”字，“焉作辕田”、“自然存焉天地之间”的“焉”字，在《者·所》篇《焉·耳》篇里都不讨论。因为“所”字“焉”字的这种用法，在“普通文言”里已经没有了；谁要考求的话，可以去查《经传释词》一类的书。作者这个办法，我们完全同意。

这本书中讨论的只有二十几个字，虽然是最重要的二十几个字，究竟还没有齐备。作者在序文中说“或当更为续说”，我们希望他从早实践。另一个希望是对于现代口语的语法成分，作者也来这么一本书。

1944年4月23日作

文言的讲解

国文课里读到文言，就得作一番讲解的工夫。或者由同学试讲，由教师和其他同学给他订正（讲得全对，当然无须订正）；或者径由教师讲解，同学们只须坐在那儿听。两种方法比较起来，自然前一种来得好。因为让同学们试讲和订正，同学们先做一番揣摩的工夫，可以增进阅读的能力。坐在那儿听固然很省事，不大费什么心思，可是平时自己阅读没有教师在旁边，就不免要感到无可依傍了。

不妨想一想，为什么要讲解？回答是：因为文言与咱们的口语不一样。

像有一派心理学者所说，思想的根据是语言，脱离语言就无从思想。就咱们的经验来考察，这种说法大概是不错的。咱们坐在那儿闷声不响，心里在想心思，转念头，的确是在说一串不出声的语言——朦胧的思想是不清不楚的语言，清澈的思想是有条有理的语言。咱们心里也有不思不想的时候，那就是心里不说话的时候。思想所根据的语言当然是从小学会的最熟习的口语。现在咱们想心思，转念头，都是在说一串不出声的口语。这也是作文该写口语的一个理由。心里怎样想就怎样写出来，当然最为亲切，不但达意，而且传神传情。

依此推想，古来人思想所根据的是他们当时的口语，写下来就是现在咱们所谓文言。咱们说古来人，包括不同时代的人。时代不同，语言也有差异。所以文言这个名词实在包含着多种的语言。还有须知道的，古来人虽然根据他们当时的口语来思想，待写下来的时候，为了书写的方便，把他们的口语简缩了，这是很寻常的事情；因而文言与他们的口语多少有些出入。还有，后一时代的人也可以学习前一时代的语言，用前一时代的语言来写文章，或者参用一些前一时代的语言来写文章（其实就是根据前一时代的语言来思想），而且不限于前一时代，尽可以伸展到以前若干时代；因而某一时代的文言大都不纯粹是某一时代的语言，往往是若干时代的语言的混合体。还有，文言中间也有并非任何时代的口语，而是一种人工的语言，例如骈体文。骈体文各句的字数那么整齐，通体全是对偶，又要顾到声音的平仄：哪一时代的人口头曾经说过那样的话？的确，没有一个时代的人口头曾经说过那样的话，那是一种人工的语言。用骈体文来写作的人，他平时的思想当然也根据他当时的口语，但是他要作骈体文的时候，就得把他的思想加一道转化的工夫，转化为根据那种人工的语言来思想，这才写得成他的骈体文；或者他对于那种人工的语言非常熟习了，像对于他当时的口语一样，因而也不需要什么转化的工夫，他要写骈体文就可以自然而然地根据那种人工的语言来思想。（这种经验咱们也有的。咱们写现代文，自然是根据咱们的口语来思想。但是咱们也可以写文言；在初学的时候，是加一道转化的工夫，转化为根据文言来思想；到了熟习的时候，要写文言就径自根据文言来思想了。岂但本国文字，咱们还可以写外国文呢；在初学的时候，是加一道转化的工夫，转化为根据外国语来思想；到了熟习的时候，要写外国文就径自根据外国语来思想了。）

写作的方面且不多说，这一回单说理解的方面——理解文言的方面。咱们是根据现代的语言来思想的，而文言是根据以前若干时代的混合语言来思想的，（咱们的语言里当然也混合着以前若干时代的语言；但是以前语言里的若干部分，咱们的语言里不用了，这是减；以前语言里所没有的部分，咱们的语言里却产生出来了，这是加；一减一加，这就成为与以前语言不一样的现代语言。）这其间就有了距离。咱们要彻底地理解文言，须做到与那些文言的作者一样，能够根据文言来思想。凡是能够通畅地阅读文言的人都已达到了这个境界。他们在阅读文言的时候，抛开了从小学会的最熟悉的口语，仿佛那文言就是他们从小学会的最熟悉的语言，他们根据这个来领受作者所表达的一切。但是，初学文言的人就办不到这一层。他们还没有习惯根据文言来思想，对着根据文言来思想的文言，只觉得到处都是别扭似的。消除那些别扭须做一道转化的工夫。根据咱们的口语是怎么说的，根据文言就该怎么说，要一点一滴地问个清楚，搞个明白；反过来，自然也知道根据文言是怎么说的，根据咱们的口语就该怎么说。这就是转化的工夫。转化的工夫做到了家，口语与文言的距离消失了。遇见文言就可以根据文言来思想来理解，与平时根据口语来思想一样。其实这时候已经多熟习了一种语言（文言）了，正同熟习了一种外国语相仿。

那转化的工夫就是讲解。讲解其实就是翻译。不过就习惯说，翻译是指把外国语文化为本国语文，与讲解不一样。但是，现在学校里测验学生文言阅读的程度，往往选一段文言，让学生“翻译为口语”。这个“翻译”显然就是“讲解”。

作外国语文的翻译，须能够根据外国语来思想，理解他表达的是什么，然后在本国语言里挑选最切当的语言把他表达出来。无所谓“直译”与“意译”，翻译的正当途径就只有这么一条。文言的讲解也是如此。

这一回只说些抽象的话。下一回再举些具体的例子，继续谈文言的讲解。

原题《讲解》1947 年 11 月 1 日发表

再谈文言的讲解

上一回谈文言的讲解，说了些抽象的话。这一回举些具体的例子，继续谈文言的讲解。

一个字往往有几个意义。在从前，几个意义都有人用。到后来，某一个或某几个意义很少人用了，咱们姑且叫它做“僻义”。如果凭着常义去理解僻义，那必然发生误会。例如《诗·豳风·七月》中有“八月剥枣”的话，咱们现在常说剥花生，剥瓜子，好似正与“剥枣”同例。但是这个“剥”字并不同于剥花生剥瓜子的“剥”，这个“剥”字是“攴”的假借字，“攴枣”是把枣树上结着的枣子打下来。又如《诗·小雅·渐渐之石》中有“月离于毕”的话，咱们现在说起来，“离”是离开，“月离于毕”是月亮离开了毕宿（星宿）。但是这个“离”字并不是离开，它的意义正与离开相反，是靠近。“月离于毕”是月亮行近了毕宿。屈原的《离骚》，《史记·屈原传》中解释道，“离骚者，犹离忧也。”这两个“离”字都不是离开，是遭遇，遭遇与靠近是可以相贯的。

文言中常不免有些僻义的字。倒不一定由于作者故意炫奇，要读者迷糊，大都还是他们熟习了那些僻义，思想中想到了那些字，就用出来了。咱们遇到那些字，若照常义去理解，结果是不理解。欲求理解，就得自己发现那些僻义，多找些例句来归纳，或者查字典，再不然就去请教人家。如果自己研究既怕麻烦，请教人家又嫌啰嗦，不理解的亏还是自己吃的。

文言中有些词语与现在说法不同。如“犊”字，咱们说“小牛”，“与某某书”的“书”字，咱们说“信”或“书信”。这只要随时随字留意，明白某字现在该怎么说，从而熟习那些字，直到不用想现在该怎么说，看下去自然了悟。又如从前人文中常用“髫龀”，寻求字义，“髫”是小儿垂髫，“龀”是小儿毁齿。可是咱们遇见“髫龀之年”四个字，如果死讲作“垂头髫毁牙齿的年纪”，这就别扭了。咱们思想中从来没有这么个想法，口头上也从来没有这么个说法。咱们应该知道这四个字只是说幼年时候，大约七八岁光景。从前人说“髫龀之年”，正同咱们说“七八岁光景”一样。“髫”字“龀”字什么意义固然要问个明白，可是对于“髫龀之年”还得作整个的理解，不必垂头髫啊毁牙齿啊什么的。

又如“倚闾之情”，如果死讲作“倚靠着里门的心情”，简直不成话。“愿共赏析”讲作“愿意跟您一同欣赏分析”，“颇费推敲”讲作“着实要花一番考虑”，话是成一句话，可是不够透彻。原来“倚闾”、“赏析”、“推敲”都是有来历的。“倚闾”出于王孙贾的母亲口里，她说儿子不回家，她就“倚闾而望”。（《战国策·齐六》）“赏析”是简约陶渊明的两句诗组成的，那两句诗是“奇文共欣赏，疑义相与析。”（《移居》）“推敲”是韩愈和贾岛的故事，他们两个共同考虑一句诗中的一个字，用“推”好还是“敲”好。

下笔的人知道这些来历，他们写“倚闾之情”，先记起王孙贾的母亲的话，就用这四个字来表达望儿心切的意思。他们写“愿共赏析”，先记起陶渊明那两句诗，所以“赏析”两个字中特别含着欣赏文章解析文章的意思。他们写“颇费推敲”，先记起韩愈和贾岛的故事，所以用“推敲”两个字虽不一定说作诗，可特别含着认真考虑反复考虑的意思。咱们遇见这些语句，当然也得知道“倚闾”、“赏析”、“推敲”的来历，才可以不发生误会，理解得透彻。这样的语句，文言中非常多。“不求甚解”，固然也可以对付过去。可是，如果要不发生误会，理解得透彻，就必须探求来历。最简捷的办法是勤查辞书。

文言中的单音词，咱们现在多数说成复音词。咱们看起来，单音词含混，复音词明确。在理解文言的当儿，得弄清楚文中的这个单音词等于现在的哪个复音词，待习惯成自然，就能够凭单音词理解，不至于含混。譬如一个“神”字，“祭神如神在”的“神”，咱们现在说“神道”；“神品”的“神”，咱们现在说“神妙”；“神与古会”的“神”，咱们现在说“精神”；“了不惊愕，其神自若”的“神”，咱们现在说“神态”。初学的时候必须逐个逐个对译，以求理解的明确，而同时，目的在养成习惯，达到单看上下文就知道是哪个“神”字的境界。

文言语句中各部分的次序，有的和现在的口语一致，有的不一致。所谓一致，就是文言怎么排列，现在的口语也怎么排列。譬如“喜食草实”是文言句，咱们现在说起来就是“喜欢吃草的籽儿”，排列的次序彼此相同，不过把“喜”说成“喜欢”，“食”说成“吃”，“草实”说成“草的籽儿”罢了。在这一类古今次序相同的语句里，有一点可以注意的，就是文言常有略去的部分，须由读者意会，按现在的说法说起来，那略去的部分往往必须说出。譬如《礼记·檀弓》“苛政猛于虎”那一节中，那妇人说明了公公、丈夫、儿子都被虎害了，孔子就问她：“何为不去也?”妇人回答说：“无苛政”。这在咱们说起来，就得说：“这儿没有苛酷的政治。”《檀弓》的原文可没有相当于“这儿”的词语，须意会才能辨出。

所谓不一致，就是语法的不一致，文言的语法是这样，现在口语的语法却另是一样。这需得两两比较，求得贴切的讲解，最后目的还在习惯那些文言的语法。譬如文言“糊之以漆纸”也可以作“以漆纸糊之”，“覆之以布”也可以作“以布覆之”，现在口语却只说“用漆纸糊上它”、“用布盖着它”（次序与“以漆纸糊之”“以布覆之”相同），若照“糊之以漆纸”、“覆之以布”的次序说成“糊上它用漆纸”、“盖着它用布”，就不成话。又如文言“子何好?”“子何能?”现在口语说成“您喜欢什么?”“您会干什么?”“何好”与“喜欢什么”，“何能”与“会干什么”，次序刚好颠倒。文言“吾不之惧”，“吾未之信”，现在口语说成“我不怕他”，“我没有相信这个”，“之惧”与“怕他”，“之信”与“相信这个”，次序也刚好颠倒。这些都属于语法研究的范围。研究了语法就知道通则，无论文言或现在的口语，这样说才合于约定俗成的通则，不这样说就违背了通则。熟习了种种通则，听人家的话，读人家的文章，自然不至于错解误会。自己发表些什么，或者用口，或者用笔，也可以正确精当，没有毛病。

关于讲解，可以说的还多。现在因为赶紧要付排，姑且在此截止，以后有机会再谈。

原题《再谈讲解》

1948年1月1日发表

教学举例

今天同诸位老师谈两篇东西。并不是狂妄的来讲授这两篇东西；不过说，据我的看法，像这样两篇东西，大概可以如此预备去教导学生罢了。

这番讲话，两周前在工农中学师训班已经讲过一次，这是第二次了，虽然诸位老师还是第一次听到。这是我贪图省事，免得再准备材料。

咱们教语文的，讲起原理原则方法来往往是一大套，其实也很简单，无非选几篇东西让学生看：咱们给他们指点，何处应当注意而已。学生认真地依咱们的指点去看，可以收到三种效果：

一、受到思想政治教育。语文课和政治课同而不同，目标是相同的，可是程度不同。政治课教的是关于思想政治方面的理论和知识，希望学生领受下去，食而化之。语文课大半不讲理论，也并非思想政治方面的知识，大多数选用形象化的文章，使学生在不知不觉之间受到感染，自然而然在思想行动方面逐渐提高。

二、提高读书能力。学生本来也可以看些书，但是在方法上也许不完备，因而不能透彻的了解。咱们给学生指点以后，他们了解的范围推广了，了解的程度加深了。

三、提高写作能力。对于所读的书真能了解，在写作方面不会不发生影响的。

我说得如此浅近，诸位能同意吗？我以为有些事情不贵乎求之太深。以上算是开场白。

选的这两篇东西，《“国家的”》和《三黑和土地》，都是我们新编的《语文课本》的材料。前一篇是散文，在第一册；后一篇是诗，在第三册。

教一篇文章，要学生预习，老师就先要费一点儿心，给他们若干提示。提示出得好，学生依着这些提示去预习，大概就能把这篇文章的内容方面形式方面的要点，以及含蓄在里头没有明说出来的东西全摸索出来。随便提示一些是不行的，必须提得完全，可能提出的一定要提出来。学生按着提示去想，去讨论，上课时报告一下，由老师加以纠正补充就得。逐句讲解，简直可以不必。教语体，教文言，都可以用这个办法。“白话文没法教”的顾虑，因此可以解除。

预习时要学生先读几遍，朗诵默诵都可以。这可以让他们自己考验了解的程度如何。也许第一遍念下去不顺，第二遍就顺得多了，念得顺就是粗略地了解了。有注释的，不要先看注释，实在不能自己解决时再看。然后按老师所出的提示逐一思考，作成答案。

老师给他们提示，先要自己想好，期望得到如何的答案，自己要有个数。要先检查自己，不要出没法回答和没法解决的问题。我现在以《“国家的”》为例，举些问题，希望诸位批评。

“在这篇文章里，开口说话，把一件事情告诉咱们的是谁?”“‘我们’。”——这就是正确的回答。

“所谓‘我们’，是什么样人?”除了太笨的和不用心的，一定可以回答“开坦克的”，并且会知道“是解放军中的坦克部队”。

“这篇文章是不是‘我们’的集体创作?”应当回答：“不是，是‘我’，是老头儿转过来问他‘这辆铁甲车修好了，还能打仗吗’的那个‘我’。”

接着再问：“这篇文章以什么东西作范围。”看过的一定能够说：“关于一辆坦克车的事情。”说得详细的就是：“老乡们保护着的一辆坦克车，交给解放军拉走了。”

“这事情发生在什么地方?”“北京西郊警备路。”

“这篇文章所叙的占多少时间?”这希望学生算一算。头一天遇到蹬三轮的，知道有这么一辆坦克，第二天看见了坦克，又过了两天拉走，应该回答“四天”。——“两天”有两个意义：一是不确定的“两天”，如“过两天再来看你”的“两天”；一是确定的“两天”。这里的“两天”该是确定的，所以一共是“四天”。

以上各问题，并非每篇文章都要如此发问。但是这几点，在看记叙文的时候（看一篇小说一篇戏剧也一样），确乎很重要，一定要使学生经常留心，成为习惯。

往下再问：

“‘我们’何以知道有这么一辆坦克?”

“这辆坦克怎么到了老乡手里?”

以上的问题用意在使学生把看明白了的，用自己的话回答出来。

“大家保护这辆坦克好几个月，给解放军拉走了，为什么没有舍不得的意思?”这个问题也许深了点儿，学生或者答不上来。老师可以告诉他们：“物之所以可爱，因为它有用。老乡们知道这辆坦克是‘国家的’，所以保护它，可是没有尽其用。现在拉走了，正可以尽其用，当然没有舍不得的意思。”

再可以问：“老乡们虽然没有舍不得的意思，可是对这辆坦克已有了情感，从哪儿可以看出来?”回答是：“从最后一句‘车修好了，开到咱们村里来走走哇!’可以看出来。”

诸位老师要我说些关于语法文法的话。我不赞成单独教这个。新华书店出版的课本是有单独的语法课的，我听不少老师说：“讲者无趣，听者头痛。”语法文法的名称有不同的说法。有人说：“口语的法则为语法，文言的法则为文法。”又有人说：“就其为语言说，都可以叫语法，文言的依据是古代语言。就其为写在纸面的文章说，都可以叫做文法。”这就弄不清了。我想将来总会有个一致的称谓的，现在我就叫它“语法”好了。我认为语法应当放在课文内教。在课文中提出一些有关语法的材料，让学生注意一下，能够触类旁通，就够了。不但语法，连修辞及作文法也可以随时教。这些东西并不艰深。例如“比喻”、“夸张”，就是修辞方法，任何人说话都是常用的。有人说：“这样教太零碎，没有系统。”其实不然。单就语法来说，学生到毕业的时候，绝不会有只懂得名词、动词，可是不懂得形容词、副词是怎么回事的事。这些东西说简单真简单，只要教的得其法。死死板板地教，确乎不如随时遇见一点教一点的好。

现在举一个例，是关于作文法的。譬如问："那一天解放军去取坦克，至少有十个人，那个村子即使很小，出来看热闹的老乡总有二三十人，那么些人聚在一起，乱七八糟的话一定说得很多，为什么不都写下来?"这个问题，学生可能答不出。老师就可以告诉他们："那一天的话，当然记不胜记。写文章不是乱说话，要有中心。一切材料都得向中心集中。这篇文章的中心是什么呢?老乡们爱护公共财物，爱国家，不是挂在口头上的，也不是听了报告学来的，他们既痛恨国民党反动派，又多少和人民自己的解放军有了接触，遇见了反动派遗留下来的这辆坦克，就加意保护它，这是自发的一种爱国的行为。这是这篇文章的中心。所有对话，凡是跟中心有关的都记下来了，无关的，一句也不要。"所有的记叙文大多有对话，一篇小说，一篇传记，其中的对话全是这样来的。这一点必须使学生明白。

还可以让学生研究一下，这篇文章有没有毛病?从前教国文的老师总爱做文章的辩护律师，永远是"文章好呀，好文章!"咱们现在不必再当这义务律师了。文章有不好处，就说不好。例如本文末一节，"正要开走，又听见那个老头儿……"是哪个老头儿呢?有人说："前两天有过一个老头儿出场的。"但是事情隔了两天，作者至少应该说"两天前见过的那个老头儿"，这才没有漏洞。像这种地方，让学生练习眼光也好。

这篇文章，老师们必然同意它的政治性强。讲的时候，自然不妨提到"共同纲领"和爱护国家财物的必要等等。学生们念过，也一定会明白。要学生多读多了解，收到潜移默化的功效，在思想政治上提高一步。不必多发空论，只需教的态度认真，准备的材料充实就够了，也不必选若干篇有关的政治论文作为补充教材。要注意到坐在对面的是小学刚毕业的孩子，他们能不能接受政治性那么强的东西。分量合适，学生能够接受，可以收到营养的效果，那才是真的强。

下面，咱们来谈谈《三黑和土地》。

有人觉得教白话诗比教白话文更讨厌。其实也有办法，还是先让学生们预习。看诗，更要多用功夫多用心。坏的诗不说，好的有分量的诗，往往只说出一部分，另外一部分没有说出来，待读者自己去体会，这就不容易看了。咱们必须把可以体会的体会出来，才算真能了解。

开头问：

“全诗共十五节，是否全说的三黑？”假若学生看清楚了，马上可以回答：“不，后十二节讲三黑，开头三节不是。”

“这首诗讲的是什么？”答：“解放之后，三黑分到了土地，他生活改变了，心理上也改变了。”

“讲三黑的十二节和头三节是如何连接起来的？”应当答：“连接在第四节第一行‘三黑就是这样的翻着土地’一行中的‘就是这样的’五个字上。假如不要开头三节，并把第四节第一行‘就是这样的’五个字删掉，这首诗也可以成立。”

“所谓‘这样’，是怎么样？”应当答：“所谓‘这样’，包括了开头三节，代替了开头三节。”

开头三节，老师可以引导学生来想一想：第一行看来平常得很，“农民”，“有了”，“土地”，就是这样三个意念。仔细一想就不怎么平常。“农民”和“土地”有一定的关系，农民种地，地归农民种，本是天经地义的事。中间插个“有了”，和从前向人家租地佃地也算是“有了”的不同；和自己没有地，只靠出卖劳动力，给地主当雇农，地主说“这块地归你种吧”，这样也算是“有了”的不同。那都不是真“有”，而现在才是的的确确实实在在地“有了”土地所有权。由于这个不平常的“有了”，跟着来了新的情况，“就把整个生命投进了土地”。这是前三节的中心，接着下面三四两行，是打个比方的说法。

“二三两节说的是什么呢?”说的是农民真正有了土地之后，对土地的欢喜异常深切的情况。两节都用“恨不得”开头。“恨不得”是表示恨之深，也表示爱之深。（例如“我恨不得打死你”，是表示恨之深。男女相爱，“恨不得”打碎揉烂，两个团成一个，我里有了你，你里也有了我，是表示爱之深。）诗中的“恨不得，把每一块土”都“尝一尝”，又“恨不得自己变成一粒种子，躺在土里试一试”，都是说农民希望知道自己的土地好到什么程度。庄稼是农民最后的目标，爱土地也无非为了庄稼，所以他们就想“变成一粒种子”去“试一试”、“温暖不温暖，合适不合适”。“尝”是味觉，“躺在土里试”是触觉，比较空说“想知道好到什么程度”不同，真实感丰富多了。总之，诗人用了这两节，表达了农民爱土地爱庄稼的心情。

“为什么要有说一般农民的开头三节呢?”因为三黑是一般农民中的一个。但是这三节假如删去了，也无不可。

“说三黑的十二节，应该怎样分段落?”我想学生大致会分的。“第四节到第八节是一段，说三黑翻地耙地，同时欣赏自己的土地和工作。第九节到第十二节，以蝈蝈儿为线索，把三黑幼年的心情和现在的心情作个对比。第十三、十四两节是他的打算。第十五节是结束。”

让学生读过几遍之后，再想一想，看有没有可以体会的地方。从第四节的“每一寸土地都给翻起，每一块土疙瘩都给细细地打碎”，可以看出他现在工作的认真，是从前没有过的。从前翻地耙地，比较起来是马虎的。第五节的“看起来好像娘儿们刚梳的头”，这当然表示耙得又光又顺；自己的工作成绩这么好，是他的新发现，新经验，从前绝不是这样的。这是劳动力解放之后必然的现象。诗中虽无理论的话，但是咱们要注意这一点。因为有了“刚梳的头”这一个比方，三黑的心思就在欣赏自己的工作成绩方面了。以下，诗就向欣赏方面发展。第六节，“简直是一张软床。叫人想在上面打滚，想在上面多躺一躺。”——还是在欣赏刚耙的土地。“叫人”的“人”指三黑而言。第七节，“今天准备好了，叫麦籽儿睡上。”——继续欣赏，同时见出三黑把麦籽儿看得比自己还要宝贵。第八节替麦籽儿设想，整治得这么好的土地，它睡下去该如何舒服，如何与往年不同，甚至于“就想发芽，赶快钻出来吸些雨露”了。这一整段五节。写三黑在翻地耙地的工作中，产生了与往常绝不相同的感觉和心情。散文无此写法，这是诗的特点。

在第二个段落中，第九节写景最好。“看见自己种的荞麦已经开花”的“看见”二字，正像陶渊明诗中“悠然见南山”的“见”字，并非有意去看，而是无意之中看到了。我这是偶尔想起的，也许不必跟学生们说。“自己种的”值得注意。以往年年种荞麦，并不是给自己种的，今年种的才是给自己种的。第十节两个蝈蝈儿，“叫得人心里痒抓抓的好喜欢”，这一行的“人”字还是指三黑，不是泛指。第十节中“爹娘骂”、“地主骂”的两个“骂”，描出了三黑的幼年时代。爹娘给人家种地，生活困难，只好强迫小孩劳动。贫苦农家的孩子在地主眼里是毫无地位的，地主骂“蹚坏了我的庄稼”，就是没有蹚坏，农家的孩子在“我的”地里乱跑也非骂不可。第十二节全节，我认为是这首诗的灵魂所在，假如得朗诵专家一念，感动人一定很深。简言之，三黑能设身处地地想，自己小时候爱捉蝈蝈儿，别的小孩必然也爱捉蝈蝈儿，这是一层。从前自己捉了，要挨地主的骂，现在自己有了地，人家的孩子来地里捉蝈蝈儿不会挨骂，这又是一层。“你来逮吧!”表现出农民与农民的爱，心情息息相通，这又是一层。像三黑当小孩时那样的时代已经过去了，这又是一层。此外该还可以体会出别的意思吧。读到这一节，就知道前几节都是给这一节作准备。

第三段落的第十三、十四两节，前一节是希望“跟人家合伙”，扩大生产，后一节是打算在收获之后“买头小毛驴”，先公后私，干一些称心事儿。从他这两个打算中，咱们可以想到翻身后的农民因为生活改变，心里的想头也改变了。在以前，农民是不知道什么“合伙”的，送公粮，迟一点儿好，能赖掉更好，哪儿有当做头一要紧事办的？这些都是土改以后的新情况，农民在实际生活中受到了教育的缘故。第十四节，用的是“阳”韵，这也表示喜欢的情绪。送公粮，看闺女，都是高兴的事，在韵脚和节奏上也可以体会出来。

最后第十五节，三黑想的“翻身人儿心里真甜”，该是这首诗的中心，这首诗就是表现这一点。第一段落写三黑工作比往常好，而且自己欣赏那个“好”，是“甜”。第二段落写今昔大不同，今胜于昔，是“甜”。第三段落写两个打算，前途欢快无穷，是“甜”。最后的第四段落，明白写出了“甜”。“地里的蝈蝈儿，也叫得更欢”，更强调了这个“甜”，是三黑心里“甜”，便觉着蝈蝈儿叫得“更欢”更有劲儿了。

诗与文的分别很难说。现在把两篇合在一起看，《“国家的”》是清清楚楚地叙明了一件事，《三黑和土地》呢，除了翻地耙地是实在的事以外，全是些意思、情感和感觉，这些东西适宜作诗的材料。如果把这些东西写成散文，那就是小品文，也还是诗的味道，可以称为散文诗。

未必个个老师都善于念诗。学生人多，总有几个念得比较好的。应当让他们好好地念几遍，念的人和听的人都可以有所得。

咱们还可以问学生：

“《‘国家的’》一文中，‘我们’在内；《三黑和土地》中，作者苏金伞在内吗？”学生一定会回答：“《三黑和土地》中，苏金伞并不在内。”

“是不是三黑工作的时候，苏金伞在旁边看着他，然后写成这首诗的?”他们也会回答:“就算苏金伞在三黑身旁看着他，也不会看到他心里想的心思。”

“是三黑把心中想的告诉了苏金伞，苏金伞才写出这首诗来吗?”回答也许是“是的”，也许是“不对”。大体说来，说“不对”的对了。就是三黑告诉了苏金伞，三黑也不会说得那么细致。那么是苏金伞自己知道了三黑的意思、情感、感觉等等，苏金伞简直像个仙人了。

到这儿，老师就可以告诉学生们：记叙文主要有两种写法，一种是第一人称的写法，如《“国家的”》，有“我们”在内，由“我们”说话，“我们”是第一人称。这一种写法绝不能写人家心里的东西。人们心里在想，你怎么知道呢？有时候从人家的外表推知人家的内心，那可以写，写起来自然需要加上“仿佛”、“好像”等猜度之词。

《三黑和土地》是另外一种第三人称的写法，作者不在内，讲的是三黑，用代名词是“他”，“他”是第三人称。这一种写法，作者好像仙人似的，无所不知，可以写张三李四的心事，也可以写北京和上海同一时间内的光景。对于某一对象，经过了了解，又加上想象，非用“无所不知”的写法写不可。那篇《“国家的”》也可以改用第三人称的写法写，写出来当然是另一局面了。

以上说的是关于作文方面的。关于修辞方面，在这首诗里可以提出四个比喻来谈谈。“活像旱天的鹅”，“好像娘儿们刚梳的头”，“白霎霎的像一地雪”，都说明了“像”，容易认出是比喻。还有个

“简直是一张软床”，没有说明“像”，比较不容易认出。“是”是断定口气，说“是”比说“像”，力量重一点儿，“一张软床”还是个比喻。比喻的作用，谁都知道在叫人明白，可是不但在叫人明白，还在引起人家一种感觉的印象，就是听觉、视觉、触觉等等印象，看诗中四个比喻就可以证明这一点。

在《“国家的”》中，有“一看见我们是解放军”一句里的“一看见”，《三黑和土地》第一节有“一有了”和“一见了”，可以拿“一什么”来研究研究。“看见”和“一看见”意义不同，这个“一”绝非数目，而是表示迅速。说“看见”，单凭这个“看见”，一句话就可以完成，如“我看见三黑”。单凭一个“一看见”，一句话可不能完成，底下还得有一种动作，并且用“马上”、“就”等词跟“一”照应，表示前一个动作一发生，后一个动作跟着就来。这一段话是关于语法方面的。

我今天就提出以上的一点材料，请诸位老师指教。

发表时题为：《教学一例》

1950 年 8 月 11 日讲

附录一：

《“国家的”》（据 1949 年 10 月 12 日《人民日报》改编）

上个星期天，我们在马路上学习开坦克。休息的时候，有个蹬三轮儿的告诉我们：“西郊警备路也有这么一辆车，你们怎么不去弄了来呢?”

第二天，我们就到那边去看。果然有一辆小坦克，拿草盖得严严的，停在一座庙的院子里。院子的一边有间厨房，一位老乡在里头筛米。我们就问他:“这辆坦克是谁的呀?”

“国家的!”他理直气壮地回答了一句，还是低头干他的活儿?

“是国家的，我们也知道。我们问的是，谁扔在这儿的?谁给保管着的?”

这会儿，他抬起头来了，一看见我们是解放军，忙说:“哦，是同志。请坐，请坐。你们问这辆车吗?还是在围城的时候，反动派由丰台往城里头逃，到了我们村里，这辆车出了毛病，车上的人下来修理。不知谁家的孩子嚷了一声‘八路来了’，那些反动派就扔下了车，逃走了。

“大伙儿说，造一辆铁甲车得花不少的钱，扔着多可惜呀!头几天有几个开汽车的来偷过零件;大伙儿就商量好，每天晚上轮换着看管。后来觉得老停在外边还不大放心，就套上了几头驴把它拉到庙里来了。国家的东西嘛，总得大伙儿来保护，你们说，是不是?”

这时候，来了不少老乡。我们告诉他们，准备把这辆车拉回去修理。起头儿还怕他们不愿意:保管了这么些日子，一下子就给拉走了。谁知道他们都挺愿意。一位老头儿说:“这再好也没有了。一来我们用不着再天天老花工夫看管，担心坏人来偷零件;二来这么好的东西扔在这儿也很可惜，解放军修好了正用得着。”他转过来问我:“同志，这辆铁甲车修好了，还能打仗吗?”

过了两天，我们开一辆牵引车去拉。老乡们一听到机器的声音，都出来了，帮我们扫掉盖在车上的草。看见我们把坦克拉动了，大家都高兴得笑起来。还有人称赞："咱们解放军真有办法，一拉就拉动了。那天我们费多大的劲才拉了进来呀。这家伙搁在解放军手里，修理修理，准保能用。"

我们对他们说："这几个月来，大家辛辛苦苦看管这辆车，这么爱护国家的财物，真得谢谢你们！"他们都连声说："国家的嘛，爱护是应该的。"

我们上了车，正要开走，又听见那个老头儿大声地说："同志，车修好了，开到咱们村里来走走哇！"

附录二：

苏金伞的《三黑和土地》

农民一有了土地，
就把整个生命投进了土地，
活像旱天的鹅
一见了水就连头带尾巴钻进水里。

恨不得把每一块土
都送到舌头上，
是咸是甜，
自个儿先来尝一尝。

恨不得自己变成一粒种子，
躺在土里试一试，
看温暖不温暖，
合适不合适。

三黑就是这样地翻着土地，
从东到西，从南到北，
每一寸土都给翻起，
每一块土疙瘩都给细细地打碎。

地翻好，又耙了几遍，
耙得又平又顺溜。
看起来
好像娘儿们刚梳的头。

这么松散的地
简直是一张软床。
叫人想在上面打滚，
想在上面多躺一躺。

三黑
从来没睡过这么好的床。

今天准备好了，
叫麦籽儿睡上。

这么好的床，
麦籽儿躺下去挺舒服，
就想发芽，
赶快钻出来吸些雨露。

三黑耙过地，
坐下来歇歇，
看见自己种的荞麦已经开花，
白霎霎的像一地云。

荞麦地里
还有两个蝈蝈儿在叫唤，
吱吱吱……
叫得人心里痒抓抓的好喜欢。

小时候因为喜欢逮蝈蝈儿，
常常挨骂。
爹娘骂：不好好地拾柴。
地主骂：蹚坏了我的庄稼。

现在
蝈蝈儿就在自己的地里叫，
他想招呼从地头路过的那个孩子：
“快去逮吧！你听，叫得多么好！”

他又在打算：
明年要跟人家合伙，
把地浇得肥肥的，
让庄稼长得更好，收得更多。

再买头小毛驴，
打完场，赶着送公粮，
驮着老伴儿
看闺女，上东庄。

三黑一边耙地，
一边想着，翻身的人儿心里真甜。
他笑嘻嘻的，连嘴都合不上，
地里的蝈蝈儿，也叫得更欢。

谈毛主席的两首词和郭沫若先生的一首诗

亲爱的听众，这一回咱们读毛主席的两首词，郭沫若先生的一首诗。

词从唐朝时候开始，是从民间产生的。就广义说，词也是诗。词有种种牌子，叫词牌，好比现在的歌，一首歌有一首歌的曲谱。在古代，诗是吟诵的，没有曲谱；词是歌唱的，可以按照曲谱唱出那些词句来。还有一点，我国旧时绝大多数的诗，各句的字数是一样的，一首五言诗，句句五个字，一首七言诗，句句七个字。词可不然。绝大多数的词，各句的字数是多少不等的。就为这两点，词从诗里头分出来，另外成为一个门类。

刚才谈过，词有牌子，就是曲谱。写新词的人必须考虑，他的词该选用哪一个牌子，换句话说，他的词用哪一个现成的曲谱来唱最为合适；他选定了，他写成的词就可以用某一个曲谱来唱，这时候，他的词的各句字数，必然跟用某一个曲谱的旧词一致。这很容易理解，要是各句字数不跟旧词一致，怎么能用那现成的曲谱来唱呢？因此，凡是用同一牌子的词，这一首跟那一首，各句字数全一致。第一句该四个字，首首都是四个字，第二句该五个字，首首都是五个字，依此类推。

还有一点得说明。词的曲谱失传很久了，某一个牌子是怎么唱的，早已没人知道了，可是直到现在，还有人按照牌子作词。那按照什么呢？就只按照某一个牌子的各句字数，就只按照每一句用字的该平该仄或是可平可仄。

现在咱们可以谈毛主席的两首词了。《清平乐》和《水调歌头》是词牌的名称，《六盘山》和《游泳》是这两首词的题目。标明《清平乐》和《水调歌头》，表示这两首词的各句字数，每一句用字的平仄，是按照向来的《清平乐》和《水调歌头》安排的。这两首词都分前后两半。绝大多数的词都分前后两半，少数的词有不分的，有分成三段的。分和不分都由于音乐上的关系。

先谈《六盘山》。这首词是毛主席在一九三五年九月间路过六盘山的时候写的。一九三一年，日本帝国主义侵占了我国东北，全国人民的抗日情绪极度高涨，国民党反动政府非但不抵抗日本的侵略，反而大举围攻中国工农红军和革命根据地。中国工农红军为了北上抗日，在一九三四年十月间开始了举世闻名的二万五千里长征。这一次长征经历了一年的时间，十一个省份，一路上战胜了种种的困难，终于到达陕北革命根据地。这一伟大的胜利，证明了中国共产党领导下的中国人民的力量是不可战胜的。这一伟大的胜利，是中国民族具有强烈的自信心的具体表现。

长征的队伍到了六盘山，距离陕北革命根据地不远了，北边就是长城，往东偏北就是延安。在六盘山上仰望，秋高气爽，千里晴空，只见一阵阵大雁向南飞去，就跟着大雁的行踪朝南望，直到望不见它们为止。在大雁飞去的遥远的南方，有往时血肉相关、呼吸与共的人民群众在那里，又有许多共同出生入死的革命战友还留在那里。朝南望不仅是望大雁，同时是深深怀念南方的人民群众和革命战友。大雁向南飞去，要飞过长征的英雄们走过的路。在这条路上，英雄们经历了种种的艰险，克服了种种的困难。他们渡过了号称天险的乌江、金沙江、大渡河，爬过了常年积雪的高山，穿过了渺无人迹的草地，击溃了敌人的围攻和堵截，可泣可歌的英雄事迹，真是数也数不清。朝南望不仅是望大雁，同时是回忆一路上跟自然斗争跟敌人斗争的往事。咱们读这“望断南飞雁”一句，结合着对于长征故事的了解，该会有这样的体会。

接下去是“不到长城非好汉，屈指行程二万”两句。日本帝国主义侵占了长城的好些关口，长城在当时成了抗日的前线。红军坚决北上为的是抗日，当然要冲向前线。现在到了六盘山，距离长城不远了，算一算走过的路程，已经有两万多里，而且是到处是艰险困难的两万多里，但是这算得什么呢，继续前进，冲向前线，实现抗日的伟大抱负，是全体长征英雄一致的气概。这两句里就含蓄着这样激昂慷慨豪迈非凡的意思。

后半首开头两句是“六盘山上高峰，红旗漫卷西风”。请想想，六盘山的高峰上，红旗在秋风里舒卷自如，这是多么壮丽的一幅画面？再请想想，红旗是中国工农红军不可战胜的力量的象征，多少年来，敌人曾经发动过多少次进攻想摧毁它啊！可是敌人的每一次进攻都失败了，现在这红旗又飘扬在六盘山的高峰上了，这是多么叫人激动的艺术构思？接下去就信心百倍地说：“今日长缨在手，何时缚住苍龙?”“今日长缨在手”，意思是红军完全取得了主动，彻底消灭敌人有绝对的把握。“何时缚住苍龙?”意思是既然彻底消灭敌人有绝对的把握，就得赶快实现，越早越好。用询问的口气来说，表示希望得切，也表示严重地激励自己。“长缨”是长带子。汉武帝要使南越降伏，南越不肯，有个叫终军的向汉武帝说，请给他长缨，他一定能把南越王缚住，带回京来。咱们知道了这个故事，不要让故事拘住，只要把“长缨在手”理解为取得主动，完全有把握，就成。“苍龙”指“东方七宿”。我国古代的天文学家把黄道分成二十八段，叫做“二十八宿”；又把这“二十八宿”平分为东方、南方、西方、北方四个部分，挨次叫做“苍龙”、“朱雀”、“白虎”、“玄武”。这里用“苍龙”指东方的敌人，“缚”字是从前一句的“长缨”来的。

总起来说，这首词表现了中国工农红军北上抗日的英雄气概和胜利信心，通体贯彻着革命乐观主义精神。咱们认真地吟诵，好好地体会，就能受到这种精神的感染，在思想感情上发生极大的影响。

现在再来谈用《水调歌头》的词牌写的《游泳》。毛主席曾经几次游过长江，这一首词是第一次游过长江之后写的，时间在一九五六年夏天。前半首到“逝者如斯夫”为止，从“风樯动”起是后半首。

头两句说离开了长沙，来到武昌。为什么说长沙的水，武昌的鱼呢？这儿是用的典故。三国时候吴国孙皓要想从建邺迁都武昌，吴国人民反对这个措施，当时的童谣唱道：“宁饮建邺水，不食武昌鱼。”旧诗词里用典故，有的按照典故的本意，有的把典故转化，仅仅用它的一部分语词，跟典故里的事儿并无关系。这儿的用法就属于后一种。

第三句到第九句写游泳时候舒畅愉快的心情。这不是在游泳池里游泳，也不是在寻常的溪沟里游泳，而是“万里长江横渡”。长江从青海发源，滔滔滚滚，东流到海，何等气势。现在在长江的半腰里横渡，从这一岸游到那一岸，克服了长江的气势，咱们可以想一想，这时候的心情多么畅快？在游泳的中途四望，只见天空开阔，四无障碍，上边是天，周围是水，比较在江岸上或是江船上眺望，眼界完全不同。这就是“极目楚天舒”。说“楚天”，因为武汉一带在春秋战国时候是楚国的地方。

接下去说游泳是自己爱好的体育活动，在长江里游泳虽然有风吹浪打，也没有什么可怕，比较在院子里散步，兴趣可好得多了。平时因为工作繁忙，抽空儿休息，也只能在院子里散散步。今天竟然有这个机会，来横渡长江，来跟长江的惊涛骇浪搏斗，试一试自己的体力和毅力，让自己舒散一下，那真是太好了。在游泳的中途，身体跟江水密切接触，从江水的流动想起了《论语》里的记载。《论语》里写道：“子在川上曰：‘逝者如斯夫！不舍昼夜。’”孔子在河岸上看流水，说道：“看啊，看这昼夜不息地流过去的水啊！”前半首的末了两句是引用《论语》的原文。咱们粗浅地体会，会想到这是说身旁的江水，那江水永远是滔滔滚滚向东流去的。但是，如果进一步想，就会觉得这里头含有这么个意思，就是万物都是运动的，都是不断变化的。而这个意思正好引起后半首，跟后半首相关连，因为后半首总的意思，是说为了社会主义建设，这长江上要起大大的变化了。

后半首是说在长江里游泳，想起了长江上的两大建设。第一句到第五句说长江大桥，第六句到第八句说三峡水库。

在游泳的中途，望见动的是来来往往的船只，桅樯高高矗起，风帆鼓得饱饱的，不动的是汉阳的龟山和武昌的蛇山。就在这样景象的江面上，一个伟大的规划，就是词句里说的“宏图”，已经实现了。长江大桥的建设已经开工，这大桥跨在江面上，将使古来所谓长江天险变为南北来往的通途。这大桥将修得那么高，随你多么大的船只，矗起桅樯，张起风帆，都可以在桥底下通过。这是毛主席写这首词那时候的意想。咱们现在都知道，长江大桥已经在去年九月间提早修成，“天堑变通途”已经有一年多了。

在游泳的中途，又想到另一个“宏图”，就是三峡水库。将要在三峡那里修一道巨大的拦河坝，把三峡以上的水拦住，使那里成个广大的水库。湖面平平静静的，改变了那里自古以来奔涛激湍的面貌，来往的人在那里航行，再不用担惊受怕。利用那巨大的水力，将要修起规模极大的水电站，为广大地区的各项生产事业和民生日用服务。词句里的“石壁”指拦河坝，三峡在武汉的西边，所以说“西江石壁”。“巫山云雨”指三峡以上的水。三峡那里有一座巫山，古来传说，楚襄王曾经梦见巫山的神女，神女对楚襄王说，她早晨为云，晚上为雨。因此，巫山的一个峰叫神女峰。用“巫山云雨”代替三峡以上的水，就是从这个传说来的。三峡水库现在还没有动工修建，但是勘察和规划的工作早已在进行。这个“宏图”必定能像长江大桥一样，在不久的将来实现，是可以断言的。

现在谈末了两句，“神女应无恙，当惊世界殊”。巫山上的神女峰该是好好的，像往时一样耸起在那儿。“无恙”就是没毛病，是古来习用的语词，假如那神女峰有知觉有意识的话，待三峡水库修起来的时候，看见自己脚下忽然来了个宽广的平湖，一定会感到惊讶，怎么世界变了样了！待长江大桥修起来的时候，神女峰向东而望，望见江面上忽然跨着一道长虹，也一定会感到惊讶，怎么世界变了样了！说神女峰将会惊讶，觉得世界变了样，实际是对于人力改造自然的颂赞，是对于伟大的社会主义建设感到无限的欢喜。

咱们读毛主席这首《游泳》词，钦佩他的体力和毅力，体会他的舒畅愉快的心情，体会他的无时无刻不念念于社会主义建设的革命精神，对于他的爱戴自然会加强，加深。同时，咱们必然会恳切地想，咱们有伟大的党和伟大的领袖的领导，是咱们幸福的源泉，咱们每一个人都必须鼓足干劲，力争上游，才对得起党和领袖，才不愧为这个伟大时代的中国人。

下边来谈郭沫若先生的一首诗，《我想起了陈涉吴广》。这首诗是一九二八年七月间写的。那时候蒋介石已经背叛了革命，对革命的工人农民和知识分子进行残酷的屠杀，白色恐怖笼罩全国。在这种情况下，郭沫若先生满怀着革命热情和胜利信心，写了好些诗，《我想起了陈涉吴广》是其中的一首。

陈涉吴广跟当时的广大农民一样，受着秦始皇严酷的压迫和剥削，生活非常困苦。有一回，陈涉在地里干活儿，曾经对他的同伴说：“苟富贵，毋相忘！”秦始皇死了之后，他的儿子胡亥继承他当皇帝，也非常横暴，为了巩固秦朝的统治，强迫征调大批农民往边疆防守。陈涉吴广被征调了，全部队伍共有九百人，限定日期要赶到渔阳。渔阳，就是最近划归北京市管辖的密云县。队伍到了大泽乡，现在是安徽省宿县的地方，连日大雨，道路不通，要按照限期赶到渔阳是办不到了。照当时的法令，到达防地误期，要处死刑。陈涉吴广就鼓动大伙儿起义，在全国人民怨恨和愤怒的高潮中，首先举起反秦的旗帜。这就是我国历史上第一次农民起义。

郭沫若先生这首诗是借历史故事来抒发自己的思想感情。第一部分就历史故事说，第二、第三部分就他写这首诗那时候的情况说。

第一部分总的意思是说陈涉吴广首先起义，引起了全国的反秦斗争，终于推翻了秦朝，所以他们的起义是起了决定作用的。这里说"秦始皇帝便要筑下万里长城，使天下的农夫都为徭役奔忙"，咱们应该这样理解：秦始皇发动天下农民修筑长城，是秦朝时候规模最大的徭役，长城修成了，还要征调农民去防守，因而徭役没完没了，陈涉吴广他们被调往渔阳，就为的去服这种徭役。以下"斩木为兵，揭竿为旗"，在野庙里点起灯笼火来聚众商量，都是陈涉吴广起义那时候的实况。这九百人的起义好像很平常，可以造兵器的金属全让皇帝收起来了，他们只能砍些树枝当兵器，要一面作为起义标志的旗子也没有，他们只能用竹竿挑起一块布来当旗子。但是他们这回起义实在很不平常，影响是那么大，竟使"秦朝的江山便告了灭亡"。

第二部分写的是一九二八年那时候，我国半封建半殖民地社会里农民的生活情况。那时候北方和南方都一样，农民饥寒交迫，生活困苦万状。现在的中年人，读了这第二部分的十六行诗，一定会唤起回忆，觉得郭沫若先生写的这些景象如在目前。现在的青年人少年人当然没有经历过这些，但是应当知道这些，知道前三十年的人民生活多么困苦，更可以认识咱们今天的生活多么幸福，从而鼓起冲天的干劲儿，为社会主义建设贡献所有的力量。这里该说明一下，诗中说我国人口四万万，农民人数在三万二千万以上，都是当时的估计数。

作者在第三部分里指出农民生活“惨到了这般模样”的原因，并号召农民像陈涉吴广一样，起来反抗。农民生活“惨到了这般模样”的原因是什么呢？一是军阀、买办、地主、官僚的统治，这批人是二十世纪“新出的始皇”。一是帝国主义的侵略，帝国主义用炮舰政策来推进它们的经济侵略。“新出的始皇”又是帝国主义的走狗，一切都听从帝国主义的指使。在这种情况之下，我国农民就连气也透不得了。作者号召农民像陈涉吴广一样，起来反抗，可不主张像陈涉吴广那样，自发地起来反抗，他要农民在工人阶级领导之下起来反抗，因为工人阶级能给农民以“战斗的方法，组织的力量”。这是马克思主义的观点，是党的农民运动的方针，作者体会得透彻，把它写在末了四行里，自然具有很大的宣传鼓动作用。而作者的胜利信心，也就在这里表达出来。

亲爱的听众，感谢你们花费了时间听我的谈话。我的谈话该会有不周到不确切甚至不妥当的地方，恭候你们的指教。

1958年10月18日作

附录：

郭沫若的《我想起了陈涉吴广》

一

我想起了几千年前的陈涉，
我想起了几千年前的吴广，
他们是农民暴动的前驱，
他们由农民出身，称过帝王。

他们受不过秦始皇的压迫，
在田间相约："富贵毋得相忘！"
那时候还有凶猛的外患，匈奴，
要攘夺秦朝的天下侵凌北方。

秦始皇帝便要筑下万里长城，
使天下的农夫都为徭役奔忙。
他们便斩木为兵，揭竿为旗，
丛祠的一夜篝火冰天炎上。

就这样惊动了林中的虎豹，
就这样惊散了秦朝的兵将；

就这样他们的暴动便告了成功，
就这样秦朝的江山便告了灭亡。

二

中国有四万万的人口，
农民占百分之八十以上。
这三万二千万以上的农民，
他们的生活如今怎样？

朋友，我们现在请先说北方；
北方的农民实在是可怜万状！
他们饥不得食，寒不得衣，
有时候整村整落的逃荒。

他们的住居是些败瓦颓墙，
他们的儿女就和猪狗一样；
他们吃的呢是草根和树皮，
他们穿的呢是褴褛的衣裳。

南方呢？南方虽然是人意差强，
但是农村的凋敝触目神伤。
长江以南的省区我几乎走遍，

每个村落里，寻不出十年新造的民房！

三

农民生活为什么惨到了这般模样？
朋友哟，这是我们中国出了无数的始皇！
还有那外来的帝国主义者的压迫
比秦时的匈奴还要有五百万倍的嚣张！

他们的炮舰政策在我们的头上跳梁，
他们的经济侵略吸尽了我们的血浆。
他们豢养的走狗：军阀、买办、地主、官僚，
这便是我们中国的无数新出的始皇。

可我们的农民在三万二千万人以上，
困兽犹斗，我不相信我们便全无主张。
我不相信我们便永远地不能起来，
我们之中便永远地产生不出陈涉、吴广！

更何况我们还有五百万的产业工人，
他们会给我们以战斗的方法，利炮，飞枪。
在工人领导之下的农民暴动哟，朋友，
这是我们的救星，改造全世界的力量！

授与和启发

——跟北京市语文教师讲话的提纲

从前情形是可不讲者就不讲（无论文白，翻为本地方言了事）。同事之间不谈教学，大学尤然（此是书房传统）。

我只是凭一些设想，无实践证验，谈说虽不少，而不成系统，不切实际。真只能说“闭门造零件”，聊备参考。

我常想，启发尤重于授与。因为教学之最终目的，在学生能自求解决。（教师不能永远跟在学生背后。）且授亦授不尽的，各科教材只是“举一”，重要在学生自能“反三”。故教学之际，总须打算如何能使学生不待教而自通。以语文课言，选几百篇东西，并非要学生能了解此几百篇就算，还要做到使他们能自己阅读与这几百篇相类的东西，并能写相类的东西。

能多注意启发，教师才真起了主导作用。专顾授与，一切详尽地讲，教台成为教师个人的讲台，这不能算起了主导作用。

注意启发，自然会达到可不讲者就不讲。给指点一下，提出些学生所注意不到但是动一动脑筋就能解决的问题，这比直接给他们讲有益得多，因为是他们自己解决的，不是光听老师讲的。

不知道旁的课怎样，就语文课说，我很想提倡预习。预习是独立阅读的锻炼，学生读语文，目的之一就是要做到能独立阅读。预习之后再上课，听教师的讲，答教师的问，跟不预习大有不同。（仔细看注。查词典。或者查一些书。）

我很想提倡注意诵读。学生预习，要他们一边动脑筋，一边好好地读。教师范读，尤非讲究不可。理论文和说明文，逻辑地读。抒情文和诗歌，感情地读。记叙文的叙述部分和人物的对话部分，一要读出事情的过程，一要传出各个人物的语气神态。总之，语言的停顿、轻重、缓急，都要恰如其分。教师读得好，学生听着，就增进理解或感受，比之繁复的讲解，有时效果更好。同时，这对学生作文也有帮助。因为作文虽然用笔写在纸上，归根结底是语言方面的事，听老师的范读，自己能读好，语言运用就熟了。

若言教法，恐只能“见子打子”，亦即视各篇而异，一律对付，势必流于形式，无多实效。精简节约，抓住要害，以启发为主，不要怕学生伤脑筋，一滴一点都拿来给他们，大概是较有效的办法。

还要说一说练习。配合课文，作某一方面的练习，我以为不宜练过一回就算，以后还要加深，作变化，再作这方面的练习。因为学语文是养成习惯的事，必须锲而不舍，乃克奏效。

以下就想到的，就文章分类说一点儿，殊非全面也。

记叙文姑以《列宁和卫兵》——五册十五面为例。像这样一篇，小学生有两年的基础，可能无多障碍，一看即懂。但是可能只是粗略地懂。这就可以给他们指引一下。比如说，开头四节叙洛班诺夫当卫兵，而说到必须通行证，说到洛班诺夫的品质，说到他“没有例外”地向每个人说的话。这有什么必要呢？五六两节说列宁的打扮，说列宁心里想事情，说相片印得少，又为什么呢？小胡子的想法是什么想法呢？（以为有些人可以不守纪律，不遵制度。）列宁的制止小胡子，是什么态度呢？最后列宁谢他认真服务，是个人谢他呢？还是什么？（为革命事业谢他，革命领袖见到为革命事业认真服务的人，由衷地感谢。前面说过，所以要通行证，就为防敌人混进去。）像这样一提，学生动一动脑筋，就会懂得更多，从而自觉地受到政治思想的教育（为革命的利益守纪律，遵制度，小胡子的想法要不得，列宁虽在小事上，也大可尊敬），练习了细致地阅读文章，而且，于写作也有好处（凡所写的，都是有用的，全篇成个有机的整体，表现了列宁和洛班诺夫的精神面貌）。

这是我前面说的提问的一例，这样地说，学生会觉更有味。

记叙文的时间、地点、环境，以及场景的转换，最宜用种种办法使学生弄清楚。记叙文的对话，在好文章里，一定有必要的作用，亦宜注意。（实际上的对话，必然不止于此。）

弄清楚这些，于读得透彻有助，也于作文练习有好处。

议论文姑以《师说》为例，选不选我还不知道。议论文首宜察其思路，即如何推理，达到结论。就此篇而言，首先确定“师”之概念。下接“惑”说，可见“惑”是“道”和“业”方面的“惑”。而“业”又包在“道”内，有“道”即有“业”。于是达到能解惑即可师，无分贵贱少长，“道之所存，即师之所存。”以上是一般原则。以下说现况，慨叹师道之不传，今人之多惑。今人不如古圣人，圣愚判然，皆由于此。孩子习句读，要叫他们从师，自己有惑，倒不从师。一般人“不耻相师”，士大夫倒耻于从师。这是士大夫中间师道不行的情况，也就是师道不行的例证。以下说“圣人无常师”，为什么“无常师”，这就归结到“无常师”的结论，宗旨在提倡恢复师道。

明白作者的思路，才能评其当否。读任何文章，必须经过一番思考，通体理解信服，接受才是真正的接受，于思想行动能起作用。至于读古文，那更要批判的接受。如此篇的概念，一般说，我们可以接受。“道”是政治、“业”是业务。但是按具体内容说，彼之道与我们今日之道完全不同。“道之所存，即师之所存”，我们也可以接受，但是我们学马列主义，学毛泽东思想，向广大工农学习。“弟子不必不如师……”几句更可以接受，我们看报，天天见到这样的例证。

但是他说古圣人出人远，今人远不如古圣人，这是崇古思想。他说“巫医乐师百工之人”不耻相师，而语气之间透露轩轾之意，跟我们尊重和热爱劳动大众相反（其中宜除去“巫”）。这都非批判不可。

我们既要读古文，必须随时养成批判能力。这不仅对本篇，尤其要为学生自己读古书作准备。

诗歌与散文不同。散文无论什么体裁，总是有始有终的，或以事情的经过为线索，或以推断的进展为线索，或作补说补叙，总要交代清楚。诗歌则给你些最强最深的印象，不一定有发端和收尾，且往往是跳跃式的（诗中很少用连词），要由读者凭想象去联系起来。（如《主席走遍全国》——五册一面《蝶恋花》——十二册廿二面）这个不同应指点清楚，或使自己体会，或与直接说明。这跟阅读诗歌有关，也跟写作诗歌有关。随便说几句话，分行写，不一定是诗。

诗歌的语言也与散文不同。如“直上重霄九”，“五岭逶迤腾细浪，乌蒙磅礴走泥丸”——八册六十面，诗中可以，散文就不可以。就白话诗说也如此，如“人民公社是金桥，通向天堂路一条”——五册四面。这一点也必须弄清楚，才能诵读诗歌而不致影响散文的写作。散文要照散文的格式。

文章单事翻其义，恐嫌不够，须逐渐积累，使熟于文言格式，知古今表达方式之异同。以《画蛇添足》——七册八二面为例。

“楚有……者”，“宋人有……揠之者”，“齐人有……而处室者”，“且”字、“亡”字、“舍人”（复数）文言尤须熟读，所以然。

题目是至善拟的

1962 年 11 月 17 日讲

鲁迅先生的两首诗

自　嘲

运交华盖欲何求？未敢翻身已碰头。
△○○△△○○　△△○○△△○

破帽遮颜过闹市，漏船载酒泛中流。
△△○○○△△　△○△△△○○

横眉冷对千夫指，俯首甘为孺子牛。
○○△△○○△　△△○○○△○

躲进小楼成一统，管他冬夏与春秋。
△△△○○△△　△○○△△○○

题目是《自嘲》，照字面解释，是自己嘲笑自己，实际上说的是反面话，表示自己不随流俗，鄙视一切反动家伙的压迫（精神上的压迫和物质上的压迫）的刚强正直态度。

第一句——先说“华盖”。寺院里的佛像，头顶上往往塑着像伞的东西，那就是“华盖”。鲁迅先生有一本集子叫《华盖集》，他在这本集子的《题记》里说：“我平生没有学过算命，不过听老年人说，人是有时要交‘华盖运’的……这运，在和尚是好运：顶有华盖，自然是成佛作祖之兆。但俗人可不行，华盖在上，就要给罩住了，只好碰钉子。”鲁迅先生用“交华盖运”这个说法来代表“碰钉子”。“运交华盖”——交了华盖运。“欲何求”——还能求什么呢？换句话说，就是没有什么可求的，只有碰钉子了。

第二句——身还没敢翻，已经碰了头了。这是说时常碰钉子的情形。

第三句——用破帽子遮着脸经过闹市。“颜”就是脸。“闹市”指庸俗的人和反动家伙聚集的地方。不屑见他们，也省得碰钉子，所以遮脸而过。

第四句——带了点儿酒，乘着已经漏了的船在河的中游游荡。这当然是独个儿游荡了。中游遇见的船少，可以少看见不愿意看见的人。“载”原意是运载，在这儿可以理解为“带”。“泛”，不慢不紧地行船。“中流”就是中游。

第五句——抬起眉毛冷峻地（严峻地）对着许多坏人的手指头。这与第三第四两句不同了。第三第四两句说有时候能避开就避开些，这一句说你们要来碰我，指着我说我骂我，我也不怕与你们面对面。两条眉毛本来是横的，生气动怒的时候眉毛抬高了，好像联成一条线，更显其横了。（这是我的猜测，不一定确切。）“千夫”，总之是许多人，这里指坏人。

第六句——慈爱地低下头来甘心为孩子像牛一样出力。鲁迅先生只有一个儿子，生得很晚，这一句可能就指照顾孩子的事。但是这一句又表现出他伟大的襟怀。新生的一代是未来的希望，甘愿像牛一样为新生的一代服务，这些意思都含蓄在这一句里。还有，人们常常说的，牛吃的是草，贡献于人的却是牛奶，这真是个好比喻，比喻鲁迅先生当时所受的待遇和他给中国人民的影响。“俯首”与“甘”字关系密切，把“心甘情愿”形象化了。

第七句——躲在小楼上，这是我独自的领域。鲁迅先生在上海时几次迁居，都是租住胡同里的普通楼房。“一统”，从前说“一统天下”，大略相当于“领土”、“领域”的意思。

第八句——不管他春夏秋冬更替，不管他世事变幻，我自做我认为有意义的工作。

我不敢说解释得全对，要你们自己斟酌，认为不对的，就不要采用。还有一点要考虑：这些意思该怎么给学生说，学生才能真明白，而不是似懂非懂？这一点必须认真考虑，否则教这首诗一定失败。

还有些东西，可以不必给学生说，但是老师却应当知道的。在下边简单地写一些。

这样的诗叫“七律”，规定七个字一句，全首共八句。又规定双数句的末了一个字要用同韵的字（七律都用平声韵），第一句末了一个字可以用同韵的字，也可以用不同韵的仄声字。这一首第一句的末了用韵，所以“求、头、流、牛、秋”五个字同韵。七律又规定第三句和第四句要相对，第五句和第六句要相对。什么叫相对？就是结构组织要相同。举第三句和第四句为例。“破”的“帽”和“漏”的“船”相对。“遮”着“颜”和“载”着“酒”相对。“过”“闹市”和“泛”“中流”相对。第五句和第六句不说了。七律的用字，还要顾到字的声音，我不细说了，用△和○来标明，△是仄声字（仄声包括上声、去声、入声，普通话字音没有入声，入声字分别属于阴平、阳平、上声、去声)，○是平声字(包括阴平、阳平)。

看了我上面所说的这些，再看毛主席的所有七律，与鲁迅先生这一首对比，注意用韵、字的平仄以及中间四句的两两相对，多念多体会，就可以熟悉七律的格式了。

这些用不着给学生说，学生搞不清楚，听了反而糊涂。

至于怎么朗诵诗，很难说。我也难以写清楚，只好请老师们自己去揣摩吧。

无　题

万家墨面没蒿莱，敢有歌声动地哀?
△○△△△○○　△△○○△△○

心事浩茫连广宇，于无声处听惊雷。
△△△○○△△　○○○△○○○

题目作《无题》，从前人作诗常有之，表示不易说、难以用几个字或一句话来概括的意思。这首诗表达愤慨闷郁的心情，料知革命的风暴即将到来。

第一句——“万家”，许许多多人家，指广大的被压迫的人民。“墨面”，满脸憔悴之色。“没蒿莱”，仿佛沉没在乱草丛生的荒野里。这一句说广大人民物质生活和精神生活都非常痛苦。

第二句——“敢”在这里的意思是“何敢”、“哪里敢”。“歌吟”就是诗歌。“动地”，震动大地。古代传说，周穆王曾作

《黄竹歌》“以哀人民”。唐朝李商隐曾有一首以周穆王故事为题材的七绝，题目是《瑶池》，第二句是“黄竹歌声动地哀”。鲁迅先生的“歌吟动地哀”就是从这句来的。全句是，哪里敢作震动大地的哀歌？还要进一步了解；并不是不敢作，实际上是在这样的情势之下，作些哀歌也没有什么意义了。

第三句——“浩茫”，宽广无边。“广宇”，相当于现在所说的宇宙空间。鲁迅先生说，在这个时候，自己虽然不想作什么哀歌，心事却想得非常之广，非常之远。想的就是第四句所说的。

第四句——“于”就是在，从。“无声处”，广大群众默不作声，能作诗的我也不想作什么哀歌，真是天下一片沉寂。但是准备着，准备在这一片沉寂之中，猛然听到一阵惊天动地的雷声。“惊雷”，指人民革命大风暴。

“七绝”规定四句，每句七个字。第二句和第四句末了规定要用同韵的字（绝大多数七绝用平声韵）。第一句末了可以用同韵的字，也可以用不同韵的仄声字。这一首第一句末了用韵，“莱、哀、雷”三个字同韵。第一句和第二句，第三句和第四句，可以两两相对，像七律的中间四句那样，也可以完全不相对。这一首就是全不相对的。毛主席有七绝两首，可以参看。

写了五小时，总算把两首诗说完了。仅供同志参考，万勿迷信我的解释。

1972年4月16日作

精读与略读

精读的指导

——《精读指导举隅》前言

在指导以前，得先令学生预习。预习原很通行，但是要收到实效，方法必须切实，考查必须认真。现在请把学生应做的预习工作分项说明于下。

一、通读全文

理想的办法，国文教本要有两种本子：一种是不分段落，不加标点的，供学生预习用；一种是分段落，加标点的，待预习过后才拿出来对勘。这当然办不到。可是，不用现成教本而用油印教材的，那就可以在印发的教材上不给分段落，也不给加标点，令学生在预习时候自己用铅笔划分段落，加上标点。到上课时候，由教师或几个学生通读，全班学生静听，各自拿自己预习的成绩来对勘；如果自己有错误，就用墨笔订正。这样，一份油印本就有了两种本子的功用了。现在的书籍报刊都分段落，加标点，从著者方面说，在表达的明确上很有帮助；从读者方面说，阅读起来可以便捷不少。可是，练习精读，这样的本子反而把学者的注意力减轻了。既已分了段落，加了标点，就随便看下去，不再问为什么要这样分，这样点，这是人之常情。在这种常情里，恰恰错过了很重要的练习机会。若要不放过这个机会，唯有令学生用一种只有文字的本子去预习，在怎样分段、怎样标点上用一番心思。预习的成绩当然不免有错误，然而不足为病。除了错误以外，凡是不错误的地方都是细心咬嚼过来的，这将是终身的受用。

假如用的是现成教本，或者虽用油印教材，而觉得只印文字颇有不便之处，那就只得退一步设法，令学生在预习的时候，对于分段标点作一番考核的工夫。为什么在这里而不在那里分段呢？为什么这里该用逗号而那里该用句号呢？为什么这一句该用惊叹号而不该用疑问号呢？这些问题，必须自求解答，说得出个所以然来。还有，现成教本是编辑员的产品，油印教材大都经教师加过工，“智者千虑，必有一失”，岂能完全没有错误？所以，不妨再令学生注意，不必绝对信赖印出来的教本与教材，最要紧的是用自己的眼光通读下去，看看是不是应该这样分段，这样标点。

要考查这一项预习的成绩怎样，得在上课时候指名通读。全班学生也可以借此对勘，订正自己的错误。读法通常分为两种：一种是吟诵，一种是宣读。无论文言白话，都可以用这两种读法来读。文言的吟诵，各地有各地的调子，彼此并不一致；但是都为了传出文字的情趣，畅发读者的感兴。白话一样可以吟诵，大致与话剧演员念台词差不多，按照国语的语音，在抑扬顿挫表情传神方面多多用工夫，使听者移情动容。现在有些小学校里吟诵白话与吟诵文言差不多，那是把“读”字呆看了。吟诵白话必须按照国语的语音，国语的语音运用得到家，才是白话的最好的吟诵。至于宣读，只是依照对于文字的理解，平正地读下去，用连贯与间歇表示出句子的组织与前句和后句的分界来。这两种读法，宣读是基本的一种；必须理解在先，然后谈得到传出情趣与畅发感兴。并且，要考查学生对于文字理解与否，听他的宣读是最方便的方法。比如《泷冈阡表》的第一句，假如宣读作“呜呼！唯我皇——考崇公卜——吉于泷冈——之六十年，其子修始——克表于其阡，非——敢缓也，盖有待也。”这就显然可以察出，读者对于“皇考”，“崇公”，“卜吉”，“六十年”与“卜吉于泷冈”的关系，“始”字、“克”字、“表”字及“非”字、“敢”字、“缓”字缀合在一起的作用，都没有理解。所以，上课时候指名通读，应该用宣读法。

二、认识生字生语

通读全文，在知道文章的大概；可是要能够通读下去没有错误，非先把每一个生字生语弄清楚不可。在一篇文章里，认为生字生语的，各人未必一致，只有各自挑选出来，依赖字典辞典的翻检，得到相当的认识。所谓认识，应该把它解作最广义。仅仅知道生字生语的读音与解释，还不能算充分认识；必须熟习它的用例，知道它在某一种场合才可以用，用在另一种场合就不对了，这才真个认识了。说到字典辞典，我们真惭愧，国文教学的受重视至少有二十年了，可是还没有一本适合学生使用的字典辞典出世。现在所有的，字典脱不了《康熙字典》的窠臼，辞典还是《辞源》称霸，对学习国文的学生都不很相宜。通常英文字典有所谓“求解”“作文”两用的，学生学习国文，正需要这一类的国文字典辞典。一方面知道解释，另一方面更知道该怎么使用，这才使翻检者对于生字生语具有彻底的认识。没有这样的字典辞典，学生预习效率就不会很大。但是，使用不完善的工具总比不使用工具强一点；目前既没有更适用的，就只得把属于《康熙字典》系统的字典与称霸当世的《辞源》将就应用。这当儿，教师不得不多费一点心思，指导学生搜集用例，或者搜集了若干用例给学生，使学生自己去发现生字生语的正当用法。

学生预习，通行写笔记，而生字生语的解释往往在笔记里占大部分篇幅。这原是好事情，记录下来，印象自然深一层，并且可以备往后的考查。但是，学生也有不明白写笔记的用意的；他们因为教师要他们交笔记，所以不得不写笔记。于是，有胡乱抄了几条字典辞典的解释就此了事的；有遗漏了真该特别注意的字语而仅就寻常字语解释一下拿来充数的。前者胡乱抄录，未必就是那个字语在本文里的确切意义；后者随意挑选，把应该注意的反而放过了；这对于全文的理解都没有什么帮助。这样的笔记交到教师手里，教师辛辛苦苦地把它看过，还要提起笔来替它订正，实际上对学生没有多大益处，因为学生并没有真预习。所以，须在平时使学生养成一种观念与习惯，就是：生字生语必须依据本文，寻求那个字语的确切意义；又必须依据与本文相类和不相类的若干例子，发现那个字语的正当用法。至于生字生语的挑选，为了防止学生或许会有遗漏，不妨由教师先行尽量提示，指明这一些字语是必须弄清楚的。这样，学生预习才不至于是徒劳，写下来的笔记也不至于是循例的具文。

要考查学生对于生字生语的认识程度怎样，可以看他的笔记，也可以听他的口头回答。比如《泷冈阡表》第一句里“始克表于其阡”的“克”字，如果解作“克服”或“克制”，那显然是没有照顾本文，随便从字典里取了一个解释。如果解作“能够”，那就与本文切合了，可见是用了一番心思的。但是还得进一步研求：“克”既然作“能够”解，“始克表于其阡”可不可以写作“始能表于其阡”呢？对于这个问题，如果仅凭直觉回答说，“意思也一样，不过有点不顺适”，那是不够的。这须得研究“克”和“能”的同和异。在古代，“克”与“能”用法是一样的，后来渐渐分化了，“能”字被认为常用字，直到如今；“克”字成为古字，在通常表示“能够”意义的场合上就不大用它。在文句里面，丢开常用字不用，而特地用那同义的古字，除了表示相当意义以外，往往还带着郑重、庄严、虔敬等等情味。“始克表于其阡”一语，用了“能”字的同义古字“克”字，见得作者对于“表于其阡”的事情看得非常郑重，不敢随便着手，这正与全文的情味相应。若作“始能表于其阡”，就没有那种情味，仅仅表明方始“能够”表于其阡而已。所以直觉地看，也辨得出它有点不顺适了。再看这一篇里，用“能”字的地方很不少，如“吾何恃而能自守邪”，“然知汝父之能养也”，“吾不能知汝之必有立”，“故能详也”，“吾儿不能苟合于世”，“汝能安之”。这几个“能”字，作者都不换用“克”字，因为这些语句都是传述母亲的话，无须带着郑重、庄严、虔敬等等情味；并且，用那常用的“能”字，正切近于语言的自然。用这一层来反证，更可以见得“始克表于其阡”的“克”字，如前面所说，是为着它有特别作用才用了的。——像这样的讨究，学生预习时候未必人人都做得来；教师在上课时候说给他们听，也嫌烦琐一点。但是简单扼要地告诉他们，使他们心知其故，还是必需的。

学生认识生字生语，往往有模糊笼统的毛病，用句成语来说，就是“不求甚解”。曾见作文本上有“笑颜逐开”四字，这显然是没有弄清楚“笑逐颜开”究竟是什么意义，只知道在说到欢笑的地方仿佛有这么四个字可以用，结果却把“逐颜”两字写颠倒了。又曾见“万卷空巷”四字，单看这四个字，谁也猜不出是什么意义；但是连着上下文一起看，就知道原来是“万人空巷”；把“人”字忘记了，不得不找一个字来凑数，而“卷”字与“巷”字字形相近，因“巷”字想到“卷”字，就写上了“卷”字。这种错误全由于当初认识的时候太疏忽了，意义不曾辨明，语序不曾念熟，怎得不闹笑话？所以令学生预习，必须使他们不犯模糊笼统的毛病；像初见一个生人一样，一见面就得看清他的形貌，问清他的姓名职业。这样成为习惯，然后每认识一个生字生语，好像积钱似的，多积一个就多加一分财富的总量。

三、解答教师所提示的问题

一篇文章，可以从不同的观点去研究它。如作者意念发展的线索，文章的时代背景，技术方面布置与剪裁的匠心，客观上的优点与疵病，这些就是所谓不同的观点。对于每一个观点，都可以提出问题，令学生在预习的时候寻求解答。如果学生能够解答得大致不错，那就真个做到了“精读”两字了。“精读”的“读”字原不是仅指“吟诵”与“宣读”而言的。比较艰深或枝节的问题，估计起来不是学生所必须知道的，当然不必提出。但是，学生应该知道而未必能自行解答的，却不妨预先提出，让他们去动一动天君，查一查可能查到的参考书。他们经过了自己的一番摸索，或者是略有解悟，或者是不得要领，或者是全盘错误，这当儿再来听教师的指导，印入与理解的程度一定比较深切。最坏的情形是指导者与领受者彼此不相应，指导者只认领受者是一个空袋子，不问情由把一些叫做知识的东西装进去。空袋子里装东西进去，还可以容受；完全不接头的头脑里装知识进去，能不能容受却是说不定的。

这一项预习的成绩，自然也得写成笔记，以便上课讨论有所依据，往后更可以复按、查考。但是，笔记有敷衍了事的，有精心撰写的。随便从本文里摘出一句或几句话来，就算是“全文大意”与“段落大意”；不赅不备地列几个项目，挂几条线，就算是“表解”；没有说明，仅仅抄录几行文字，就算是“摘录佳句”；这就是敷衍了事的笔记。这种笔记，即使每读一篇文字都做，做上三年六年，实际上还是没有什么好处。所以说，要学生作笔记自然是好的，但是仅仅交得出一本笔记，这只是形式上的事情，要希望收到实效，还不得不督促学生凡作笔记务须精心撰写。所谓精心撰写也不须求其过高过深，只要写下来的东西真是他们自己参考与思索得来的结果，就好了。参考要有路径，思索要有方法，这不单是知识方面的事，而且是习惯方面的事。习惯的养成在教师的训练与指导。学生拿了一篇文章来预习，往往觉得茫然无从下手。教师要训练他们去参考，指导他们去思索，最好给他们一种具体的提示。比如读《泷冈阡表》，这一篇是作者叙述他的父亲，就可以教他们取相类的文章归有光的《先妣事略》来参考，看两篇的取材与立意上有没有异同；如果有的话，为什么有。又如《泷冈阡表》里有叙述赠封三代的一段文字，好像很啰嗦，就可以教他们从全篇的立意上思索，看这一段文字是不是不可少的；如果不可少的话，为什么不可少。这样具体地给他们提示，他们就不至于茫然无从下手，多少总会得到一点成绩。时时这样具体地给他们提示，他们参考与思索的习惯渐渐养成，写下来的笔记再也不会是敷衍了事的了。即使所得的解答完全错误，但是在这以后得到教师或同学的纠正，一定更容易心领神会了。

上课时候令学生讨论，由教师作主席、评判人与订正人，这是很通行的办法。但是讨论要进行得有意义，第一要学生在预习的时候准备得充分，如果准备不充分，往往会与虚应故事的集会一样，或是等了好久没有一个人开口，或是有人开口了只说一些不关痛痒的话。教师在无可奈何的情形之下，只得不再要学生发表什么，只得自己一个人滔滔汩汩地讲下去。这就完全不合讨论的宗旨了。第二还得在平时养成学生讨论问题、发表意见的习惯。听取人家的话、评判人家的话，用不多不少的话表白自己的意见，用平心静气的态度比勘自己的与人家的意见，这些都要历练的。如果没有历练，虽然胸中仿佛有一点儿准备，临到讨论是不一定敢于发表的。这种习惯的养成不仅是国文教师的事情，所有教师都得负责。不然，学生成为只能听讲的被动人物，任何功课的进步至少要减少一半。——学生事前既有充分的准备，平时又有讨论的习惯，临到讨论才会人人发表意见，不至于老是某几个人开口；所发表的意见又都切合着问题，不至于胡扯乱说，全不着拍。这样的讨论，在实际的国文教室里似乎还不易见到；然而要做到名副其实的讨论，却非这样不可。

讨论进行的当儿，有错误给与纠正，有疏漏给与补充，有疑难给与阐明，虽说全班学生都有份儿，但是最后的责任还在教师方面。教师自当抱着客观的态度，就国文教学应有的观点说话。现在已经规定要读白话了，如果还说白话淡而无味，没有读的必要；或者教师自己偏爱某一体文字，就说除了那一体文字都不值一读；就都未免偏于主观，违背了国文教学应有的观点了。讲起来，滔滔汩汩连续到三十五十分钟，往往不及简单扼要讲这么五分十分钟容易使学生印入得深切。即使教材特别繁复，非滔滔汩汩连续到三十五十分钟不可，也得在发挥完毕的时候，给学生一个简明的提要。学生凭这个提要，再去回味那滔滔汩汩的讲说，就好像有了一条索子，把散开的钱都穿起来了。这种简明的提要，当然要让学生写在笔记本上；尤其重要的是写在他们心上，让他们牢牢记住。

课内指导之后，为求涵咀得深，研讨得熟，不能就此过去，还得有几项事情要做。现在请把学生应做的练习工作分项说明如下。

一、吟诵

在教室内通读，该用宣读法，前面已经说过。讨究完毕以后，学生对于文章的细微曲折之处都弄清楚了，就不妨指名吟诵。或者先由教师吟诵，再令学生仿读。自修的时候，尤其应该吟诵；只要声音低一点，不妨碍他人的自修。原来国文和英文一样，是语文学科，不该只用心与眼来学习；须在心与眼之外，加用口与耳才好。吟诵就是心、眼、口、耳并用的一种学习方法。从前人读书，多数不注重内容与理法的讨究，单在吟诵上用工夫，这自然不是好办法。现在国文教学，在内容与理法的讨究上比从前注重多了；可是学生吟诵的工夫太少，多数只是看看而已。这又是偏向了一面，丢开了一面。唯有不忽略讨究，也不忽略吟诵，那才全而不偏。吟诵的时候，对于讨究所得的不仅理智地了解，而且亲切地体会，不知不觉之间，内容与理法化而为读者自己的东西了，这是最可贵的一种境界。学习语文学科，必须达到这种境界，才会终身受用不尽。

一般的见解，往往以为文言可以吟诵，白话就没有吟诵的必要。这是不对的。只要看戏剧学校与认真演习的话剧团体，他们练习一句台词，不惜反复订正，再四念诵，就可以知道白话的吟诵也大有讲究。多数学生写的白话为什么看起来还过得去，读起来就少有生气呢?原因就在他们对于白话仅用了心与眼，而没有在口与耳方面多用工夫。多数学生登台演说，为什么有时意思还不错，可是语句往往杂乱无次，语调往往不合要求呢?原因就在平时对于语言既没有训练，国文课内对于白话又没有好好儿吟诵。所以这里要特别提出，白话是与文言一样需要吟诵的。白话与文言都是语文，要亲切地体会白话与文言的种种方面，都必须花一番工夫去吟诵。

吟诵的语调，有客观的规律。语调的差别，不外乎高低、强弱、缓急三类。高低是从声带的张弛而来的分别。强弱是从肺部发出空气的多少而来的分别。缓急是声音与时间的关系，在一段时间内，发音数少是缓，发音数多就是急。吟诵一篇文章，无非依据对于文章的了解与体会，错综地使用这三类语调而已。大概文句之中的特别主眼，或是前后的词彼此关联照应的，发声都得高一点。就一句来说，如意义未完的文句，命令或呼叫的文句，疑问或惊讶的文句，都得前低后高。意义完足的文句，祈求或感激的文句，都得前高后低。再说强弱。表示悲壮、快活、叱责或慷慨的文句，句的头部宜加强。表示不平、热诚或确信的文句，句的尾部宜加强。表示庄重、满足或优美的文句，句的中部宜加强。再说缓急。含有庄重、畏敬、谨慎、沉郁、悲哀、仁慈、疑惑等等情味的文句，须得缓读。含有快活、确信、愤怒、惊愕、恐怖、怨恨等等情味的文句，须得急读。以上这些规律，都应合着文字所表达的意义与情感，所以依照规律吟诵，最合于语言的自然。上面所说的三类声调，可以用符号来表示，如把“·”作为这个字发声须高一点的符号，把“▷”作为这一句该前低后高的符号，把“◁”作为这一句该前高后低的符号，把“ > ”作为句的头部宜加强的符号，把“ < ”作为句的尾部宜加强的符号，把“ < > ”作为句的中部宜加强的符号，把“—”作为急读的符号，把“——”作为缓读的符号，把“~~~~”作为不但缓读而且须摇曳生姿的符号。在文字上记上符号，练习吟诵就不至于漫无凭依。符号当然可以随意规定，多少也没有限制，但是应用符号总是对教学有帮助的。

吟诵第一求其合于规律，第二求其通体纯熟。从前书塾里读书，学生为了要早一点到教师跟前去背诵，往往把字句勉强记住。这样强记的办法是要不得的，不久连字句都忘记了，还哪里说得上体会？令学生吟诵，要使他们看做一种享受而不看作一种负担。一遍比一遍读来入调，一遍比一遍体会亲切，并不希望早一点能够背诵，而自然达到纯熟的境界。抱着这样享受的态度是吟诵最易得益的途径。

二、参读相关的文章

精读文章，每学年至多不过六七十篇。初中三年，所读仅有两百篇光景，再加上高中三年，也只有四百篇罢了。倘若死守着这几百篇文章，不用旁的文章来比勘、印证，就难免化不开来，难免知其一不知其二。所以，精读文章，只能把它认作例子与出发点；既已熟习了例子，占定了出发点，就得推广开来，阅读略读书籍，参读相关文章。这里不谈略读书籍，单说所谓相关文章。比如读了某一体文章，而某一体文章很多，手法未必一样，大同之中不能没有小异；必须多多接触，方能普遍领会某一体文章的各方面。或者手法相同，而相同之中不能没有个优劣得失；必须多多比较，方能进一步领会优劣得失的所以然。并且，课内精读文章是用细琢细磨的工夫来研讨的；而阅读的练习，不但求其理解明确，还须求其下手敏捷，老是这样细磨细琢，一篇文章研讨到三四个钟头，是不行的。参读相关文章就可以在敏捷上历练；能够花一两个钟头把一篇文章弄清楚固然好，更敏捷一点只花半个钟头一个钟头尤其好。参读的文章既与精读文章相关，怎样剖析，怎样处理，已经在课内受到了训练，求其敏捷当然是可能的。这种相关文章可以从古今"类选"、"类纂"一类的书本里去找。学生不能自己置备，学校的图书室不妨多多陈列，供给学生随时参读。

请再说另一种意义的相关文章。夏丏尊先生在一篇说给中学生听的题目叫做《阅读什么》的演讲词里，有以下的话：

诸君在国文教科书里读到了一篇陶潜的《桃花源记》……这篇文字是晋朝人做的，如果诸君觉得和别时代人所写的情味有些两样，要想知道晋代文的情形，就会去翻中国文学史；这时文学史就成了诸君的参考书。这篇文字里所写的是一种乌托邦思想，诸君平日因了师友的指教，知道英国有一位名叫马列斯的社会思想家，写过一本《理想乡消息》，和陶潜所写的性质相近，拿来比较；这时《理想乡消息》就成了诸君的参考

> 书。这篇文字是属于记叙一类的，诸君如果想明白记叙文的格式，去翻看记叙文作法；这时记叙文作法就成了诸君的参考书。还有，这篇文字的作者叫陶潜，诸君如果想知道他的为人，去翻《晋书·陶潜传》或陶集；这时《晋书》或陶集就成了诸君的参考书。

这一段演讲里的参考书就是这里所谓另一种意义的相关文章。像这样把精读文章作为出发点，向四面八方发展开来，那么，精读了一篇文章，就可以带读许多书，知解与领会的范围将扩张到多么大啊！学问家的广博与精深差不多都从这个途径得来。中学生虽不一定要成学问家，但是这个有利的途径是该让他们去走的。

其次，关于语调与语文法的揣摩，都是愈熟愈好。精读文章既已到了纯熟的地步，再取语调与语文法相类似的文章来阅读，纯熟的程度自然更进一步。小孩子学说话，能够渐渐纯熟而没有错误，不单是从父母方面学来的；他从所有接触的人方面去学习，才会成功。在精读文章以外，再令读一些相类似的文章，比之于小孩子学说话，就是要他们从所有接触的人方面去学习。

三、应对教师的考问

学生应对考问是很通常的事情。但是对于应对考问的态度未必一致。有尽其所知所能，认真应对的；有不负责任，敷衍应对的；有提心吊胆，战战兢兢地只着眼于分数的多少的。以上几种态度，自然第一种最可取。把所知所能尽量拿出来，教师就有了确实的凭据，知道哪一方面已经可以了，哪一方面还得督促。考问之后，教师按成绩记下分数；分数原是备稽考的，分数多不是奖励，分数少也不是惩罚，分数少到不及格，那就是学习成绩太差，非赶紧努力不可。这一层，学生必须明白认识。否则误认努力学习只是为了分数，把切己的事情看做身外的事情，就是根本观念错误了。

教师记下了分数，当然不是指导的终结，而是加工的开始。对于不及格的学生，尤须设法给他们个别的帮助。分数少一点本来没有什么要紧；但是分数少正表明学习成绩差，这是热诚的教师所放心不下的。

考查的方法很多，如背诵、默写、简缩、扩大、摘举大意、分段述要、说明作法、述说印象，也举不尽许多。这里不想逐项细说，只说一个消极的原则，就是：不足以看出学生学习成绩的考问方法最好不要用。比如教了《泷冈阡表》之后，考问学生说："欧阳修的父亲做过什么官？"这就是个不很有意义的考问。文章里明明写着"为道州判官，泗绵二州推官，又为泰州判官"，学生精读了一阵，连这一点也不记得，还说得上精读吗？学生回答得出这样的问题，也无从看出他的学习成绩好到怎样。所以说它不很有意义。

考问往往在精读一篇文章完毕或者月考期考的时候举行；除此之外，通常不再顾及，一篇文章讨究完毕就交代过去了。这似乎不很妥当。从前书塾里读书，既要知新，又要温故，在学习的过程中，匀出一段时间来温理以前读过的，这是个很好的办法。

现在教学国文，应该采取它。在精读几篇文章之后，且不要上新的；把以前读过的温理一下，回味那已有的了解与体会，更寻求那新生的了解与体会，效益决不会比上一篇新的来得少。这一点很值得注意，所以附带在这里说一说。

题目是至善拟的

1940 年 9 月 17 日作

附录：

《精读指导举隅》前言（朱自清作）

一、本书是郭子杰馆长委托我们写的，专供各中学国文教师参考用。

二、本书专重精读指导，书中选了五篇文作例子。计叙述文一篇，短篇小说一篇——小说也是叙述文的一种，抒情文一篇，说明文一篇，议论文二篇；其中《泷冈阡表》和《封建论》都是教科书里常见的。

三、本书没有选诗歌。但《谈新诗》一篇的《指导大概》里谈的都是诗歌，诗歌的指导方法大致不外乎此。

四、本书的《前言》是向各位中学教师说的。我们力求各项建议切实可行，而且相信如此。我们知道事实上能做到《前言》里所说各项的还不太多，但希望大家继续努力，达到那些标准。那些标准决不只是理想的。

五、本书各篇《指导大概》是用教师的口气向学生说的。我们所注重的是分析文篇提示问题，因而进行讨论。《前言》的第三项有详细的说明，五篇《指导大概》便是实例。这五篇《大概》都是完整的成篇的文字。我们可并不是说“指导”就是由教师一个人这样从头到尾讲下去。“指导”得在讨论里。讨论时自然有许多周折，有许多枝节。但若将讨论的结果写成报告，自然该成一篇完整的文字。这五篇《指导大概》就是这种报告。倘使各位教师能细心研读我们的报告，能采纳这些报告里分析文篇提示问题的态度和方法，应用在别的文篇的精读指导里，郭馆长和我们的目的便达到了。

六、本书各篇，我们虽都谨慎用心的写出，但恐怕还有见不到的错误。盼望各位教师多多指教，非常感谢！

欧阳修《泷冈阡表》指导大概

泷冈阡表

呜呼！唯我皇考崇公卜吉于泷冈之六十年，其子修始克表于其阡；非敢缓也，盖有待也。(第一段)

修不幸，生四岁而孤。太夫人守节自誓，居穷，自力于衣食，以长以教，俾至于成人。太夫人告之曰："汝父为吏，廉而好施与，喜宾客；其俸禄虽薄，常不使有余，曰：'毋以是为我累。'故其亡也，无一瓦之覆，一垄之植，以庇而为生。吾何恃而能自守邪？吾于汝父，知其一二，以有待于汝也。自吾为汝家妇，不及事吾姑，然知汝父之能养也。汝孤而幼，吾不能知汝之必有立，然知汝父之必将有后也。吾之始归也，汝父免于母丧方逾年，岁时祭祀，则必涕泣曰：'祭而丰，不如养之薄也！'间御酒食，则又涕泣曰：'昔常不足而今有余，其何及也！'吾始一二见之，以为新免于丧适然耳；既而其后常然；至其终身，未尝不然。吾虽不及事姑，而以此知汝父之能养也。汝父为吏，尝夜烛治官书，屡废而叹。吾问之，则曰：‘此死狱也，我求其生不得尔！’吾曰：‘生可求乎?’曰：‘求其生而不得，而死者与我皆无恨也。矧求而有得邪！以其有得，则知不求而死者有恨也。夫常求其生，犹失之死，而世常求其死也！’回顾乳者剑汝而立于旁，因指而叹曰：‘术者谓我岁行在戌将死；使其言然，吾不及见儿之立也。后当以我语告之。’其平居教他子弟常用此语，吾耳熟焉，故能详也。其施于外事，吾不能知。其居于家，无所矜饰，而所为如此。是真发于中者邪！呜呼！其心厚于仁者邪！此吾知汝父之必将有后也。汝其勉之！夫养不必丰，要于孝；利虽不得博于物，要其心之厚于仁。吾不能教汝，此汝父之志也。”修泣而志之，不敢忘。(第二段)

先公少孤，力学；咸平三年进士及第，为道州判官，泗绵二州推官，又为泰州判官。享年五十有九。葬沙溪之泷冈。(第三段)

太夫人姓郑氏，考讳德仪，世为江南名族。太夫人恭俭仁爱而有礼，初封福昌县太君，进封乐安、安康、彭城三郡太君，自其家少微时，治其家以俭约，其后常不使过之。曰：“吾儿不忞苟合于世，俭薄，所以居患难也。”其后修贬夷陵，太夫人言笑自若，曰：“汝家故贫贱也，吾处之有素矣。汝能安之，吾亦安矣。”自先公之亡二十年，修始得禄而养。又十有二年，列官于朝，始得赠封其亲。又十年，修为龙图阁直学士，尚书吏部郎中，留守南

京，太夫人以疾终于官舍，享年七十有二。（第四段）

又八年，修以非才入副枢密，遂参政事。又七年而罢。自登二府，天子推恩褒其三世。故自嘉祐以来，逢国大庆，必加宠锡：皇曾祖府君累赠金紫光禄大夫太师中书令，曾祖妣累封楚国太夫人；皇祖府君累赠金紫光禄大夫太师中书令兼尚书令，祖妣累封吴国太夫人；皇考崇公累赠金紫光禄大夫太师中书令兼尚书令，皇妣累封越国太夫人。今上初郊，皇考赐爵为崇国公，太夫人进号魏国。（第五段）

于是小子修泣而言曰："呜呼！为善无不报，而迟速有时，此理之常也。唯我祖考积善成德，宜享其隆，虽不克有于其躬，而赐爵受封，显荣褒大，实有三朝之锡命：是足以表见于后世而庇赖其子孙矣。"乃列其世谱具刻于碑；既又载我皇考崇公之遗训，太夫人之所以教而有待于修者，并揭于阡；俾知夫小子修之德薄能鲜，遭时窃位，而幸全大节，不辱其先者，其来有自。（第六段）

熙宁三年，岁次庚戌，四月辛酉朔，十有五日乙亥，男推诚保德崇仁翊戴功臣，观文殿学士，特进，行兵部尚书，知青州军州事，兼管内劝农使，充京东东路安抚使，上柱国，乐安郡开国公，食邑四千三百户，食实封一千二百户，修表。（第七段）

指导大概

这篇文字，通体只有一条线索，就是一个“待”字。为什么直到父亲葬了六十年，才给他作墓表呢？因为有所等待。 为什么要等待？因为作者的母亲说过“有待于汝”的话。母亲的“有待于汝”不是漫无凭依的空希望，她根据着父亲的孝行与仁心，知道这样的人该会有好儿子，能够具有同样的孝行与仁心，并且能够显荣他的父母祖先——就是所谓“有后”。在父亲下葬的那年，作者才只有五岁，当然不能作墓表。后来长大起来，而且“得禄”了，“列官于朝”了，他还是不作，因为母亲所等待的还没有确切的着落；直到“天子推恩褒其三世”，三代都受了皇帝的赠封，作者觉得“是足以表见于后世而庇赖其子孙矣”，换一句话说，母亲所等待的有了确切的着落了，他才动手作墓表。他以为“天子推恩褒其三世”是自己“幸全大节”的凭证，而自己所以能够“幸全大节”由于不负母亲的等待，也就是不背父亲的遗训，总之是所谓“不辱其先”，真成了个好儿子。这并不是夸张自己，只是见得父亲具有孝行与仁心而果真“有后”，果真有好儿子，乃是“为善无不报”的“理之常”。要表扬父亲，还有比这个更值得叙述的吗？所以必须等待到这时候才来作墓表。——作者的意念是依着这样一条线索发展的。

意念发展的线索既已成立，同时就把取材的范围也规定了。这一篇文字属于碑志类，所谓碑志类，是就它刊刻的方式而言，实际上也就是传记。传记叙述一个人的生平有牵涉得很广的，为什么这一篇仅叙父亲的孝行与仁心两端呢？还有，作者在四岁时候，父亲就去世了，父亲的生平，当然只能间接地从母亲得知；但是母亲对于父亲的生平，平时一定琐琐屑屑讲得很多，为什么这一篇仅叙母亲讲到父亲的孝行与仁心的一番话呢？原来作者认为孝行与仁心是父亲的两大“善”，只此两端，就足以表见父亲的全貌。他在文字的第六段里有“俾知夫小子修……”的话，所谓“俾知”，使什么人知道呢？不是要使子孙与世人知道吗？要使子孙与世人知道什么？不是说父亲的两大“善”影响了他，果然使他“幸全大节，不辱其先”，可见这两大“善”是人生的至宝吗？这就使这篇文字在叙述以外，自然而然带着教训意味。大凡含有教训意味的文字，是排斥那没有教训意味的成分的；所以这一篇仅叙父亲的孝行与仁心两端。并且，作者受父亲的影响，是从母亲特别把父亲的两大“善”教训他而来的；唯有把母亲当时的教训摹声传神地叙述下来，才见得他的受影响为什么会这么深切。这好像是写母亲，其实正是出力地具体地写父亲。若再加上母亲平日讲到父亲生平的旁的琐琐屑屑的话，那就使这一番话比较不显著，把它的力量减弱了；所以这一篇仅叙母亲讲到父亲的孝行与仁心的一番话。——以上是说取材的范围受着意念发展的线索的限制。

不只第二段的取材如上面所说，再看第四段里叙述母亲“治其家以俭约”：当作者贬谪的时候，母亲说过“汝能安之，吾亦安矣”的话，这都与第二段里所叙父亲的话“毋以是为我累”相应合，见得母亲是真能够体验父亲的志概，本着父亲的志概训练儿子的。写母亲也就是写父亲，所以这些材料要取。再看第五段，说了“天子推恩褒其三世”，以下就直接第六段的“于是小子修泣而言曰”，似乎也没有什么不可以。但是“天子推恩褒其三世”是作者“幸全大节”的凭证，如果就此一笔叙过，未免把这种凭证看得太不郑重了，把朝廷的宠锡看得太不恭敬了；所以要把三代所受的赠封逐一记下来，以表郑重与恭敬。可见这一段关于三代受赠封的文字，也是从作者意念发展的线索而来的。

自来传记文字很多，作者意念发展的线索不同，取材范围也就不一样。如归有光的《先妣事略》，是从一种“孺慕”的意念发展开来的：所以只取日常琐屑作材料，使全篇带着抒情的情调，而没有什么教训意味。欧阳修这一篇的第二段虽然纡徐曲折，摹声传神，也像是抒情的文字，但他把这一段作为全篇的主要材料，是着眼于它的教训意味的；所以这一段与其他各段统看，就不觉得什么抒情的情调，只觉得作者在那里向人说教。欧阳修是上承唐朝的韩愈而提倡古文的；他占很高的官位，有许多文人做他的门人，受他的提拔，他是当时文坛的盟主。韩愈开始以文字为教，主张为文须得传尧舜禹汤文武周公孔孟之道，也就是汉朝以来我国的传统伦理观念。欧阳修当然也作这样想。在寻常的题目之下，如一篇游记一篇短序之类，自然不妨随便一点；但现在遇到的却是个非常严重的题目——要叙述自己的父亲。以文坛盟主的资格，作这样非常严重的题目，若作来没有“传道”的作用，岂不是自己取消自己的主张？于是他抓住父亲的孝行与仁心两端，以为全篇的主要材料，因为孝与仁正是我国最重要的传统伦理观念。他又把母亲预料父亲“有后”，到后来果真“有后”，可见“为善无不报”，作为全篇的线索，这“为善无不报”也正是我国的传统伦理观念。既叙述了父亲，又有了“传道”的作用，从欧阳修当时的观点与立场着想，没有比这样下笔再得体的了。看一篇文字，要知道作者的观点与立场，要知道他处在怎样的一种思想环境与现实环境之中，才会得到客观的理解。倘若不能抱这样的态度，只凭读者自己的主观见解去评判，那就难以理解得透彻。如说这一篇第五段历记三代所受的赠封，夸耀虚饰的荣显，酸味十足；又说第六段表明为善果真有报，近于一种迷信的因果论，与无知的积善老婆婆的见解不相上下；这就是凭现代的人的主观见解去评判古人的文字了。这样评判虽然也是一种研讨，但对于作者为什么要这样取材，这样下笔，并没有得到理解，却是真的。

现在请把各段的大意与作用来说一说。第一段从作表延迟说起，标出“待”字。第二段说明“待”字的来由在母亲“有待于汝”的话，而母亲这个话是有根有据的，那根据在父亲的孝行与仁心。于是叙述母亲所讲关于父亲的孝行与仁心的一番话，也就安排了本篇的主要材料。第三段记父亲的官职、年岁与葬地，是传记一类文字的格式。到这里，叙述父亲的生平的部分完毕了。第四段叙母亲，而着眼于母亲能够体验父亲的志概，能够随时本着父亲的志概训练儿子，可以说是从旁面叙父亲。这段里因为叙“得禄而养”母亲，用了“自先公之亡二十年”作为时间副语；

以下就顺次下去，连用“又十有二年”，“又十年”，来表明自己进官与母亲去世的时间。第五段开头用“又八年”，紧接上段，而叙的是自己“登二府”，三代受赠封的事情，这表明母亲所谓“有待于汝”的有了着落了。于是来了第六段，见得这才是可以作墓表的时候了。作墓表不但记叙一个人的生平而已，更得使子孙与世人得到一种教训，才有意义；所以先前不作，直到这个时候才作。这一段结出了表于阡的“非敢缓也，盖有待也”。第七段记作表的年月，并署名。年月日文字这样完备，可省的也不省是表示郑重。这是作父亲的墓表，所以自称“男修表”。名字上面写自己的官衔，也是碑志一类文字的格式。这里所叙官衔，从“推诚”到“特进”，是荣衔，非实官；观文殿学士本来是官名，但非曾执政者不授，也是荣衔；从“行兵部尚书”到“安抚使”，是现任的官职；“上柱国”是勋位；“乐安郡开国公”是爵号；“食邑”、“食实封”若干户，是禄秩，与封爵连在一起的，只表示秩，非俸给的数目。

第二段所叙母亲的一番话最长，也最关紧要。这一番话又可以分为六节。从“汝父为吏”到“以有待于汝也”是一节，说明她处在寡居穷困的境地“而能自守”，只因她对于父亲知道一二，有待于她的儿子。以下到“然知汝父之能养也”是一节，到“然知汝父之必将有后也”又是一节，这两节就是所谓“知其一二”。从什么方面知道的呢？第四节到“而以此知汝父之能养也”为止，第五节到“此吾知汝父之必将有后也”为止，说明了知道的所以然。末了一节是结论，她说从“汝父之志”看来可见养亲最重要的是孝，待物最重要的是“其心厚于仁”。这里第二节说“能养”，第三节说“必将有后”，第四节承接“能养”说，第五节承接“必将有后”说，第六节用“孝”与“其心厚于仁”双承“能养”与“必将有后”，层次极为清楚整齐。

第三段开头是“先公少孤力学”一语，“少孤”叙他的境遇，“力学”叙他的努力，都只是抽象说法；如果没有这四个字，好像也没有多大关系。可是没有这四个字，开头一语就成“先公咸平三年进士及第”，语气见得急促了。现在用这四个字，语气就见得舒缓；“力学”又与“进士及第”有了照应。并且，“少孤力学”是抽象说法，而第二段母亲口里称述父亲全是具体说法；一面具体，一面抽象，也有错综的趣味。

第四段第二句实在是太夫人“自其家少微时，治其家以俭约”，“恭俭仁爱而有礼，初封福昌县太君，进封乐安、安康、彭城三郡太君”三语是插进去的，作为对于“太夫人”的形容语。所以要把这三语插进去的缘故，第一，与前面所说加用“少孤力学”四字一样；作太夫人“自其家少微时”，嫌其急促，插入这三语，语气就舒缓了。第二，太夫人被封为“福昌县太君，进封乐安、安康、彭城三郡太君”本来在作者“列官于朝”之后，但“始得赠封其亲”一语之下是接不上母亲被封为什么的（若要在这里叙明母亲被封为什么什么，就得像现在作文一样，把这个话括在括弧里头了，而从前作文是没有这个格式的）。正好前面有个可以安插的地方，所以就把它提到前面去了。

第四段里的“又十年”，指宋仁宗皇祐四年，与以下的“修为龙图阁直学士，尚书吏部郎中，留守南京”，都是“太夫人以疾终于官舍”的时间副语，表明作者任这些官职的时候，母亲去世了。若以为作者“为龙图阁直学士，尚书吏部郎中，留守南京”，是皇祐四年才开始的事情，那就错了。原来作者除龙图阁直学士，在前此八年（仁宗庆历四年）；落龙图阁直学士，在前此七年（庆历五年）；复龙图阁直学士，在前此三年（皇祐元年）；知应天府，兼南京留守司事，授尚书吏部郎中，在前此二年（皇祐二年）；都不是皇祐四年才开始的。

第六段里“既又载我皇考崇公之遗训，太夫人之所以教而有待于修者”两语，是归结全篇的话，很关重要。全篇的主要目标当然在记载父亲的遗训，但父亲的遗训所以会在作者人生上发生影响，却在母亲本着遗训训练儿子，期待儿子。没有父亲的遗训，母亲将本着什么来训练儿子，这是不可知的。没有母亲的训练，父亲的遗训会不会在作者人生上发生影响，也很难说定。遗训与母亲的训练是二而一的，唯有这两项合并在一起，才收到真实的效果——就是儿子果真能够“幸全大节，不辱其先”。这里所指出的两语就表明这个二而一。同时也点醒了本篇叙述手法的所以然。原来本篇从母亲的口吻叙述父亲的遗训，又叙述母亲的俭约安贫，无非要表明母亲能够本着遗训训练儿子。所以说，这两语是归结全篇的话。

以上把全篇的取材、布局、照应各方面大略说过了。大概读一篇文字，仅能逐句逐句照字面解释，是不够的；必须在解释字面之后，更从文字以外去体会，才会得到真切意义。现在请把本篇须得加意体会的地方提出来说一说。第二段母亲的话的第一节里，提起父亲的“毋以是为我累”一语，为什么“有余”反而是“累”呢？因为欲求“有余”，或许会伤“廉”，或许会损害“好施与”的品性，这是对于自身的“累”。“有余”而传到儿子手里，或许使儿子惯于席丰履厚，不能居患难，安贫贱，这是对于儿子的“累”；对于儿子的“累”也就是自己的“累”。这些“累”都是要不得的，所以说“毋以是为我累”。同节里有“无一瓦之覆，一垄之植”两语，这等于说没有房屋与田地，但比起“无屋舍田亩”来，却具体得多，印象深刻得多。“一瓦”“一垄”都是最低限度，最低限度的财产也没有，可见穷困真到了极点了。第三节“然知汝父之必将有后也”一语，如果去掉“将”字，作“必有后也”，文意也顺适。但“必有后也”是断定口气，加入“将”字就是期望口气；这里承上文的“有待于汝”，作期望口气尤合于说话当时的神情。第四节叙述父亲的话，说“祭而丰，不如养之薄也”，又说“昔常不足而今有余，其何及也”，都从一句简单的话，表出父亲追慕不已的孝思。祭祀是人子的一件大事，固然要求其丰盛；但是，如果不是死后的祭祀而是生前的奉养，即使比较菲薄一点儿，在人子是何等的快慰呢？在奉养的时候，因为手头“不足”，不得好好儿奉养；现在手头“有余”了，偏偏又无法奉养，在人子是何等的深恨呢？这两层意思，从这两句简单的话里表达出来，父亲的孝思如何深切也就可想而知了。再看在“御酒食”上头加上一个“间”字，见得所谓“有余”也是有限得很的，不过比往时稍稍宽裕一点而已。稍稍宽裕一点，就想到不及拿来奉养，那孝思真是没有一刻不在心上的了。同节“至其终身未尝不然”一语，是找足一句的说法。每逢祭祀，每对酒食，总是要涕泣而叹息，这样直到他临死；说他的孝思没有一刻不在心上，还有可以怀疑的吗？死后的追慕尚且如此，那么，生前的奉养虽因“不足”而菲薄一点儿，但必然纯本于孝思，是不问可知的了。所以本节的末了说“以此知汝父之能养也”。第五节里母亲问“生可求乎？”以下父亲回答的一番话，层次很多，言外还有意思，必须仔细体会。这一段话开头说“求其生而不得，则死者与我皆无恨也”，并不直接回答说“生”的可求不可求，只是提出一个原则来：法官必须劳费心思替将死的罪犯寻一条生路。即使个个罪犯都寻不到生路，但那一番心思是不得不劳费的；因为唯有这样做，在法官是尽了他的职责，良心上没有什么抱恨，在罪犯是自己犯了实罪，虽死也没有什么抱恨。以下接说“矧求而有得邪”，用的是反问感叹的语气。假定求而总是不得，但为彼此不致抱恨起见，尚且非求不可；现在实际上又“求而有得”，怎么能不求呢？这就回答了“生可求乎”的问语；见得“生”是可求的，而且非求不可的。以下接说“以其有得，则知不求而死者有恨也”，这是推开来想。从“求而有得”着想，可见偶而疏忽一件案子，也许正冤枉一个罪犯，将使他抱恨而死。那么，做法官的还可以偶尔疏忽一件案子吗？以下接说“夫常求其生，犹失之死，而世常求其死也”，这是对于当时一般法官的感慨。“常求其生”指自己说；像自己这样存心，这样审慎，说不定还有考核与判断的错误，因而把不该受死罪的罪犯冤枉处死。而一般法官对于案子只是随便处理，一味疏忽；那不但是不替罪犯寻生路，简直是专把罪犯赶上死路去了。说着这样感慨的话，他自己决不愿像一般法官那样随便与疏忽，那意思也就表明了。接着父亲叹息说恐怕见不到儿子的成立，“后当以我语告之”，以下母亲又说“教他子弟常用此语”；这里的“我语”、“此语”不能呆看。“我语”、“此语”该是指前面的话而言，而前面的话是说法官必须尽心替罪犯寻生路，以求彼此无恨；难道父亲料定儿子与“他子弟”将来都要作法官吗？这就是呆看了。原来“我语”，“此语”是指像前面的话那样的存心而言；儿子与“他子弟”将来固然不一定作法官，但那样的存心是无论做什么都必要的，所以说“后当以我语告之”，所以“教他子弟常用此语”。以下母亲赞叹父亲，用推进一层的说法，先说“其施于外事，吾不能知”；这不但按照实际情形说，她自己处在家里，不能知道父亲在外面的情形；同时还表出一种料想，也许父亲在外面，更有许多叫人感服的事情，只是她不能知道，故而也无从说起了。在外面做事而能教人感服，也许还有点“矜饰”的意味，并不完全出于自然；于是推进一层说，在家里是绝对用不到“矜饰”的，而父亲能那样地认真尽责，可见他的存心是完全出于自然的了。存心完全出于自然，怎么就归结到“此吾知汝父之必将有后也”呢？中间好像缺少了一座过渡的桥梁。原来过渡的桥梁就是“为善无不报”；这“为善无不报”是“理之常”，人人所有的信念，不烦言而可知，所以把它省略了。第六节开头说“汝其勉之”，明明是教训语，以下却又说“吾不能教汝”，而用“此汝父之志也”来结束；见得所谓“养不必丰，要于孝，利虽不得博于物，要其心之厚于仁”，只是从“知其一二”的父亲的性行上体验出来的一点道理；就为体验出来了这点道理，她才有以教儿子，她才有待于儿子。倘若没有这一节话，以上几节仅仅说明了“汝父之能养”，“汝父之必将有后”，与儿子的关系还浅。现在有了这一节，见得她的教训也就是“汝父之志”，她所谓“有待于汝”，是期待“汝父之志”在儿子的人生上发生优善的影响，这与儿子的关系就深切多了。

第四段叙母亲的话“吾儿不能苟合于世，俭薄所以居患难也”，意思是说“不能苟合”必然常“居患难”，习惯了“俭薄”，“居患难”就安之若素了。这个话正与父亲“毋以是为我累”的话正反相应；父亲的意思是丰厚（有余）要成累，母亲的意思是俭薄就没有什么累。以下“汝家故贫贱也……”两句是承接上文，用叙述来加倍描写。“汝能安之，吾亦安矣”一句，虽只有八个字，可是把母亲与儿子融融泄泄，“居患难”而心胸旷然的情境，都表现出来了。作者的母亲画荻教子，自来称为贤母的模范。读本篇所叙母亲的一些话，真像看见了这位贤母，听到了她的温恭慈爱的口吻。

第六节“为善无不报”之下，加“而迟速有时”五字，作为对于“报”字的副语，与下文相应；这是文字的周密处。“我祖考积善成德，宜享其隆”，但“不克有于其躬”，这就像是“不报”。然而到后来“赐爵受封，显荣褒大，实有三朝之锡命”，可见并不是“不报”，只是“报”得“迟”一点儿罢了。这就是所谓“迟速有时”。若不在上文把这一层先行点明，下文“不克有于其躬”就未免有点突兀了。末句的末了说“小子修”、“德薄能鲜，遭时窃位”，“德”与“能”都不行，原不该有什么发展，而现在竟得发展，无非遭遇时世，窃居高位而已；把自己说得这样地平凡，只是要反衬下文的“全大节”与“不辱其先”。“全大节”与“不辱其先”不是容易做到的事情，而平凡的自己居然能够做到，那是经过了许多奋勉的工夫而来的。下一个“幸”字，所以表明奋勉成功的意思。若把这“幸”字解作通常的“侥幸”，意味就差一点了。平凡的自己何所凭借而能奋勉呢？凭借的是父亲的遗训与母亲的训练；把成功的原由都归到父母身上，这就是所谓“其来有自”。

现在请把本篇所用的字与词、语，应该提出来说明的，逐一说明于下。

关于坟墓的刻石，通常有两种，一种是“墓表”，也称“墓碑”，一种是“墓志铭”。一般的见解，“墓表”所以彰其人，立在坟上，供瞻仰的人观看；“墓志铭”埋在坟中，将来时候或许陵谷变迁，发现的人就可以知这坟中埋的是谁。

“呜呼”是叹词，或仅表感叹，或在感叹之外兼表伤痛或赞美的意思。本篇里用了三个“呜呼”。第一段里的“呜呼”仅表感叹，感叹作表的延迟。第二段里的“呜呼”就兼表赞美了，赞美父亲“其心厚于仁”。第六段里的“呜呼”也兼表赞美，赞美祖考的“实有三朝之锡命”。从此又可见“于是小子修泣而言曰”的“泣”字是感慰的“泣”，不是伤痛的“泣”。

本篇里用了两个“唯”字，一个在第一段，一个在第六段。这两个“唯”字不是“唯独”，没有实义，只是古代的发语词——在说话开头的时候，带出一个没有实义的字来，以助语气。去掉“唯”字，作“我皇考”、“我祖考”，意思也一样。现在加用这古代的发语词，见得称说自己的“皇考”与“祖考”，语气更庄敬一点。

“皇”字是对于先代的敬称。篇首初提到父亲，当然该庄敬；第五段叙述父亲受朝廷的赠赐，第六段说到父亲的遗训，也非庄敬不可；所以都用“皇考”。第三段里的“先公少孤力学”，第四段里的“自先公之亡二十年”，都只是寻常叙述语；所以不用“皇考”而用“先公”。第五段里称曾祖为“皇曾祖”，称祖父为“皇祖”，理由与前面所说一样。

“崇公”是赐爵崇国公的简称。在“皇考”之下，又称父亲的赐爵，也所以表示庄敬。除了对于自己的祖先以外，对于其他的人不称他的官位、封爵、谥号，也都表示庄敬的意思。

“卜吉”就是下葬；但是说“卜吉”见得当时是郑重其事，占卜了“吉兆”而下葬的，正与全句郑重、庄敬的情味相一致。第三段里叙及葬地，仅是寻常叙述语，所以用“葬”字就够了。

“克”字与“能”字的分辨，在《前言》（即《精读的指导》）里已经提到，这里不再说。现在只说第六段里“虽不克有于其躬”一语的“不克”。这一语说祖考“不克”在生前“享其隆”，而“享其隆”是一件大事，提及的时候应该是郑重、庄敬的；所以不作“不能”而作“不克”。

本篇里用了许多“也”字，这些“也”字可以分为三类。“非敢缓也”、“故其亡也”、“吾之始归也”、“此死狱也”、“汝家故贫贱也”等语里的“也”字是一类，表示语气到此稍稍顿一顿，话还没有说完。“盖有待也”、“以有待于汝也”、“然知汝父之能养也”、“然知汝父之必将有后也”、“不如养之薄也”、“而以此知汝父之能养也”、“则死者与我皆无恨也”、“则知不求而死者有恨也”、“而世常求其死也”、“吾不及见儿之立也”、“故能详也”、“此吾知汝父之必将有后也”、“此汝父之志也”、“俭薄所以居患难也”、“此理之常也”等语里的“也”字是一类，表示语气到此完足，一句话已经说完。第三段里“其何及也”一语的“也”字又是一类，与“邪”字相当，是反问与感叹的语气。如果说白话，“非敢缓也”作“并不是敢于迟缓”，“此死狱也”作“这是一件该判死罪的案子”，“汝家故贫贱也”作“你家本来贫贱”，都只须稍稍顿一顿就是，不须再用什么语助词。“故其亡也”作“所以他去世的时候”，“吾之始归也”作“我嫁过来的时候”；这里值得注意，白话里的时间副语“……的时候”，文言里可作“……也”。所以“当他入学的时候”可作“方其入学也”，“与你碰见的时候”可作“与君之相遇也”。再说第二类“也”字。“盖有待也”作“是有所等待”，“以有待于汝也”作“因此对于你有所等待”，都只在声调上表示语气完足，末了不须再用什么语助词。“然知汝父之能养也”作“然而知道你父亲是能够奉养的”，“然知汝父之必将有后也”作“然而知道你父亲是一定会有好子孙的”，“则知不求而死者有恨也”作“就知道不经仔细考求而被处死刑的有怨恨了”，“吾不及见儿之立也”作“我见不到儿子的成立了”；从这里可以知道，白话里的“是……的”与“了”两种断定语气，在文言里就是“也”字。再说第三类“也”字。“其何及也!”白话作“哪里来得及呢!”这“也”字正是白话里的“呢”。所以“什么缘故呢?”文言作“何也?”“什么人呢?”文言作“谁也?”

“盖有待也”的“盖”字，与“乃”字意义相近，作“乃有待也”也可以。全句说白话，是“并不是敢于迟缓，是有所等待”。可见白话里这样语气之下的“是”字，文言作“盖”字或“乃”字。所以“并不是不愿意做，是没有能力做”，文言作“非不愿为也，盖无其能也”。“这不是远山，是停着的云”，文言作“是非远山也，乃停云也”。

“自力于衣食”一语，照样说作白话是“自己尽力对于衣食”，或“自己尽力在衣食方面”，都不很顺适。这只须说“自己尽力谋衣食”就可以了。又如下文“新免于丧”，白话就是“新近除服”。那“于”字都不必译作“对于”或“在”字放在话里的。

“以长以教”的“长”字作“长养”解，所以与“教”字处同等的地位。被“长”被“教”的都是作者。

“以长以教”，以什么来长养儿子教训儿子呢?原来是以“自力于衣食”。因为“自力于衣食”已经说在前面，“以”字之下就可以直接“长”字“教”字了。这与“以庇而为生”一语情形完全相同。原来是“以一瓦之覆，一垄之植，庇而为生”，但为要说明没有“一瓦之覆，一垄之植”，必须把这两语提在前面，才加得上一个“无”字；两语既已提在前面，“以”字之下就可以直接“庇而为生”了。明白了这个，也就可以明白“俾至于成人”“俾知夫小子修……”两语的句法。“俾”就是“使”，使那一个“至于成人”，使什么人知道，语中都不点明，必然已经提在前面了。不错，已经提在前面了；对于“俾至于成人”的“俾”字是“修不幸”的“修”字，对于“俾知夫小子修……”的“俾”字，是“是足以表见于后世庇赖其子孙矣”一语里的“后世”与“子孙”。

本篇里用了四个“邪”字，“邪”就是“耶”。“吾何恃而能自守邪？”“求而有得邪！”都是反问口气，“邪”字与白话里的“呢”字相当。“是真发于中者邪！”“其心厚于仁者邪！”都是赞叹口气，“邪”字与白话里的“啊”字相当。后面两语说作白话，就是“这真是从心里发出来的啊！”“他的心里仁道很厚的啊！”

“祭而丰，不如养之薄也”，说作白话，就是“祭得丰厚，不如供养得菲薄”。又如“读而勤”，“学而有成”，“为吏而廉”一类的语句，白话就是“读得勤快”，“学习得有成就”，“做官做得廉洁”；这些“而”字都与白话里的“得”字相当。“养之薄”本来也可以作“养而薄”，现在不用“而”字而用“之”字，叫做“互文”——就是说，错综地使用作用相同的字，以避免重复。这“之”字并不与“我的”、“你的”的“的”字相当，而与上语的“而”字作用相同。“互文”常常用在语式相同的两语里。“而”

字与“之”字可为“互文”之外，其他“互文”还有很多。如陶潜《归去来辞》里的“舟遥遥以轻飏，风飘飘而吹衣”两语语式相同，“以”字与“而”字是“互文”。

“间御酒食”的“御”字，与白话里的“用”字相当。白话说“请用饭”，比较“请吃饭”恭敬一点。文言说“御酒食”也比较“进酒食”恭敬一点。

本篇里用了许多“其”字，多数“其”字都是寻常用法，在白话里就是“他的”。只有两个比较不寻常，现在提出来说一说。一个是“其何及也”的“其”字。这一语说作白话，就是“还哪里来得及呢!”“其”字与白话的“还”字正相当。再从《左传》里摘出一些语句来看，如“其何不济?”“其何以免乎?”“其何以报君?”“其何后之有?”说作白话，就是“还有什么不成功呢?”“还从什么方法避免呢?”“还拿什么报答您呢?”“还会有什么后代呢?”可见在反问或感叹的语句里，“其”字用在开头，语气与白话里说“还”字一样。又一个是“汝其勉之”的“其”字。这“其”字表示命令与期望的意思。不说“汝勉之”而说“汝其勉之”，更见恳切叮咛的心怀。《尚书》里有“帝其念哉!”“嗣王其监于兹!”的语句，《左传》里有“吾子其无废先君之功!”的语句，“其”字的用法都与“汝其勉之”一语相同。

“吾始一二见之，以为新免于丧适然耳；既而其后常然；至其终身，未尝不然。”一句里连用“适然”“常然”“未尝不然”，逐层递进，把父亲没有一刻不存着孝思说到极点。凡要使读者听者的感兴逐渐达到顶点，用这种逐层递进的说法是很有效的。

“以为新免于丧适然耳”的“耳”字，与寻常作“而已”或“罢了”意义的“耳”字不同，它与“也”字相当，放在语句的末了，表示语气到此停顿。所以这一语若作“以为新免于丧适然也”，语调是一样的。说作白话，就是“以为他新近除服偶而这样”，无论用“耳”用“也”，都不须再找什么语助词来译它了。“我求其生不得尔”的“尔”字，与这个“耳”字完全相同；也与“也”字相当，也是放在语句的末了，表示语气到此停顿。“我求其生不得尔”，也可以作“我求其生不得也”。再就本篇用“也”字的语句来看，有些“也”字也可以换作“耳”字；如“盖有待也”也可以作“盖有待尔”，“以有待于汝也”也可以作“以有待于汝耳”。可见“也”、“耳”两字是常常可以通用的。不过用“也”字语气重一点，用“耳”或“尔”字语气轻一点，这是分别所在。

“矧”字与“况”字意义相同。有人说，这两个字，语气有缓急的分别，“况”字语气缓，“矧”字语气急。这种分别，现在也不能辨明；只觉得“况”字是常用的，“矧”是比较不常用的字罢了。

本篇里用了三个“夫”字。“夫常求其生”“夫养不必丰”两语里的“夫”字是一类，放在语首，表示提示的意思。白话里没有与这个“夫”字相当的字；说这两语，就是“常常给他寻生路”、“奉养不一定要丰盛”，开头都不须用什么语词，只须发声前低后高就是了。“俾知夫小子修……”一语里的“夫”字又是一类，放在动词底下，没有意义，只把上面那动词拖得舒缓一点。白话里也没有与这个“夫”字相当的字。这样的“夫”字当然不妨去掉；所以这一语也可作“俾知小子修……”。

“犹失之死”一语里，“失之”两字是相连的；凡是说话说得不对，做事做得错误，文言都可用“失之”两字来表示。这一语说作白话，就是“尚且会弄错了叫人冤枉死”。文言为什么缩得这样简短呢？因为“犹失之死”与上语“常求其生”句法相同，成为对偶，而对偶的语句，往往可以简缩而见意的。

“剑”字的来源，在《礼记·曲礼》上。《曲礼》上的文句是：“长者……负剑辟咡诏之，则掩口而对。”郑注说：“负，谓置之于背；剑，谓挟之于旁。”孔疏说：“剑，谓挟于胁下，如带剑也。”可见这“剑”字是把小儿挟在胁下的意思。本篇各本有异文若干处，这个“剑”字，一本作“抱”字。有人说，作“剑”字表示“乳者”把作者挟在胁下，看主人在灯下办公事，情态很生动；若作“抱”字，就觉得直致了。但这“剑”字是个僻字（僻字与古字不同，古字是现在不常使用的字，僻字是向来就少经使用的字），就本篇全体看，使用僻字的就只有这一处，未免见得不调和。并且，用“剑”字就生动，用“抱”字就直致，也只是从爱好僻字而来的主观看法。所以，作者当时用的如果真是“剑”字，在全篇用字须求调和这一点上是可议的。

作者的父亲死在宋真宗大中祥符三年，那年正是“庚戌”，与术者的话相应。作者所以要把“岁行在戌将死”的话叙下来，就为事实与预言相应的缘故。至于这是偶合还是术者真有预知的本领，这问题在现代人当然很容易想起；但在作者当时是不成问题的。

“吾耳熟焉”的“焉”字与“之”字相当，指称上一语里的“此语”。这四个字说作白话，就是“我听熟了这个话”。《左传》里有“公使让之，且辞焉”的语句，《孟子》里有“尧之于舜也，使其子九男事之，二女女焉”的语句，“辞焉”就是“辞之”，“女焉”就是“女之”。可见“焉”字与“之”字常常通用的。

作者“贬夷陵”是宋仁宗景祐三年的事情。按年谱，景祐元年，“授宣德郎，试大理评事，兼监察御史，充镇南军节度掌书记，馆阁校勘。”景祐三年，“是岁，天章阁待制权知开封府范仲淹言事忤宰相，落职，知饶州。公切责司谏高若讷，若讷以其事闻，五月戊戌，降为峡州夷陵县令。”

作者初入仕“得禄而养”，是宋仁宗天圣八年的事情。按年谱，天圣七年，“是春，公……试国子监为第一，补广文馆生。秋，赴国学解试，又第一。”天圣八年，“正月，试礼部，……公复为第一。三月，御试崇政殿，公甲科第十四名。五月，授将仕郎，试秘书省校书郎，充西京留守推官。”

“列官于朝”，指宋仁宗庆历二年作者“知太常礼院”而言。

作者“拜枢密副使”是宋仁宗嘉祐五年的事情。“参知政事”是嘉祐六年的事情。

“又七年”，指宋英宗治平四年。按年谱，治平四年，“二月，……御史彭思永蒋之奇以飞语于公，上察其诬，斥之。公力求去。三月壬申，除观文殿学士，转刑部尚书，知亳州。……五月甲辰，至亳。”这就离开了中央而充外任了。

"实有三朝之锡命"的"实"字，不是"实在"而是"果然"。"果"本来是"木实"，有"果然"一义，自然"实"也可以作"果然"了。如在叙述一个学生怎样怎样用功之后，接着说"每试实列前茅"，在叙述人家怎样怎样对我有好感之后，接着说"实慰我心"，这些"实"字都是"果然"。

以上说到的一些文言虚字，固然要分析、比较，确切地知道它们所表示的意义与语气；但是要熟悉它们并且使用它们，非加工吟诵不可。从吟诵入手，所得到的才是习惯，而不仅是知识。

读过了这篇文字，可以想起许多问题。譬如，碑志传记的文字，目的在叙述人物，从这篇文字看来，叙述人物的主要手法是什么呢？第一是抉出那个人品性与行为上的特点，凭那些特点来表现他的全貌。本篇作者以为孝行与仁心是父亲的两大"善"，是父亲的特点，所以着眼在此，其他不再叙述。第二是用具体写法。本篇作者不用一些抽象词语来形容父亲的孝与仁，而用父亲在祭祀与进酒食的时候怎样追慕，在办公事的时候怎样用心，来表现父亲的孝与仁；这就是用具体写法。

又如，具体写法与抽象写法，方法上与效果上有什么不同呢？抽象写法只凭作者主观的意见；如作者观得某人能够孝顺他的父母，就说他"能孝其亲"，觉得某人的孝行真是做到极点了，就说他"孝行纯笃"；这里"能孝"与"纯笃"都是作者主观的意见。具体写法就不然。如"祭而丰，不如养之薄也！""昔常不足而今有余，其何及也！"本是本篇作者父亲常说的两句话；关于

“求其生”的意见，本是本篇作者父亲某一夕说起的一番话；作者觉得就是这几句话，已可充分地见到父亲的孝行与仁心了，于是把它们记下来。还有说话当时的背景，“祭而丰……”一句是“岁时祭祀”的时候说的，“昔常不足……”一句是“间御酒食”的时候说的，“求其生而不得……”一段是“夜烛治官书，屡废而叹”的时候说的；在那样背景中，说那样的话，父亲的孝行与仁心真是宛然如见了。这里只在选取材料（就是言语、行动、背景等）的时候多少参有作者主观的意见，待材料选定之后，作者的任务只是叙事与记言罢了。这种手法叫做表现，意思是使所写的人物自己显示在读者面前。以上是两种写法方法上的不同。抽象写法只能叫人家知道些什么。如前面所举的例子，说某人“能孝其亲”或“孝行纯笃”，读者读了，就知道某人“能孝其亲”或“孝行纯笃”；但某人怎样“能孝”，他的孝行怎样“纯笃”，却是无法知道的。具体写法在叫人家知道些什么以外，还能教人家感到些什么。如本篇叙述父亲的话与说话当时的背景，那背景与说话构成一种真切的境界，显示一个生动的人物，可供读者自己用心灵去探索与认识。探索与认识的结果，不但知道作者的父亲曾经说过那些话而已，并且感到作者父亲真是个尽孝尽仁的人。以上是两种写法效果上的不同。

又如，凡是碑志传记文字，是不是或多或少都用具体写法的呢？所谓抉出人物的特点，这特点是不是专指那人的长处而言呢？这类文字，有的带教训意味，有的却不带，这带与不带由什么而分别呢？想到这些问题，就可以各就方便，取若干篇碑志传记来看。又如，这篇文字纡徐而庄敬，风格与它相近的文字，作者还有哪些篇呢？人家说作者“文备众体”，作者的文字工作，涉及的方面到底有多少呢？想到这些问题，就可以取作者的全集来看。又如，本篇所用的一些文言虚字，在本篇里作这样意义这样语气，能不能从其他文篇中得到印证呢？本篇所用的一些修辞方法，如逐层递进的说法与对偶句里用互文，能不能从其他文篇中找到例子呢？想到这些问题，就得随时留意，以免错过发现的机会。

1940 年 9 月 27 日作

徐志摩《我所知道的康桥》指导大概

我所知道的康桥

康桥的灵性全在一条河上。康河，我敢说，是全世界最秀丽的一条河水。河身多的是曲折。上游是有名的拜伦潭，当年拜伦常在那里玩的。有一个老村子叫格兰骞斯德，有一个果子园，你可以躺在累累的桃李树荫下吃茶，花果会掉入你的茶杯，小雀子会到你桌上来啄食，那真是别有一番天地。这是上游。下游是从骞斯德顿下去，河面展开，那是春夏间竞舟的场所。上下河分界有一个坝筑，水流得很急。在星光下听水声，听近村晚钟声，听河畔倦牛刍草声，是我康桥经验中最神秘的一种：大自然的优美宁静，调谐在这星光与波光的默契中，不期然的淹入了你的性灵。（第一段）

这河身的两岸都是四季常青最葱翠的草坪。从校友居的楼上望去，对岸草场上，不论早晚，永远有数十匹黄牛与白马，胫蹄没在恣蔓的草丛中，从容的在咬嚼。

星星的黄花在风中动荡，应和着它们尾鬃的扫拂。桥的两端有斜倚的垂柳与榈荫护住。水是澈底的清澄，深不足四尺，匀匀地长着长条的水草。这岸边的草坪又是我的爱宠，在清朝，在傍晚，我常去这天然的织锦上坐地，有时读书，有时看水，有时仰卧着看天空的行云，有时反仆着搂抱大地的温软。（第二段）

但河上的风流还不止两岸的秀丽。你得买船去玩。船不止一种：有普通的双桨划船，有轻快的薄皮舟，有最别致的长形撑篙船。最末的一种是别处不常有的：约莫有二丈长，三尺宽，你站直在船艄上用长杆撑着走的。这撑是一种技术。我手脚太蠢，始终不曾学会。你初起手尝试时，容易把船身横住在河中，东颠西撞的狼狈。英国人是不轻易开口笑人的，但是小心他们不出声的皱眉！也不知有多少次，河中本来悠闲的秩序叫我这莽撞的外行给捣乱了。我真的始终不曾学会。每回我不服输跑去租船再试的时候，有一个白胡子的船家往往带讥讽的对我说："先生，这撑船费劲，天热累人，还是拿个薄皮舟溜溜吧！"我哪里肯听话，长篙子一点就把船撑了开去，结果还是把河身一段段的腰斩了去！（第三段）

你站在桥上去看人家撑，那多不费劲，多美！尤其在礼拜天，有几个专家的女郎，穿一身缟素衣服，裙裾在风前悠悠的飘着，戴一顶宽边的薄纱帽，帽影在水草间颤动，你看她们出桥洞时的姿态，捻起一根竟像没分量的长竿，只轻轻的不经心的往波心里一点，身子微微的一蹲，这船身便波的转出了桥影，翠条鱼似的向前滑了去。她们那敏捷，那闲暇，那轻盈，真是值得歌咏的。(第四段)

在初夏阳光渐暖时，你去买一支小船，划去桥边荫下躺着，念你的书或是做你的梦，槐花香在水面上飘浮，鱼群的唼喋声在你的耳边挑逗。或是在初秋的黄昏，迎着新月的寒光，望上流僻静处远去。爱热闹的少年们携着他们的女友，在船沿上支着双双的东洋彩纸灯，带着话匣子，船心里用软垫铺着，也开向无人迹处去享他们的野福——谁不爱听那水底翻的音乐在静定的河上描写梦意与春光！(第五段)

住惯城市的人不易知道季候的变迁。看见叶子掉知道是秋，看见叶子绿知道是春，天冷了装炉子，天热了拆炉子，脱下棉袍，换上夹袍，穿上单袍：不过如此罢了。天上星斗的消息，地下泥土里的消息，空中风吹的消息，都不关我们的事。忙着哪，这样那样事情多着，谁耐烦管星星的移转，花草的消长，风云的变幻？同时我们抱怨我们的生活，苦痛，烦闷，拘束，枯燥，谁肯承认做人是快乐？谁不多少间咒诅人生？(第六段)

但不满意的生活大都是由于自取的。我是一个生命的信仰者，我信生活决不是我们大多数人仅仅从自身经验推得的那样暗惨。我们的病根是在“忘本”。人是自然的产儿，就比枝头的花与鸟是自然的产儿，但我们不幸是文明人，入世深似一天，离自然远似一天。离开了泥土的花草，离开了水的鱼，能快活吗？能生存吗？从大自然，我们取得我们的生命，从大自然，我们应分取得我们继续的滋养。哪一株婆娑的大木没有盘错的根柢深入在无尽藏的地里？我们是永远不能独立的。有幸福是永远不离母亲抚育的孩子，有健康是永远接近自然的人们。不必一定与鹿豕游，不必一定回“洞府”去，为医治我们当前生活的枯窘，只要“不完全遗忘自然”一张轻淡的药方，我们的病象就有缓和的希望。在青草里打几个滚，到海水里洗几次浴，到高处去看几次朝霞与晚照——你肩背上的负担就会轻松了去的。（第七段）

这是极肤浅的道理，当然。但我要没有过过康桥的日子，我就不会有这样的自信。我这一辈子就只那一春，说也可怜算是不曾虚度。就只那一春，我的生活是自然的，是真愉快的（虽则碰巧那也是我最感受人生痛苦的时期）。我那时有的是闲暇，有的是自由，有的是绝对单独的机会。说也奇怪，竟像是第一次，我辨认了星月的光明，草的青，花的香，流水的殷勤。我能忘记那初春的睥睨吗？曾经有多少个清晨，我独自冒着冷去薄霜铺地的林子里闲步——为听鸟语，为盼朝阳，为寻泥土里渐次苏醒的花草，为体会最微细最神妙的春信。啊，那是新来的画眉在那边凋不尽的青枝上试它的新声！啊，这是第一朵小雪球花挣出了半冻的地面！啊，这不是新

来的潮润沾上了寂寞的柳条？（第八段）

静极了，这朝来水溶溶的大道，只远处牛奶车的铃声点缀这周遭的沉默。顺着这大道走去，走到尽头，再转入林子里的小径，往烟雾浓密处走去，头顶是交枝的榆荫，透露着漠楞楞的曙色，再往前走去，走尽这林子，当前是平坦的原野，望见了村舍，初青的麦田，更远三两个馒头形的小山掩住了一条通道。天边是雾茫茫的，尖尖的黑影是近村的教寺。听，那晓钟和缓的清音！这一带是此邦中部的平原，地形像是海里的轻波，默沉沉的起伏，山岭是望不见的，有的是常青的草原与沃腴的田壤。登那土阜上望去，康桥只是一带茂林，拥戴着几处娉婷的尖阁。妩媚的康河也望不见踪迹，你只能循着那锦带似的林木想象那一流清浅。村舍与树木是这地盘上的棋子，有村舍处有佳荫，有佳荫处有村舍。这早起是看炊烟的时辰：朝雾渐渐的升起，揭开了这灰苍苍的天幕（最好是微霞后的光景），远近的炊烟，成丝的，成缕的，成卷的，较快的，迟重的，浓灰的，淡青的，惨白的，在静定的朝气里渐渐的上腾，渐渐的不见，仿佛是朝来人们的祈祷参差的翳入了天听。朝阳是难得见的，这初春的天气。但它来时是起早人莫大的愉快。顷刻间这田野添深了颜色，一层轻纱似的金粉糁上了这草，这树，这通道，这庄舍。顷刻间这周遭弥漫了清晨富丽的温柔。顷刻间你的心怀也分润了白天诞生的光荣。“春！”

这胜利的晴空彷佛在你的耳边私语。“春!”你那快活的灵魂也彷佛在那里回响。(第九段)

伺候着河上的风光，这春来一天有一天的消息。关心石上的苔痕，关心败草里的花鲜，关心这水流的缓急，关心水草的滋长，关心天上的云霞，关心新来的鸟语。怯怜怜的小雪球是探春信的小使。铃兰与香草是欢喜的初声。窈窕的莲馨，玲珑的石水仙，爱热闹的克罗克斯，耐辛苦的蒲公英与雏菊——这时候春光已是缦烂在人间，更不烦殷勤问讯。(第十段)

瑰丽的春光！这是你野游的时期。可爱的路政！这里不比中国，哪一处不是坦荡荡的大道。徒步是一个愉快，但骑自转车是一个更大的愉快。在康桥，骑车是普遍的技术，妇人，稚子，老翁，一致享受这双轮舞的快乐。(在康桥，听说自转车是不怕人偷的，就为人人都自己有车，没人要偷。)任你选一个方向，任你上一条通道，顺着这带草味的和风，放轮远去，保管你这半天的逍遥是你性灵的补剂。这道上有的是清荫与美草，随地都可以供你休息。你如爱花，这里多的是锦绣似的草原。你如爱鸟，这里多的是巧啭的鸣禽。你如爱儿童，这乡间到处是可亲的稚子。你如爱人情，这里多的是不嫌远客的乡人，你到处可以“挂单”借宿，有酪浆与嫩薯供你饱餐，有夺目的果鲜恣你尝新。你如爱酒，这乡间每“望”都为你储有上好的新酿，黑啤如太浓，苹果酒姜酒都是供你解渴润肺的。……带一卷书，走十里路，选一块清静地，看天，听鸟，读书，倦了时，和身在草绵绵处寻梦去——你能想象更适情更适性的消遣吗？（第十一段）

陆放翁有一联诗句：“传呼快马迎新月，却上轻舆趁晚凉”；这是做地方官的风流。我在康桥时虽没马骑，没轿子坐，却也有我的风流：我常常在夕阳西晒时骑了车迎着天边扁大的日头直追。日头是追不到的，我没有夸父的荒诞，但晚景的温存却被我这样偷尝了不少。有三两幅画图似的经验至今还是栩栩的留着。只说看夕阳，我们平常只知道登山或是临海，但实际只须辽阔的天际，平地上的晚霞有时也是一样的神奇。有一次我赶到一个地方，手把着一家村庄的篱笆，隔着一大田的麦浪，看西天的变幻。有一次是正冲着一条宽广的大道，过来一大群羊，放草归来的，偌大的太阳在它们后背放射着万缕的金辉，天上却是乌青青的，只剩这不可逼视的威光中的一条大路，一群生物！我心头顿时感着神异性的压迫，我真的跪下了，对着这冉冉渐翳的金光。再有一次是更不可忘的奇景。那是临着一大片望不到头的草原，满开着艳红的罂粟，在青草里，亭亭的像是万盏的金灯，阳光从褐色云里斜着过来，幻成一种异样的紫色，透明似的不可逼视，刹那间，在我迷眩了的视觉中，这草田变成了……不说也罢，说来你们也是不信的！（第十二段）

一别二年多了，康桥，谁知我这思乡的隐忧！也不想别的，我只要那晚钟撼动的黄昏，没遮拦的田野，独自斜倚在软草里，看第一个大星在天边出现！(第十三段)

指导大概

这一篇是叙述景物的文字。要叙述景物，作者先得熟悉那景物。不然，材料就没有了。叙述什么呢？既已熟悉了那景物，叙述起来，手法却不止一种。作者先在意念中画下一张景物的平面图，又在那图上圈出值得叙述的若干点来，于是用文字代替颜料，按照方向与位置逐点逐点画出来给读者看，作者自己却并不露脸，正像执着画笔的画家自身处在画幅以外一样：这是一种手法。作者当初在景物之中东奔西跑，左顾右盼，官能方面接受种种的感觉，心灵方面留下深深的印象，他觉得这一份受用不容一个人独享，须得分赠给读者，于是把当时的一切毫不走样地叙述下来，他自己当然担任了篇中的主人公：这又是一种手法。本篇采用的是后一种手法，那是一望而知的。

本篇作者对于康桥的景物不只是熟悉，那比熟悉更进一步，他简直曾经沉溺在康桥的景物中间。因此，他告诉读者的不单是康桥的景物，并且是景物怎样招邀他，引诱他，他怎样被景物颠倒与陶醉。换一句说，他告诉读者的是他与康桥一番永远不能忘记的交情。这就规定了他所采用的手法，也就使这篇文字必得在叙述之中，带着抒情的气氛。要是他采用前一种手法，冷静地画出一幅康桥来，那只好把那一番交情牺牲了。可是他不但不愿意牺牲那一番交情，而且非常宝贵那一番交情，这篇文字可以说为了这一点才写的，他就不得不用一种热情的活泼的笔调：像对着一个极熟的朋友讲述他的游程，称心随意，无所不谈，没有一点儿拘束，谈到眉飞色舞的时候，无妨指手画脚，来几声出神的愉快的叫唤。这样写来，景物之中有作者，作者心中有景物，错综变化，把景物与心情混成一片，那一番交情也就在这上头见出了。

因此，这篇文字的文体绝不能是严谨的，而必然是自由的。想到什么就写什么，怎样想到就怎样写，它差不多自由到这个地步。正统的古文家作游记，当然不肯也不能用这种文体。现代作家对于文学的观念虽说解放多了，但作起游记来，也未必都会像这一篇的自由。大概本篇作者所以能写出这样的文体，一半从他的品性，一半从他的教养。他是个偏于感情的人，热情奔放，往往自己也遏制不住。他通西洋文学，西洋文学中有所谓“散文”的一个部门，娓娓而谈，舒展自如，在自来我国文学中是不很发达的。他那品性与教养交叉在一点，就产生了他的自由的文体。

但是，仅仅说想到什么就写什么，怎样想到就怎样写，是不够的。果真这样，一篇文字不将成为在古墙上乱爬的藤蔓吗？原来控制还是需要的，线索还是不能没有的；不过工夫到了纯熟的地步，控制的痕迹不能在字里行间显明地看出；线索也若有若无，这就叫人看来好像是完全自由的了。

现在试看，本篇是由什么控制着的？不就是前面说起的作者与康桥的一番交情吗？所以说河水，说草场，说船，说春景，等等，都不做客观的叙述，而全从作者与它们的关系上出发。作者工夫纯熟了，对于这种控制也许并不自觉；但研究这篇文字的人应该知道，如果没有这种控制，文字也许会见得散漫。“散漫”与“自由”好像差得不远，然而实际上是相去千万里了。

再看，作者的意念怎样发展而成为这一篇的形式？他要把康桥的种种告诉读者，当然先得提起康桥。但康桥地方最吸引他的感兴的是那条康河，提起康桥便想到了康河。在上游那个果子园里吃茶的情景也想起来了，在上下河分界处那个坝筑旁边静听的经验也想起来了。于是从河身想到河两岸的草场，在草场上他享受到许多的快适，而河上坐船的快适，趣味又各别。想到船，他自己撑船的经验立刻涌上了心头，他只能“把船身横住在河中，东颠西撞的狼狈”。看人家撑可不然了，尤其看“专家的女郎”撑，那印象真是不可磨灭的。这才回转去想坐船的趣味，一一与在草场上坐地不同。——以上的线索虽有曲折，并不是一直的，但总之贴切着那条河。就写成的文字说，便是从第一段到第五段。

以下作者想开去了。他想到“住惯都市的人”不关心自然界的变化，同时不“肯承认做人是快乐”，或多或少不免“咒诅人生”。他以为这大都是自取其咎，正因为离开了自然，才有这种“病象”，“只要‘不完全遗忘自然’”，“病象就有缓和的希望”。这似乎想得太远了，可是并不远，只因他在康桥过过一春（本篇里的“春”是照外国算法，指三四五三个月而言，须注意），与康桥有了一番深密的交情，他才对于上面那个“极肤浅的道理”有了“自信”。“星月的光明，草的青，花的香，流水的殷勤”，原是平时接触惯的；然而在康桥“竟像是第一次”“辨认”，可见平时的接触实在算不得接触，而在康桥的“辨认”，给与他性灵上的补益是多么大了。于是，他想到春朝的景色，在那景色中，仿佛听到“晴空”与自己的“灵魂”互相应答，声声叫唤着“春!”他又想到春天的花信，从春光起初透露直到春光“缦烂在人间”，“一天有一天的消息”。他又想到春天骑着自转车出去游行，到处可以欣赏，到处可以休息，到处有温厚的人情与丰美的饮食，“适情”“适性”，其乐无比。他又想到春天傍晚，对着“辽阔的天际”看夕阳，“有三两幅画图似的经验”竟带着神秘性，叫他陷入迷离惝恍的境地。——以上是想了开去而回转到康桥的春天，从康桥的春天推演出平列的四项来，就是朝景，花信，野游与晚景。就写成的文字说，便是从第六段到第十二段。

以下是结束了。他所以把康桥的种种告诉读者，原来因为康桥与他有这么一番深密的交情，真像他自己的家乡一样：他与它“一别二年多”，禁不住起了“思乡的隐忧”，他要读者知道他怀着这么一腔“隐忧”。口里说“谁知我”，正是希望人家知道他。“思乡”自然想回去；如果回到康桥，“看第一个大星在天边出现”，那“隐忧”就消除了。这远远应接着开始的意念，他在开头不是说“在星光下……是我康桥经验中最神秘的一种”吗？就写成的文字说，便是末了一段。

以上说明了这篇文字虽则自由，可不是漫无控制的自由，稍稍用心一点看，线索也很分明。现在试看：本篇热情的活泼的笔调是怎样构成的？

阅读这篇文字，你一定会立刻注意到，它使用着许多“排语”。在开头第一段，“花果会掉入你的茶杯，小雀子会到你桌上来啄食”，与“在星光下听水声，听近村晚钟声，听河畔倦牛刍草声”，就是两组排语。第二段里有“在清朝，在傍晚”，与“有时读书，有时看水，有时仰卧着看天空的行云，有时反仆着搂抱大地的温软”两组，第四段里有“那多不费劲，多美！”与“她们那敏捷，那闲暇，那轻盈”两组，以下几段里还有很多，也不须逐一指出。人对于某事物有热烈深切的感触的时候，往往会一而再，再而三地申说。所以文字里使用着排语，足以表示出热情。这样再三申说当然是严谨与平板的反面，所以又足以表示出活泼。读者读了这种排语，自会引起一种感觉：仿佛一面经作者尽兴指点，一面听作者娓娓谈说。试看第八段里，“啊，那是新来的画眉在那边凋不尽的青枝上试它的新声！啊，这是第一朵小雪球花挣出了半冻的地面！啊，这不是新来的潮润沾上了寂寞的柳条？”那一组，读者读了，不是仿佛觉得自己也置身其境，一同在那里听画眉的新声，一同在那里发现第一朵的小雪球花，一同在那里看新来的潮润沾上了寂寞的柳条吗？——这一节是说作者使用排语，是构成他那热情的活泼的笔调的一个因素。

本篇里出现了许多“你”字，这也会立刻注意到。“你”是谁？无论谁读到这篇文字，作为这篇文字的读者，这个“你”就是他。再推广开来说，这个“你”也就是作者自己，也就是

"我"。为什么指称着读者，"你"呀"你"地叙述呢？为什么分身为二，把自己也称为"你"呢？一般文字原是认读者作对象的，提起笔来写文字，就好比面对着读者说话，虽不用"你"字，实则随处有"你"含在里头。现在明用"你"字，就见得格外亲切，仿佛作者与读者之间有着亲密的友谊，向来是"尔汝相称"的。以上是对于前一个问题的解答。这篇文字所写的原是作者自己在康桥的经验，但作者不想专有那经验，他拿来贡献给读者，于是在某一些地方用"你"字换去了"我"字。这使读者读了更觉得欢喜高兴，禁不住凝神想道："如果身在康桥，这一份受用完全是我的呀！"以上是对于后一个问题的解答。像这样使用"你"字，并不是作者故意使花巧，语言中原来有这种习惯的。作者适当地应用这种习惯，也是构成他那热情的活泼的笔调的一个因素。

第三个因素可以说的是：他多从感觉印象上着笔。那些感觉印象曾经深深打动他，他就把它们照样写出来，笔调之中自然含着许多情趣，见得活泼生动了。譬如第一段里的"花果掉入茶杯"，"小雀子到桌上来啄食"，这是个包含着视觉、听觉、触觉、味觉、嗅觉的复杂印象。若不是那果子园花树果树多，花果怎么会掉入茶杯呢？若不是那地方"鱼鸟忘机"，小雀子怎么敢到桌上来啄食呢？可见那里真是个花木繁茂、鱼鸟忘机的去处，真是个怡情适性，大可心醉的去处。但是作者不用这一套平板的说明，他只把"花果掉入茶杯"，"小雀子到桌上来啄食"写出来，这不但报告了实况，并且带出了他当时被感动的心情。读者读到这里，也就得到个情趣丰足的印象，与读那平板的说明完全两样。又如第三段里的“不出声的皱眉”，这是个视觉印象。看见“不轻易开口笑人的”人在那里“不出声的皱眉”，将怎样地窘急与羞愧呢？本已是“东颠西撞的狼狈”，又看见有人在那里“不出声的皱眉”，更将狼狈到何等程度呢？这些意思是可想而知的，作者都不写，他只写“不出声的皱眉”那个印象。就凭这六个字，作者当时窘急羞愧的狼狈情形如在目前了。此外写感觉印象的地方还有很多，不再提出来说。总之，作者多从心理方面着笔，又是构成他那热情的活泼的笔调的一个因素。

上一节说的是外界事物给与作者印象很深的，作者就把它照样写出来。还有一种是事物本身本来没有某种情意或动作，但作者情绪上感觉上好像它有，就把那种情意或动作归给它。这样的写法，事物便蒙上了作者的情绪与感觉的色彩，写事物也就是写心情，“心”与“物”混成一片，当然与严谨地客观地叙述事物不相同了。本篇用这样写法的地方也不少。如第一段的末一句，“大自然的优美宁静，调谐在这星光与波光的默契中，不期然的淹入了你的性灵。”星光与波光并没有性灵，怎么会像“相对忘言”的两个朋友那样“默契”呢？“大自然的优美宁静”又不是江水河水，“性灵”又不是田地城镇，那“优美宁静”怎么会“淹入”“性灵”呢？原来这都是作者当时的感觉，这感觉又从作者当时闲适、舒快到近于神秘的情绪而来。依他当时的情绪，好像星光与波光静静无声，互相照映，其间自有一种“默契”；又好像“优美宁静”是充满在宇宙间的大水，没有一处不淹到，连他的性灵也被“淹入”了：这样，他就用了“默契”与“淹入”两个词。又如第八段里的“啊，这是第一朵小雪球花挣出了半冻的地面”，小雪球花只是应着自然的节候，顺着本有的生机，开出来罢了，它何尝“挣”？原来这也是作者的感觉，这感觉又从他那爱活动爱奋斗的性情而来。他在半冻的地面看见了第一朵的小雪球花，他想象它也是爱活动爱奋斗的：地面是半冻的，它要挣扎出来，一定经历了许多艰难辛苦；但结果竟被它挣扎出来了，那又是何等的成功，何等的欢喜。他下一个“挣”字，差不多分享了小雪球花那一份成功与欢喜了。此外如说“鱼群的唼喋声在你的耳边‘挑逗’”(第五段)，花草在泥土里渐次“苏醒”（第八段），克罗克斯是“爱热闹的”，蒲公英与雏菊是“耐辛苦的”（第十段），都是这种写法。这又是构成他那热情的活泼的笔调的一个因素。

本篇的笔调是热情的活泼的，前面说过了。若用图画来比，它的彩色是浓重的。画有白描，有淡彩，有丹碧浓鲜的设色；本篇就好比末了一种，它绝不是白描和淡彩。这浓重又是怎样构成的呢？第一，由于使用排语。使用排语正如画画时候一笔一笔地加浓。第二，由于多写感觉印象。感觉印象多，犹如画面上布满了景物，少有空白处所，自然见得浓重。第三，由于多用文言里的形容词与副词，就是所谓“词藻”。如用“葱翠”来形容“草坪”，用“恣蔓”（应作“滋蔓”）来形容“草丛”（第二段），用“婆娑”来形容“大木”，用“盘错”来形容“根柢”（第七段），用“娉婷”来形容“尖阁”，用“妩媚”来形容“康河”（第九段），如说裙裾“悠悠”地飘着（第四段），说经验“栩栩”地留着（第十二段），这些词藻都是红绿青黄的颜料，把这篇文字涂成浓重的一幅。白话文里使用文言的词藻，原有讨论余地，且留在后面说。这里只说仅就文言而论，少用词藻就见得清淡，多用词藻就见得绚烂；现在把文言的词藻用入白话文，色彩当然见得浓重了。

然而本篇里也有用白描法的，可以举出两处说。一处是第三段末了叙述“租船再试”时候的情景。那老船家说：“先生，这撑船费劲，天热累人，还是拿个薄皮舟遛遛吧！”这个话多么朴素，然而那老船家又像殷勤又像瞧不起人的心情，已经完全描出。以下作者说“我哪里肯听话，长篙子一点就把船撑了开去”，用个“一点”与“就”，作者当时急于“再试”与不爱听老船家啰嗦的心情，以及当时活动的姿态，就在这上头传出来了。又一处是第四段叙述“专家的女郎”撑船出桥洞时候的姿态。那长竿“竟像没分量的”，“往波心里一点”只是“轻轻的，不经心的”，在有过撑船经验可是不曾学会撑船的作者看来，是多么可以羡慕呢？“船身便波的转出了桥影，翠条鱼似的向前滑了去，”那轻巧敏捷与“把河身一段段的腰斩了去”是何等显明的对照呢？以上两处也是写的感觉印象，可是读起来并不觉得浓艳，这里头该有个缘故。原来这两处只像平常谈话一样，不用什么词藻，也不用什么特殊语调，可是对于当时的印象，把捉得住，又表现得出，所以成为两节白描的好文字。

阅读叙述文字，不能没有时间观念。那事件是什么时候发生的呢？那景物是什么时候显现在作者眼前的呢？这些都得辨清楚。如果不辨清楚，就摸不清全篇的头绪。现在就本篇说，读者须得问：这里所写的康桥，是作者某一天某一回接触的不是？要回答这问题，于是逐段看下去。第一段里说的果子园里的情景与星光下的经验，不是限于某一天的；第二段里说的草场上的景物，不是限于某一天的；第三段里说的自己撑船，第四段里说的看人家撑船，也不是限于某一天的。第九段说的朝景，可不是某一回的朝景；第十段说的花信，可不是某一回的花信；第十一段说的野游，可也不是某一回的野游。全篇之中，只有第十二段里说的三幅“画图似的经验”是属于某一回的，都特地用“有一次”来点醒，虽然没有说明是何年何月何日。如果把叙述某一天某一回的经验称为“专叙”，那么叙述不限于某一天某一回的经验便是“泛叙”。作者对于所写的事物太熟悉了，接触的机会不止一次两次，也分不清某一种经验是某一天某一回的了，只觉得种种经验各自累积起来，成为许多浓密的团结；那自然只有不限定时间，采用“泛叙”的方法。本篇的情形就是这样。如果是一个短期旅行的游客，到康桥地方匆匆地游览一周，提起笔来写游记；他就不得不用“专叙”的方法，单把他游览那一天的经验叙述下来了。除了这个，他还有什么可以叙述的呢？“专叙”的时候，常常用“某月某日”，“……的时候”，“……之后”一类时间副语，来点醒以下所说的事件、景物或经验所属的时间。本篇里也有用这一类时间副语的地方，如“不服输跑去租船再试的时候”（第三段），“在礼拜天”（第四段），“在初夏阳光渐暖时”（第五段），

“在康桥时”，“在夕阳西晒时”（第十二段）。但在“不服输跑去租船再试的时候”前面加上个“每回”，在“夕阳西晒时”前面加上个“常常”，这就成为“泛叙”了。此外三语，只要辨别上下文的语气，便知道也不是“专叙”。“在礼拜天”一语是用“尤其”承接着前面“你站在桥上去看人家撑”一语的，而“你站在桥上去看人家撑”是假设语气，“在初夏阳光渐暖时，你去买一支小船”，也是假设语气，两语里都含得有“如果”、“假设”的意思：假设语气当然不会是“专叙”。至于“在康桥时”一语占着一春的时间，下面的“没马骑，没轿子坐，却也有我的风流”，又是经常的情形，所以也只是“泛叙”而不是“专叙”。

阅读叙述文字，又不能没有空间观念。作者叙述那事件那景物，是不是站定在一个观点上的呢？如果站定在一个观点上，那所写的只是这个观点上所能观察到的一切，观点如有转换，文字中一定先行交代明白，然后再写新观点上所能观察到的一切。如果不站定在什么观点上，那就比较自由，只凭记忆逐项逐项地叙述出来，更不管它们是从哪一个观点上观察到的。本篇就时间方面说既是“泛叙”，那么所写康桥的种种，当然不会是站定在什么观点上观察到的了。原来它写的是情绪中的康桥，而不是眼界中的康桥。但这是就本篇大体说。若在非表明空间关系不可的地方，虽说是“泛叙”，也不得不站定一个观点来写。如第二段里的“对岸草场上……匀匀的长着长条的水草”，第九段里的“康桥只是一带茂林……有佳荫处有村舍”，都是登高远望的景；第四段里的“有几个专家的女郎……翠条鱼似的向前滑了去”是桥上眺望的景；如果不是登高，不在桥上，所见也就两样：这便有了空间关系，须得站定一个观点来写。以上三节写景文字之前，第二段里有“从校友居的楼上望去”一语，第九段里有“从那土阜上望去”一语，第四段里有“站在桥上看人家撑”一语，都是用来表示站定的观点的。又如第九段的开头，叙述春朝游行时候所见的景色：“静极了……点缀这周遭的沉默”是大道上的景，“头顶是交枝的榆荫，透露着漠楞楞的曙色”是林子里的景，“当前是平坦的原野……尖尖的黑影是近村的教寺”是林子外的景；大道上，林子里，林子外，景色不一，这便有了空间关系，不得不站定一个观点又转换一个观点来写。这一节最初的观点原在大道上，有“顺着大道走去”一语可以证明；以下用“走到尽头，再转入林子里的小径”两语，就把观点转换到林子里去了；以下用“走尽这林子”一语，又把观点转换到林子外去了。至于第十二段里的三幅“画图似的经验”，就时间方面说，既是“专叙”，自然得叙明当时站定的观点。“我赶到一个地方”，“正冲着一条宽广的大道”，“临着一大片望不到头的草原”三语，都是用来表示当时站定的观点的。若是匆匆游览过后写一篇“专叙”的游记，站定观点与转换观点的叙述就不会这么少了。

现在再把本篇值得注意值得体会的地方逐一提出来说一说（前面已经说过了的，就不再说了）。第一段叙述康河，分上游下游来说，原是最平常的方式，地理教本所常用的，可是叙上游就说到那个果子园，用复杂的感觉印象来描写那里的丰美与安静，把康桥的佳胜突然涌现在读者面前，这就不平常了。叙下游只说它是“春夏间竞舟的场所”，以下便说到上下河分界处的那个坝筑，说到星光之下在那个坝筑旁边听各种声音的神秘经验，这也不平常。作者并不是写地理书，他要写的是他情绪中的康桥：读者只要读这第一段，就可以感觉到了。

第三段开头说明三种船，把撑篙船排在最后，是有意的，用来引起下面的自己撑船。说明三种船的部分，文字是静的；过渡到自己撑船，文字就是动的了。试看“把船身横住在河中，东颠西撞的狼狈”，旁观的英国人在那里“不出声的皱眉”，河中悠闲的秩序“给捣乱了”，以至“租船再试”，经老船家劝告，不肯听话，“把船撑了开去”，哪一处不是活生生的动态？不说英国人在旁边“不出声的皱眉”，而说“小心他们不出声的皱眉”，可见因他们“皱眉”而更显得“狼狈”，这是用更具体的说法，把“横着前进”化成个更具体的视觉印象。

第四段里“穿一身缟素衣服……帽影在水草间颤动”是对于“专家的女郎”的形容语（形容语不妨去掉，这里如果去掉这形容语，就成“有几个专家的女郎，你看她们……”）。说衣服又说到裙裾的飘扬，说帽子又说到帽形的颤动，这是加工描绘。描绘的结果，使读者觉得但看这四语，便是一幅鲜明的生动的图画。本段末一句里的“敏捷”、“闲暇”、“轻盈”是作者主观的批评，但与前面所叙的姿态都有照应。如果再来一个“美丽”，那就没有照应了；因为前面只叙那几个女郎撑船时候的动态，并没有叙述她们的面貌与身材怎样美丽。

第五段末一语里的“水底翻的音乐”，指在河上开话匣子而言。话匣子所奏的音乐，声音在河面发生回响，再传播开来，这便是“水底翻的音乐”。听这种音乐，物理上既与平时开话匣子不同，环境上心情上也全不一样，所以在少年们的感觉中，这种音乐是“描写梦意与春光”的。

第六第七两段可以说是插入本篇的一篇议论文，它的题目是“人不要完全遗忘自然”。第六段先说“住惯城市的人”的通常情形，分两点，一点是不关心“季候的变迁”，又一点是抱怨生活，不“承认做人是快乐”。对于前一点，用具体的说法。仅仅从叶子的长落，炉子的装卸，衣服的更换，知道“季候的变迁”，足见那关心真是有限得很了。“星星”、“花草”、“风云”环绕在周围，可是一样也不去理睬，足见对于自然全没交涉了。于是第七段说一般人所以有这种情形，由于“忘本”。人的“本”是什么呢？“人是自然的产儿”，人从大自然取得生命，这说明了人的“本”是自然。花草离不开泥土，鱼离不开水，大木的根柢深入无尽藏的地里，这些都是比况，比况人绝不能离开了大自然而生活，也得像大木一样，把生命的根柢深入大自然里。然后归结到作者所提出的意见：“只要‘不完全遗忘自然’一张轻淡的药方，我们的病象就有缓和的希望。”本篇是抒情的叙述文字，如果插入一小篇严格的议论文（就是说完全用抽象的说法，由演绎、归纳、类推等方法而达到结论的议论文），那是很不相称的。现在这两段多用具体的说法，语调自由活泼，又与纯理智的说理文字不同，所以插在中间与各段一致，并不觉得不调和。

第八段末了三句，开头都用了惊叹词“啊”，以下指点用“那是”、“这是”、“这不是”，值得细辨。画眉的新声比较远，小雪球花与柳条近在面前，“那”与“这”表明实际上的远近之分，这是一。“那”与“这”不重复，用了两个“是”来一个“不是”，又见得有变换，这是二。这样三句连在一起读，自然引起一种感觉，仿佛春信是四面袭来，不可抵御的了，这是三。

第九段里叙到“尖尖的是近村的教寺”，以下接一句“听，那晓钟和缓的清音！”叫谁听呢？也可以说叫自己听，也可以说叫读者听。但是在写文字的时候，作者并不正在望见那教寺的“尖尖的黑影”，至于读者读这篇文字，是不拘于什么地方什么时间的，怎么能叫自己听又叫读者听呢？原来这是排除了空间与时间观念的说法。说起近村的教寺，仿佛钟声已经在那里送过来了，于是向自己并向读者提示道：“听，那晓钟和缓的清音！”前面提及的第八段末了三句，情形也正相同。说起春信，仿佛春信就从四面袭来了，于是一边指点，一边提示，说出这么三句来。又，本段里用“朝来人们的祈祷参差的翳入了天听”譬喻炊烟“渐渐的上腾，渐渐的不见”，这是用听觉印象表现视觉印象。朝来有许多的人作祈祷，想象他们的祈祷声音一一上达上帝的听官，正与炊烟上腾而没入天际相似，于是来了这错综的印象。以下连用三个“顷刻间”，把时间说得极急促，表示初晓景色的刻刻变换。末了两句，“胜利的晴空”与“快活的灵魂”呼唤着“春！”互相应答，把清早寻春的人的欢喜心情完全表达出来。若说“春来了”，或是“这已经是春天了”，反而见得累赘失神。当时只有一个浑然的感觉“春!”而已，而感得欢喜的就在这个浑然的感觉，所以单说“春!”字是最完足的了。两个“春!”字的位置也可以注意。如果放在“私语”与“回响”之后，说话的力量就侧重在“胜利的晴空”与“快活的灵魂”。现在放在前面，随后解释一个是“晴空”的“私语”，一个是“灵魂”的“回响”，力量就侧重在“春!”的那一声呼唤方面了。本段叙述了春朝的晴色，归结到“春!”这个浑然的感觉无所不在，自然该把力量侧重在“春!”的那一声呼唤方面才对。

第十段专说“伺候着河上的风光”，也就是探河上的春信。明说“关心”的若干项固然是春信所在，“小雪球”与“铃兰与香草”也是报告春消息的使者。以下列举“莲馨”、“石水仙”、“克罗克斯”、“蒲公英与雏菊”，可是没有说那些花儿怎么样，只用一个“破折号”便接说“这时候”。表示提起那些花儿，意念立刻想到那些花儿开放的时候。那些花儿开放了，此外还有没有提到的许多花儿也开放了，那春信还待你去“探”吗？所以说“更不烦殷勤问讯”。

第十一段开头的“瑰丽的春光!”与“可爱的路政!”是两句赞叹句，形式上没说明“春光”与“路政”怎样，好像都不成一句话，其实是说明了的，只要倒转来，就是“春光瑰丽”与“路政可爱”，不过成为寻常的表明句了。赞叹句自有这样的一种形式，如“伟大的时代!”“好漂亮的人物!”那是口头常常说的，以下说骑着自转车出游，连用五个“你如爱”，传出了眉飞色舞，津津乐道的神情。这里把“花”“鸟”说在前，把“儿童”“人情”

“酒”说在后，一种解说是：“花”“鸟”是自然，亲近“儿童”接受“人情”是人事，而“酒”又是从“饱餐”与“尝新”联想起来的。但是还可以有一种解说：说“花”“鸟”“儿童”的话短，说“人情”与“酒”的话长，短的在前，长的在后，正是语言的自然。试把长句调在前面，吟诵起来，读到后面的短句，就会觉得气势不顺了。本段里的“每‘望’”，等于说“每家酒店”。“望”是“望子”，酒店的市招。

第十二段作者引陆放翁的一联诗句，有记错的地方。现在把全首抄在这里：“醉眼朦胧万事空，今年痛饮瀼西东。偶呼快马迎新月，却上轻舆御晚风。行路八千常是客，丈夫五十未称翁。乱山缺处如横线，遥指孤城翠霭中。”题目是《醉中到白崖而归》。诗中有“痛饮瀼西东”的话，该是放翁通判夔州的时候作的。所以作者说“这是做地方官的风流”。同段叙述二幅“图画似的经验”，哪个在前，哪个在后，本来可以随便。现在排成这样形式，也为要先短后长。并且，前两个经验是说清楚的，后一个却没有说清楚，也得把它放在最后才顺。 再看第三个经验的叙述，作者为什么会“感着神异性的压迫”，“对着这冉冉渐翳的金光”“跪下”呢？原来这由于对“伟大”“庄严”的一种虔敬情绪。“一条大路，一群生物”，背后“放射着万缕的金辉”，从一群生物在大路上走，联想到一切生物在生命的大路上走，从太阳放射万缕金辉，联想到赋与生命支配生命的“宇宙的力”；这就觉得眼前景物便是宇宙的“伟大”“庄严”的具体表现，不由得虔敬地“跪下”了。再说第三个经验，“这草田变成了”什么呢？读者没有作者的经验，当然无从猜测，但可以说定，那也是带着“神异性”的。不然作者为什么说“说来你们也是不信的”呢？

末一段若即若离的回顾第一段的“星光”，作为结束。若是终止在第十二段，话便没有说完，这是很容易辨明的。

本篇是白话文，但参用了许多文言的字眼。除了前面所举文言的词藻外，如“裙裾”、“喽喋”、“睥昵”（应作“睥睨”）、“闲步”、“清荫”、“美草”、“巧啭”等，都是文言的字眼。白话文里用入文言的字眼，与文言用入白话的字眼一样，没有什么可以不可以的问题，只有适当不适当，或是说，效果好不好的问题。要讨论这个问题，可以从理想的白话文该是怎样的说起。

白话文依据着白话，是谁都知道的。既说依据着白话，是不是口头用什么字眼，口头怎样说法就怎样写法呢？那可不一定。如果一个人口头说话一向是非常精密的，自然不妨完全依据着他的说话写他的白话文。但一般人的说话往往是不很精密的，有时字眼用得不切当，有时语句没有说完全，有时翻来覆去，说了再说，无非这一点意思。这样的说话，在口头说着的时候，因为有发言的声调、面目与身体的表情等帮助，仍可以使听话的对方理会，收到说话的效果。可是，照样写到纸面上去，发言的声调、面目与身体的表情等帮助就没有了，所凭借的只是纸面上的文字；那时候能不能也使阅读文字的对方理会，收到作文的效果，是不能断定的。所以在写白话文的时候，对于说话，不得不作一番洗炼的工夫。洗是洗濯的洗，就是把说话里的一些渣滓洗去。炼是炼铜炼钢的炼，就是把说话炼得比平常说话精粹。渣滓洗去了，炼得比平常说话精粹了，然而还是说话（这就是说，一些字眼还是口头的字眼，一些语调还是口头的语调，不然，写下来就不成其为白话文了）：依据这种说话写下来的，才是理想的白话文。

文字写在纸面，原是叫人看的，看是视觉方面的事情。然而一个人接触一篇文字，实在不只是视觉方面的事情。他还要出声或不出声地念下去，同时听自己出声或不出声地念。所以“阅”“读”两个字是连在一起拆不开的。现在就阅读白话文说，读者念与听所依据的标准是白话，必须文字中所有的字眼与语调都是白话的，他才觉得顺适调和，起一种快感。不然，好像看见一个人穿了不称他的年龄、体态、身份的服装一样，虽未必就见得这个人不足取，但对于他那身服装，至少要起不快之感。而不快之感是会减少读者与作品的亲和力的，也就是说，会减少作品的效果的。

把以上两节话综合起来，就是：白话文虽得把白话洗炼，可是经过了洗炼的必需仍是白话；这样，就体例说是纯粹，就效果说，可以引起读者念与听的时候的快感。反过来说，如果白话文里有了非白话的（就是口头没有这样说法的）成分，这就体例说是不纯粹，就效果说，将引起读者念与听的时候的不快之感。到这里，可以解答前面所提出的问题了。白话文里用入文言的字眼，实在是不很适当的足以减少效果的办法。那么，本篇作者为什么在本篇里参用许多文言的字眼呢？这由于作者文言的教养素深，而又没有要写纯粹的白话文的自觉，不知不觉之间，就把许多文言字眼用进去了。叫他另用一些白话的字眼来调换文言的字眼，他未必不可能，他只是没有想到要不要调换。本篇里不单是字眼，就是语调也有非白话的，如第九段里的“想象那一流清浅”与第十段里的“更不烦殷勤问讯”两语便是。这两语都是词曲的调子，如果用在词曲里，是很调和的；现在用在白话文里，就不调和了。“想象那一流清浅”，这样的说法，白话里是决没有的。“更不烦殷勤问讯”之下，白话里必得有个“了”字。作者把词曲的调子用入白话文，缘由如前面所说，也只是个不自觉。这种情形，不只本篇有，初期白话文差不多都有；因为一般作者文言的教养素深，而又没有要写纯粹的白话文的自觉，大都与本篇作者相同。但是，理想的白话文是纯粹的，现在与将来的白话文的写作是要把写得纯粹作目标的：必须知道这两点，才可以阅读初期白话文而不受初期白话文这方面的影响。

或者有人要问：现在国文课里，文言也要读，这就有了文言的教养；既然有了文言的教养，写起白话文来，自然而然会有文言成分从笔头溜出来，像本篇作者一样；怎样才可以检出并排除这些文言成分，使白话文纯粹呢？这是有办法的，只要把握住一个标准，就是“上口不上口”。一些字眼与语调，凡是上口的，说话中间有这样说法的，都可以写进白话文，都不至于破坏白话文的纯粹。如果是不上口的，说话中间没有这样说法的（这里并不指杜撰的字眼与不合语文法的话句而言），那便是文言成分，不宜用入纯粹的白话文。譬如约朋友出去散步，绝不会说“我们一同去闲步一回”。走到一处地方，头上是新鲜的树荫，脚下是可爱的草地，也绝不会说“这里头上有清荫，脚下有美草”。可见“闲步”、“清荫”、“美草”是不上口的。又如“你只能循着那锦带似的林木想象那一流清浅”一语，在口头说起来，大概是“你只能沿着那锦带似的林木想象那清浅的河流”。可见“想象那一流清浅”是不上口的。只要把握住“上口不上口”这个标准，即使偶尔有文言成分从笔头溜出来，也不难检出了。

到这里，还可以进一步说。譬如董仲舒有句话：“正其谊不谋其利，明其道不计其功。”这明明是文言的语调。可是，“从前董仲舒有句话道：‘正其谊不谋其利，明其道不计其功。’”这样的说法却是口头常有的；口头常有就是上口，上口就不妨照样写入白话文。又如“知其不可而为之”一语出于《论语》，语调也明明是文言的。可是，“某人做某事是知其不可而为之”，这样的说法却是口头常有的；口头常有就是上口，上口就不妨照样写入白话文。前一例里的“正其谊不谋其利，明其道不计其功”所以上口，因为说话说到这里，不得不引用原文。后一例里的“知其不可而为之”所以上口，因为说话本来有这么一个法则，有时可以引用成语。在“引用”这一个条件之下，口头说话并不排斥文言成分，纯粹的白话文当然可以容纳文言成分了。这与前一节话并不违背；前一节话原是这样说的：凡是上口的，说话中间有这样说法的，都可以写进白话文，都不至于破坏白话文的纯粹。

现在再就字眼说。如《易经》里的“否”与“泰”两个字，表示两个观念，平时说话是绝不用的，当然是文言字眼。可是经学或者哲学教师解释这两个观念的时候，口头不能不说“这样就是否”与“这样就是泰”的话；他也许还要说“经过了否的阶段，就来到泰的阶段”。在这些语句里，“否”与“泰”两个字上口了；就把这些语句写入白话文，那白话文还是纯粹的。试看这两个字怎么会上口呢？原来与前面所说一样，也是由于“引用”。

在小说或戏剧的对话里，如果适当地引用一些文言成分，不但没有妨碍，并且可以收到积极的效果。如鲁迅的小说《孔乙己》里，叙述孔乙己在喝酒的时候，把作为酒菜的茴香豆给围住他的孩子吃，一人一颗，孩子吃完了一颗，还想吃第二颗，眼睛都望着碟子；孔乙己就着急说，“不多了，我已经不多了”，又看一看豆，自己摇头说，“不多不多！多乎哉？不多也。”这里的“多乎哉？不多也。”是从《论语》的“君子多乎哉？不多也。”引用来的。从这两句的引用，可以使读者读了宛如听见了孔乙己的口吻，因而想到他原来是这么一个读过几句书，半通不通，却爱随便胡诌的家伙：这就是所谓积极的效果。然而这两句所以能放在孔乙己的对话里，也因为事实上确然有一种人爱把书句放在口头乱说的，故而与“上口”的标准并无不合，这节对话还是纯粹的白话文。

以上对于纯粹的白话文说得很多，无非希望现在与将来的白话文的写作要把写得纯粹作目标的意思。以下再回到本篇来说。

本篇里有少数字句是不很妥适的。如第一段里“倦牛刍草声”的“刍”字，是个文言字眼且不必说；即就文言说，或作割草的意思，如“刍荛”，或作饲养牲畜的意思，如“刍豢”，却没有作嚼草的意思的。这里就上下文看，作牛在那里嚼草的意思，是用错的。又如第二段里，“尾鬃的扫拂”的“扫拂”两字，分开来都是口头常用的字眼，合起来就不顺口了。这里所以要用“扫拂”

两字，原来因为说“尾鬃的扫”或“尾鬃的拂”都收不住，非用一个复音节语不可。但“扫拂”并不是一个口头习用的复音节语，作者却没有注意到这一层。同段里又有“反仆”两字，“仆”原是个文言字眼，口头说起来就是“跌倒”。跌倒并没有规定的形式，无所谓“正”，也无所谓“反”。现在说“反仆”，与上一语的“仰卧”相对，表示胸腹着地背心向天的意思，这是错误的。

第七段里“入世深似一天，离自然远似一天”两语，是可以讨论的。这两语表示“入世深”与“离自然远”的程度同时并进，但按照口头的语调，应说“入世一天深似一天，离自然一天远似一天”。若照这样说，每一语里在前的“一天”指在后的一天，在后的“一天”指在后的一天之前的一天；用个“似”字，表示前后两天程度的比较，“深似”就是“深过”，“远似”就是“远过”，若写文言，就是“深于”“远于”。现在每一语里既然只用一个“一天”，那就无所谓前后两天程度的比较，“似”字显然是多余的。去掉“似”字，作“入世深一天，离自然远一天”，便妥适了。同段里的“有幸福是永远不离母亲抚育的孩子，有健康是永远接近自然的人们”两语，“福”字“康”字之下都省掉一个不应该省的“的”字。大概在这样的句式里，“是”字近于“等于”，表示在前的什么等于在后的什么。“的”就是“的人”，用了“的”字，“有幸福”与“有健康”才有属主，属主才可以与下面的“孩子”与“人们”相等。若照原文不用“的”字，那么，“有幸福”与“有健康”是“事”，“孩子”与“人们”是“人”，“事”怎么能与“人”相等呢？

文言字眼“翳”字，在本篇里用了两次，都用得不妥适。“翳”是遮蔽的意思。说“仿佛是朝来人们的祈祷，参差的遮蔽入天听”(第九段)，是讲不通的；说“对着这冉冉渐遮蔽的金光”（第十二段)，同样地讲不通。原来遮蔽这个动作是及物的，说遮蔽必然有被遮蔽的东西。现在并没有被遮蔽的东西，而把遮蔽这个动作归到“祈祷”与“金光”自身，当然讲不通了。如果说“没入了天听”或者“送入了天听”，说“冉冉渐消的金光”或者“冉冉渐隐的金光”，便讲得通了；因为“没”、“送”、“消”、“隐”等动作都是不及物的，本该归到“祈祷”与“金光”自身的。

第十一段里指称“愉快”作“一个”，照通常说法，应该是“一种”。“愉快”、“哀悲”、“道德”、“智慧”一类抽象事物，是没有个体的，没有个体，所以不能用个体单位的“个”字。这些事物都是有种类可分的，有种类可分，所以可以用种类单位的“种”字。现在人说话与写白话文，对于这种单位名称，有随便使用的倾向，这是不妥当的，应该留意。

阅读一篇文字，一味赞美，处处替作者辩护，这种态度是不对的。至于吹毛求疵，硬要挑剔，也同样的不对。文字如有长处，必须看出它的长处在哪里；文字如有缺点，又必须看出它的缺点在哪里：这才是正当的态度。唯有抱着这样正当的态度，多读一篇才会收到多读一篇的益处。

1940 年 10 月 17 日作

读《五代史·伶官传叙》

读一篇文字，应该注意应该讨论的事项很多，不能面面俱到。这一回想就文言的句式，文言虚字的用法，以及文字的结构等项谈谈。选用的现成文字是欧阳修的《五代史·伶官传叙》。一因这篇文字篇幅短、谈起来容易了结。二呢，这篇文字在历来的选本里是常见的，现在的高中国文教本也有选它的，对于读者诸君也许并不陌生。全篇如下：

呜呼！盛衰之理，虽曰天命，岂非人事哉？原庄宗之所以得天下与其所以失之者，可以知之矣。

世言晋王之将终也，以三矢赐庄宗而告之曰："梁吾仇也；燕王吾所立，契丹与吾约为兄弟，而皆背晋以归梁：此三者吾遗恨也。与尔三矢，尔其无忘乃父之志！"庄宗受而藏之于庙。其后用兵，则遣从事以一少牢告庙，请其矢，盛以锦囊，负而前驱，及凯旋而纳之。方其系燕父子以组，函梁君臣之首，入于太庙，还矢先王，而告以成功，其意气之盛，可谓壮哉！

及仇雠已灭，天下已定，一夫夜呼，乱者四应，苍皇东出，未及见贼而士卒离散，君臣相顾，不知所归，至于誓天断发，泣下沾襟，何其衰也！

岂得之难而失之易欤，抑本其成败之迹而皆自于人欤？

《书》曰："满招损，谦得益。"忧劳可以兴国，逸豫可以亡身，自然之理也。

故方其盛也，举天下之豪杰莫能与之争；及其衰也，数十伶人困之，而身死国灭，为天下笑。

夫祸患常积于忽微，而智勇多困于所溺，岂独伶人也哉？

作《伶官传》。

这一回谈的既然限定在上面说的几项，其他就不谈了，可是要透彻地理解这一篇，如《五代史·伶官传》篇中提到的一些史事，篇中所有词语的意义，都非搞清楚不可。读者诸君如果早已知道这些，当然最好。如果不大知道，希望用自己的能力去找参考，像平时国文课前做预习的工夫一样。手头有一部《辞源》或者《辞海》，一部通史或者高中本国史，也够参考了。如果有方便，找到《二十四史》或者《二十五史》，不妨把欧阳修编的《新五代史》检出来看看。

"虽曰……岂非……哉"这种形式，表示撇开了"虽曰"以下的一层，侧重在"岂非"以下的一层。就这篇里的语句说，就是表示盛衰之理与天命的关系比较轻，与人事的关系特别重。

"岂非人事哉"是反诘语气带着感叹语气的判断。反诘与询问不同。询问要人家回答，反诘可根本不要人家回答，只是用一种较强的语气表达出自己的意见。就反诘语气说，通常用“哉”字（询问语气通常用“乎”字），与“岂不”、“岂非”相应，尤其通常用“哉”字。就感叹语气说，也以用“哉”字为常。这篇文章论世代盛衰，见出人事与盛衰关系重大，单凭一个“哉”字还嫌感叹语气不足，所以开头先来个叹词“呜呼”。这句话如果不用反诘语气带感叹语气，也可以用直陈语气来说，那就是“实亦人事也”，或者“实由人事也”。那时候，开头的“呜呼”也可以不要了。

这篇里的第二句若不用代名词，该是“原庄宗之所以得天下与庄宗之所以失天下者，可以知‘盛衰之理，虽曰天命，岂非人事哉’矣。”这多么啰嗦，话也没有这么说法的，当然要用代名词以求简约。“其”字就代替第二个“庄宗之”；“所以失之者”跟在“所以得天下”后面，“之”字当然代替“天下”；“原庄宗之……失之者”是个条件，有了这个条件就“可以知之矣”，“之”字当然代替第一句全句：都不会使人模糊。“所以……者”这种形式，用现在的说法，就是“……的原因”，或者“……的理由”。“所以得天下者”就是“得天下的原因”，“所以失之者”就是“失天下的原因”，用“与”字连起来，就合用一个“者”字了。这种形式还残留在现在的口语里，我们说“他要这么做的理由”，“希特勒灭亡的原因”，往往说成“他所以要这么做的理由”，“希特勒所以灭亡的原因”，就是例子。

“晋王之将终也”，与“方其盛也”，“及其衰也”，作用相同。“方其盛也”就是“方庄宗之盛也”，“及其衰也”就是“及庄宗之衰也”，“晋王之将终也”前面也隐隐有个“方”字，可见句式完全相同。这三个“也”字与篇中其他“也”字不一样，都表示语气稍稍停顿，带着口语中“的时候”的意味。同类的语句如

大道之行也，天下为公。（《礼记》）

赤之适齐也，乘肥马，衣轻裘。（《论语》）

有功之生也，孺人比乳他子加健。（归有光文）

句首都隐隐有个“方”字，“也”都带着“的时候”的意味。这里有个问题。作“大道行”，“赤适齐”，“有功生”，“晋王将终”，意义并无改变，而且也能使人明白，为什么要加用个“之”字？因为“大道行”，“赤适齐”，“有功生”，“晋王将终”，本来具备独立成句的资格，现在作为一个句子的一部分，失去了这个资格。加用个“之”字，就是在形式上确定它的地位，我们见了“……之……”这个形式，就知道那不是独立的句子。再从心理说。“大道行”可以断句。虽然接着说“则天下为公”，我们虽然可以知道“大道行”并不独立，可是不如加上个“之”字，让读者从头就知道句子未完，就期待下文。这样，句子更觉紧凑。（采用吕叔湘《文言虚字》的说法，见第七第八两页）现在口语“大道施行的时候”，显然不能独立成句，我们就绝不说“大道的施行

的时候”了。

以三矢赐庄宗

以一少牢告庙

盛以锦囊

系燕父子以组

告以成功

这五语是同类的，可以合在一起讨论。五语分两式，两式调换，意义都一样。如果一律作“以”字在前动词在后的一式，就是：

以三矢赐庄宗

以一少牢告庙

以锦囊盛（之）——原当作“盛之以锦囊”，“之”字代替“矢”。但是“盛”字紧接着上句的“矢”字，习惯上往往省去“之”字。现在调转来，“盛”字与“矢”字隔开，“之”字就不能省了。

以组系燕父子

以成功告（之）——“之”字代替“先王”。补上“之”字的理由，与“以锦囊盛之”同。

如果一律调换成动词在前、“以”字在后的一式，就是：

赐庄宗以三矢

告庙以一少牢

盛（之）以锦囊

系燕父子以组

告（之）以成功

可是这篇里两式并用，不从一律，这也有可以说的。如果作“赐庄宗以三矢而告之曰”，“之”字就与“庄宗”隔远了；虽然不至于使人误会，不如照原文“之”字与“庄宗”贴近更为明白。如果作“则遣从事告庙以一少牢”，下一语“请其矢”的“其”字就与“庙”隔远了；“其”字代替“庙中的”，该与“庙”贴近才见醒豁，要贴近就得作“以一少牢告庙”。如果作“以锦囊盛之”，“以成功告之”，语气就舒缓了；可是就上下文体会，两语都该作紧张急促的语气，“盛以锦囊”，“告以成功”，语气就比较紧张急促。如果作“方其以组系燕父子”，原也可以，可是作“系燕父子以组”，与下一语“函梁君臣之首”恰好成为形式上的对偶。这一篇里有好些语句都作对偶，因而这个对偶也必须保持了。

“以三矢赐庄宗而告之曰”的“而”字，作用在把“以三矢赐庄宗”和“告之曰”两个行动连接在一起。它如：

庄宗受而藏之于庙——“受”字下省却“之”字，代替

"矢"。也可以作"受之而藏于庙"。如果作"受之而藏之于庙"，也没有什么不可以，只是嫌啰嗦些。

负而前驱——"负"字下省却"之"字，代替'矢'。

还矢先王而告以成功——"告"字下省却"之"字，代替"先王"。

这些"而"字都是把两个行动连接在一起。在口语里，以上例语中用"而"字的地方都不须用什么连接词。如说"把三枝箭赐给庄宗，告诫他说"就成了。

得之难而失之易

祸患常积于忽微而智勇多困于所溺

这两个"而"字，作用也是连接，把两个观念连接在一起。前一例是相对的两个观念，在口语里不须用什么连接词，说作"得天下难，失天下容易"，就成了。后一例是相关的两个观念，"智勇多困于所溺"申说"积于忽微"的容易，在口语里就得说作"祸患常常在不经意中累积起来，并且足智多勇的人大多被溺爱的事物困住"，或者作"足智多勇的人又大多被溺爱的事物困住"。"并且"和"又"大致相当于那个"而"字。

及凯旋而纳之

未及见贼而士卒离散

这两个“而”字，作用也在连接，把行动的时间连接到行动上去。“及凯旋”说明“纳之”的时间，“未及见贼”说明“士卒离散”的时间。在口语里，往往把“而”字以上的部分说作“……的时候”，就不再需用什么连接词了。如说“到凯旋的时候，把箭送回庙中”。

燕王吾所立，契丹与吾约为兄弟，而皆背晋以归梁。

数十伶人困之，而身死国灭。

这两个“而”字，作用在转接，表示“而”字以下的话与“而”字以上的话或多或少有相反的意味。“吾所立”和“与吾约为兄弟”与“背晋以归梁”，在人情上是相反的。“数十伶人困之”，势力并不大，“身死国灭”，受祸很严重，在常理上是相反的。这种转接作用的“而”字，多数相当于“可是”。第二例该说作“只有几十个伶人困住他，可是他命也丧了，国也亡了。”

现在只剩“抑本其成败之迹而皆自于人欤”的“而”字没有说了。这个“而”字是可以不要的，作“抑本其成败之迹皆自于人欤”，并无不妥当。加用个“而”字，只在表示语气的舒缓。这一句接在感叹兼询问语“何其衰也”之后，还是感叹，语气舒缓是足以增强感叹的意味的。

这篇里用了四个“吾”字。“燕王吾所立”，“吾”字等于“我”，在主位。“契丹与吾约为兄弟”，“吾”字等于“我”，在宾位（介词“与”的宾语）。“梁吾仇也”，“此三者吾遗恨也”，“吾”字都等于“我的”，在领位。在古书里，“吾”、“我”两字用在主位、领位和宾位的都有，只是“吾”字用在宾位的不常见。现在我们写白话，就专用“我”字不用“吾”字了。

燕王吾所立

不知所归

智勇多困于所溺

这三个“所”字，作用在代替与下面的动词相关的事物。“所立”就是“立他为王的人”（全句是“燕王是我立他为王的人”），“所归”就是“归向的处所”，“所溺”就是“溺爱的事物”。现在的口语不能单说“所立”、“所归”、“所溺”，常常要像上面说的把相关的事物说出，因而“所”字用不着了。现在我们还在说“我所厌恨的人”，“他所喜欢的东西”，那是文言的残留。其实说“我厌恨的人”，“他喜欢的东西”，就足够了。试听与古书古文无缘的人的言语，就很少用这样的“所”字。

“而皆背晋以归梁”的“以”字，作用与“而”字一样，连接“背晋”与“归梁”两个动作。径作“而皆背晋而归梁”，也没有什么不可以。现在用“以”字，是为了避免“而”字在一语之中重复。“以”字用作这样的连接词，例子很多，如：

天大雷电以风。(《尚书》)

宾入大川而奏肆夏，示易以敬也。(《礼记》)

使民敬忠以劝，如之何?(《论语》)

这些“以”字都与“而”字相当，都可以换用“而”字。

“尔”与“乃”都是对称代名词。“尔”字可以用在主位，领位和宾位，“乃”字用在主位和领位，可是不用在宾位。这里“与尔三矢”的“尔”字在宾位，第二个“尔”字在主位，“乃”字在领位。

“尔其无忘乃父之志”的“其”字与一般的“其”字不一样。这个“其”字表示叮咛戒勉的语气，与口语里的“可”字相当。就是说“你可别忘了你爸爸的意志”。

藏之于庙——也可以作“藏于庙”，前面已经说过。

入于太庙

自于人

积于忽微

困于所溺

就这五语可以讨论“于”字，“于”字是个介词，把名词联系到动词，表明关于那个行动的种种情形。“庙”与“太庙”是“藏”与“入”的处所，“人”与“忽微”与“所溺”是“自”与

“积”与“困”的来由。其他介词以用在动词之前为主，“于”字多数用在动词之后。试看这篇里的五语，就一律是“（动词）于（名词）”的形式。翻译成口语，可不能说“于”字一律与口语中的什么字相当，得根据上面那个动词的意义，选用一种说法。“藏于庙”就是“藏在庙里”（“于”与“在……里”相当）。“入于太庙”就是“进太庙”（在口语里，“进”字之下不需要什么介词了。文言也可以不要“于”字，作“入太庙”，可是“藏于庙”绝不能作“藏庙”）。“自于人”就是“从人事来的”（“于”与“从”相当。“自”字原也是“从”义，但这里是动词不是介词，该是“来”的意义）。“积于忽微”就是“在不经意中累积起来”（“于”与“在……中”相当）。“困于所溺”就是“被溺爱的事物困住”（“于”与“被”相当）。可以注意的，说成口语，与“于”字相当的介词不一律在动词之后了。

“则遣从事以一少牢告庙”的“则”字的用法，是“则”字各种用法中最通常的一种，与口语中的“就”字相当。

前面说过，反诘语气感叹语气以用“哉”字为常。“可谓壮哉”的“哉”字表示感叹语气。“岂独伶人也哉”，“哉”字上连个“也”字，表示反诘与感叹的意味更重。这篇里有一个“何其衰也”的“也”字，与通常的“也”字不一样，也是反诘语气兼带感叹语气。还有两个“欤”字，与“哉”字相类，也是反诘语气兼带感叹语气。

“岂……欤，抑……欤”这种反诘形式，表示撇开“岂”字以下的一层，侧重在“抑”字以下的一层。“抑”字大略与口语中的“还是”相当。

反诘语气不要人家回答，让人家直觉地领会作者正意。询问语气以不说明为说明，让人家自已去找出答语来。两种语气的效果都比直陈语气来得大。因为直陈语气是平静的，反诘语气和询问语气（又兼带感叹语气）却使读者在心理上起一番震荡，因而印入较深。试把篇中的反诘语气询问语气一律改为直陈语气看看。

岂非人事哉	改为	实亦人事也
何其衰也	改为	其衰甚矣
岂得之难而失之易欤抑本其成败之迹而皆自于人欤	改为	非得之难而失之易也本其成败之迹盖皆自于人也
岂独伶人也哉	改为	不独伶人也

意义虽然没有什么改变，摄引读者的力量却差得多了。

“至于誓天断发”的“至于”表示一件事情的程度。这儿说当时君臣狼狈的情形。狼狈到什么程度呢？狼狈到“誓天断发，泣下沾襟”。他如：

思之思之，至于不寐。

贫困无以自存，至于乞食。

聪敏殊甚，至于一目十行。

这些“至于”，都是同一的用法。

“忧劳可以兴国，逸豫可以亡身”，还有开头第二句中“可以知之矣”，这三个“可以”需要提出来讨论一下。我们口语说“我可以帮他一手”，“你可以走了”，“这件事情这么办，你说可以不可以”，这几个“可以”，在文言中都只是个“可”字，不是“可以”。文言中的“可以”应该拆开来理解，“可”表示可能，“以”是个介词，把名词联系到动词上去。如果没有可能的意义，像这篇里的三语，本该作“以忧劳兴国”，“以逸豫亡身”，“以‘原庄宗之所以得天下与其所以失之者’知之”，可是，在加上可能的意义的时候，就不作“可以忧劳兴国”，“可以逸豫亡身”，“可以‘原庄宗之所以得天下与其所以失之者’知之”，而须把在“以”字之后的名词提到“可”字之前去，这就成了“（名词）可以（动词）”的形式。提到前面去，为的是着重那名词。经这么一提前，那名词就处在主位了，“以”字之下又不须用什么代名词来填补，这是“……可以……”式的特别处。如：

诗可以兴，可以观，可以群，可以怨。（《论语》）

沧浪之水清兮，可以濯我缨；沧浪之水浊兮，可以濯我足。（《孟子》）

掺掺女手，可以缝裳。（《诗经》）

都是这种形式。不过也不是一定如此，如：

可以人而不如鸟乎？（《礼记》）

可以义起也。（《礼记》）

名词仍然在“以”字之下。

“夫祸患常积于忽微”的“夫”字，作用在提示。文言中常常用到“夫”字，口语中可没有相当的说法，大略近于“那”。

这篇文字很简单。第一句表出盛衰之理关乎人事，是全篇的主脑。以下的话无非说明这一层意思。第一句下面也可以加一句“何以知之？”这是读者心中应有的问话。可是作者并没有加上这样的问话，单把回答这句问话的话写了出来，就是第二句。从“世言晋王之将终也”到“可谓壮哉”，叙述庄宗气焰煊赫的情形。从“及仇雠已灭”到“何其衰也”，叙述庄宗狼狈不堪的情形。前一节的结尾，“其意气之盛，可谓壮哉！”后一节的结尾，“何其衰也！”一个“盛”字，一个“衰”字，照应第一句中“盛衰之理”的“盛衰”。接着用反诘句表出“本其成败之迹而皆自于人”，其实只是把第一第二两句合起来重说一回。“本其成败之迹”与“原庄宗之所以得天下与其所以失之者”意义相近（“迹”是事实，指上面两节叙述的，“所以……者”却是抽象的道理：所以只说相近，不说相同），“皆自于人”就是“岂非人事哉？”以下引用《书经》的话作为论据，又加以申论，这才对“岂非人事哉”与“皆自于人”作了说明。“满”、“谦”、“忧劳”、“逸豫”都是人事，结果是“招损”、“得益”、“兴国”、“亡身”，足见人事的关系特别重，原属“自然之理”，“天命”与“得之难而失之易”（相信“得之难而失之易”其实就是相信“天命”）是不大相干的了。这只是泛说。以下回说到庄宗。“方其盛也”之中，暗含他当时能“谦”、能耐“忧劳”的意思。“及其衰也”之中，暗含他当时自“满”，耽于“逸豫”的意思。一个“盛”字，一个“衰”字，又照应第一句中“盛衰之理”的盛衰。接着推广开来说，祸患不限于伶人，只要“困于所溺”，样样都是祸患。这样把全篇的警戒意味发展到最高点，文章也就此结束了。

写这篇文章的动机就在警戒。从这儿可以见出作者的历史观念。他警戒的是什么人？是做“人主”的人，说得广泛些，是站在统治地位的人。至于寻常老百姓，是不在警戒之列的，至少在作者那样的史书编撰者，是不措意到什么寻常老百姓的。史书的作用在于警戒，警戒的对象是统治阶级：这是我国古来传统的也就是正统的历史观念。

这篇文章诵读起来，很有音节声调之美。第一，篇中运用感叹句，反诘带感叹句，询问带感叹句，凭这些句子，就有“一唱三叹”的情味。第二，篇中运用一些对偶语，对偶语有均称的节奏。第三，在叙述庄宗狼狈不堪的一节里，多用四字语，四字语的音节紧张急促，与文情配合。可又不完全用四字语，“而士卒离散”是五个字，“至于誓天断发”是六个字，在整齐中见出变化。

变化又正在极度紧张的处所，读的时候如果在那里特别顿挫，就很足以传情。

这篇文章，就立意说，代表着我国古来传统的也就是正统的历史观念。就结构说，开头提出“盛衰”，以后两次一“盛”一“衰”的作为照应，极类似后来的八股文体。又具有音节声调之美，那也是八股文体竭力追求的。因此，这篇文章被历来选家看中了，一定要把它收在选本里头。至于现在的高中国文课文还选它，那自然为了现在虽说施行新教育了，精神上却与八股时代没有什么大分别的缘故。

1947年1月1日发表

略读的指导

——《略读指导举隅》前言

国文教学的目标，在养成阅读书籍的习惯，培植欣赏文学的能力，训练写作文字的技能。这些事不能凭空着手，都得有所凭借。凭借什么？就是课本或选文。有了课本或选文，然后养成、培植、训练的工作得以着手。课本里所收的，选文中入选的，都是单篇短什，没有长篇巨著。这并不是说学生读了一些单篇短什就足够了。只因单篇短什分量不多，要做细磨细琢的研读功夫，正宜从此入手，一篇读毕，又读一篇，涉及的方面既不嫌偏颇，阅读的兴趣也不致单调；所以取作“精读”的教材。学生从精读方面得到种种经验，应用这些经验，自己去读长篇巨著以及其他的单篇短什，不再需要教师的详细指导，这就是“略读”。就教学而言，精读是主体，略读只是补充；但是就效果而言，精读是准备，略读才是应用。学生在校的时候，为了需要与兴趣，须在课本或选文以外阅读旁的书籍文章；他日出校之后，为了需要与兴趣，一辈子须阅读各种书籍文章；这种阅读都是所谓应用。使学生在这方面打定根基，养成习惯，全在国文课的略读。如果只注意于精读，而忽略了略读，功夫便只做得一半。其弊害是想象得到的，学生遇到需要阅读的书籍文章，也许会因没有教师在旁作精读那样的详细指导，而致无所措手。现在一般学校，忽略了略读的似乎不少，这是必须改正的。

略读不再需要教师的详细指导，并不等于说不需要教师的指导。各种学科的教学都一样，无非教师帮着学生学习的一串过程。略读是国文课程标准里面规定的正项工作，哪有不需要教师指导之理？不过略读指导与精读指导不同。精读指导必须纤屑不遗，发挥净尽；略读指导却需提纲挈领，期其自得。何以需提纲挈领？唯恐学生对于当前的书籍文章摸不到门径，辨不清路向，马马虎虎读下去，结果所得很少。何以不必纤屑不遗？因为这一套功夫在精读方面已经训练过了，照理说，该能应用于任何时候的阅读；现在让学生在略读时候应用，正是练习的好机会。学生从精读而略读，譬如孩子学走路，起初由大人扶着牵着，渐渐的大人把手放了，只在旁边遮拦着，替他规定路向，防他偶或跌交。大人在旁边遮拦着，正与扶着牵着一样的需要当心；其目的唯在孩子步履纯熟，能够自由走路。精读的时候，教师给学生纤屑不遗的指导，略读的时候，更给学生提纲挈领的指导，其目的唯在学生习惯养成，能够自由阅读。

仅仅对学生说，你们随便去找一些书籍文章来读，读得越多越好；这当然算不得略读指导。就是斟酌周详，开列个适当的书目篇目，教学生自己照着去阅读，也还算不得略读指导。因为开列目录只是阅读以前的事；在阅读一事的本身，教师没有给一点儿帮助，就等于没有指导。略读如果只任学生自己去着手，而不给他们一点儿指导，很容易使学生在观念上发生误会，以为略读只是“粗略的”阅读，甚而至于是“忽略的”阅读；而在实际上，他们也就“粗略的”甚而至于“忽略的”阅读，就此了事。这是非常要不得的，积久养成不良习惯，就终身不能从阅读方面得到多大的实益。略读的“略”字，一半系就教师的指导而言：还是要指导，但是只须提纲挈领，不必纤屑不遗，所以叫做“略”。一半系就学生的功夫而言：还是要像精读那样仔细咬嚼，但是精读时候出于努力钻研，从困勉达到解悟，略读时候却已熟能生巧，不需多用心力，自会随机肆应，所以叫做“略”。无论教师与学生都须认清楚这个意思，在实践方面又须各如其分，做得到家，略读一事才会收到它预期的效果。

略读既须由教师指导，自宜与精读一样，全班学生用同一的教材。假如一班学生同时略读几种书籍，教师就不便在课内指导；指导了略读某种书籍的一部分学生，必致抛荒了略读别种书籍的另一部分学生；各部分轮流指导固也可以，但是每周略读指导的时间至多也只能有两小时，各部分轮流下来，必致每部分都非常简略。况且同学间的共同讨论是很有帮助于阅读能力的长进的，也必须阅读同一的书籍才便于共同讨论。一个学期中间，为求精详周到起见，略读书籍的数量不宜太多，大约有二三种也就可以了。好在略读与精读一样，选定一些教材来读，无非“举一隅”的性质，都希望学生从此学得方法，养成习惯，自己去“以三隅反”；故数量虽少，并不妨事。学生如果在略读教材之外，更就兴趣选读旁的书籍，那自然是值得奖励的；并且希望能够普遍地这么做。或许有人要说，略读同一的教材，似乎不能顾到全班学生的能力与兴趣。其实这不成问题。精读可以用同一的教材，为什么略读就不能？班级制度的一切办法，总之以中材为标准；凡是忠于职务，深知学生的教师，必能选取适合于中材的教材，供学生略读；这就没有能力够不够的问题。同时，所取教材必能不但适应学生的一般兴趣，并且切合教育的中心意义；这就没有兴趣合不合的问题。所以，略读同一的教材是无弊的，只要教师能够忠于职务，能够深知学生。

课内略读指导，包括阅读以前对于选定教材的阅读方法的提示，及阅读以后对于阅读结果的报告与讨论。作报告与讨论的虽是学生，但是审核他们的报告，主持他们的讨论，仍是教师的事；其间自不免有需要订正与补充的地方，所以还是指导。略读教材若是整部的书，每一堂略读课内令学生报告并讨论阅读那部书某一部分的实际经验；待全书读毕，然后令作关于全书的总报告与总讨论。至于实际阅读，当然在课外。学生课外时间有限，能够用来自修的，每天至多不过四小时。在这四小时内，除了温理旁的功课，作旁的功课的练习与笔记外，分配到国文课的自修的，至多也不过一小时。一小时够少了，而精读方面也得自修、预习、复习、诵读、练习，这些都是非做不可的；故每天的略读时间至多只能有半小时。每天半小时，一周便是三小时（除去星期放假）。每学期上课时间以二十周计，略读时间仅有六十小时。在这六十小时内，如前面所说的，要阅读二三种书籍，篇幅太多的自不相宜；如果选定的书正是篇幅太多的，那只得删去若干，选读它的一部分。不然，分量太多，时间不够，学生阅读势必粗略，甚而至于忽略；或者有始无终，没有读到完篇就丢开；这就会养成不良习惯，为终身之累。所以漫无计算是要不得的。与其贪多务广，以致发生流弊，不如预作精密估计，务使在短少时间之内把指定的教材读完，而且把应做的工作都做到家，绝不草率从事，借此养成阅读的优良习惯，来得有益得多。学生有个很长的暑假，又有个相当长的寒假；在这两个假期内，可以自由阅读很多的书。如果略读时候养成了优良习惯，到暑假寒假期间，各就自己的需要与兴趣去多多阅读，那一定比不经略读的训练多得吸收的实效。归结起来说，就是：略读的分量不宜过多，必须顾到学生能用上的时间；多多阅读固宜奖励，但是得为时间所许可，故以利用暑假寒假最为适当。

书籍的性质不一，因而略读指导的方法也不能一概而论。就一般说，在阅读以前应该指导的有以下各项。

一、版本指导

一种书往往有许多版本。从前是木刻，现在是排印。在初刻初排的时候或许就有了错误，随后几经重刻重排，又不免辗转发生错误；也有逐渐的增补或订正。读者读一本书，总希望得到最合于原稿的，或最为作者自己惬意的本子；因为唯有读这样的本子才可以完全窥见作者的思想感情，没有一点儿含糊。学生所见不广，刚与一种书接触，当然不会知道哪种本子较好；这须待教师给他们指导。现在求书不易，有书可读便是幸事，更谈不到取得较好的本子。正唯如此，这种指导更不可少；哪种本子校勘最精审，哪种本子是作者的最后修订稿，都得给他们说明，使他们遇到那些本子的时候，可以取来复按，对比。还有，这些书经各家的批评或注释，每一家的批评或注释自成一种本子，这中间也就有了优劣得失的分别。其需要指导，理由与前说相同。总之，这方面的指导，宜运用校勘家、目录家的知识，而以国文教学的观点来范围它。学生受了这样的熏陶，将来读书不但知道求好书，并且能够抉择好本子，那是受用无穷的。

二、序目指导

读书先看序文，是一种好习惯。学生拿到一部书，往往立刻看本文，或者挑中间有趣味的部分来看，对于序文，认为与本文没有关系似的；这是因为不知道序文很关重要的缘故。序文的性质常常是全书的提要或批评，先看一遍，至少对于全书有个概括的印象或衡量的标准；然后阅读全书，就不至于茫无头绪。通常读书，其提要或批评不在本书而在旁的地方的，尚且要找来先看；对于具有提要或批评的性质的本书序文，怎能忽略过去？所以在略读的时候，必须教学生先看序文，养成他们的习惯。序文的重要程度，各书并不一致。属于作者的序文，若是说明本书的作意、取材、组织等项的，那无异于“编辑大意”、“编辑例言”，借此可以知道本书的规模，自属非常重要。有些作者在本文之前作一篇较长的序文，其内容并不是本文的提要，却是阅读本文的准备知识，犹如津梁或门径，必须通过这一关才可以涉及本文；那就是“导言”的性质，重要程度也高。属于编订者或作者师友所作的序文，若是说明编订的方法，抉出全书的要旨，评论全书的得失的，都与了解全书直接有关，重要也不在上面所说的作者自序之下。无论作者自作或他人所作的序文，有些仅仅叙一点因缘，说一点感想，与全书内容关涉很少；那种序文的本身也许是一篇好文字，对于读者就比较不重要了。至于他人所作的序文，有专事赞扬而过了分寸的，有很想发挥而不得要领的；那种序文实际上很不少，诗文集中尤其多，简直可以不必看。教师指导，要教学生先看序文，更要审查序文的重要程度，与以相当的提示，使他们知道注意之点与需要注意力的多少。若是无关紧要的序文，自然不叫他们看，以免浪费时力。

目录表示本书的眉目，也具有提要的性质。所以也须养成学生先看目录的习惯。有些书籍，固然须顺次读下去，不读第一卷就无从着手第二卷。有些书籍却不然，全书分做许多部分，各部分自为起讫，其前后排列或仅大概以类相从，或仅依据撰作的年月，或竟完全出于编排时候的偶然；对于那样的书籍，就不必顺次读下去；可以打乱全书的次第，把有关某一方面的各卷各篇聚在一起读，读过以后，再把有关其他方面的各卷各篇聚在一起读，或许更比顺次读下去方便且有效得多。要把有关的各卷各篇聚在一起，就更有先看目录的必要。又如选定教材若是长篇小说，假定是《水浒》，因为分量太多，时间不够，不能通体略读，只好选读它的一部分，如写林冲或武松的几回。要知道哪几回是写林冲或武松的，也得先看目录。又如选定教材的篇目若是非常简略，而其书又适宜于不按照次第来读的，假定是《孟子》，那就在篇目之外，最好先看赵岐的“章指”。“章指”并不编列在目录的地位；用心的读者不妨抄录二百几十章的“章指”，当它是个详细的目录提要。有了这样详细的目录提要，因阅读的目标不同，就可以把二百几十章作种种的组合，为某一目标取某一组合来精心钻研。目录的作用当然还有，可以类推，不再详说。教师指导的时候，务须相机提示，使学生能够充分利用目录。

三、参考书籍指导

参考书籍，包括关于文字的音义，典故成语的来历等所谓工具书，以及与所读书有关的必须借彼而后明此的那些书籍。从小的方面说，阅读一书而求其彻底了解，从大的方面说，做一种专门研究，要从古今人许多经验中得到一种新的发现，一种系统的知识，都必须广博地翻检参考书籍。一般学生读书，往往连字典词典也懒得翻，更不用说跑进图书室去查阅有关书籍了。这种“读书不求甚解”的态度，一时未尝不可马虎过去；但是这就成了终身的病根，将不能从阅读方面得到多大益处；若做专门研究工作，更难有满意的成就。所以，利用参考书籍的习惯，必须在学习国文的时候养成。精读方面要多多参考，略读方面还是要多多参考。起初，学生必嫌麻烦，这要翻检，那要搜寻，不如直接读下去来得爽快；但是渐渐成了习惯，就觉得必须这样多多参考，才可以透彻地了解所读的书，其味道的深长远胜于“不求甚解”；那时候，让他们“不求甚解”也不愿意了。

国文课内指导参考书籍，当然不能如专家做研究工作一样，搜罗务求广博，凡有一语一条用得到的材料都舍不得放弃，开列个很长的书目。第一，须顾到学生的能力。参考书籍用来帮助理解本书，若比本书艰深，非学生能力所能利用，虽属重要，也只得放弃。譬如阅读某一书，须做关于史事的参考，与其教学生查《二十四史》，不如叫他们翻一部近人所编的通史；再退一步，不如叫他们看他们所读的历史课本。因为通史与历史课本的编辑方法适合于他们的理解能力；而《二十四史》本身还只是一堆材料，要在短时期内从中得到关于一件史事的概要，事实上不可能。曾见一些热心的教师给学生开参考书目，把自己所知道的，巨细不遗，逐一开列，结果是洋洋大观，学生见了唯有望洋兴叹；有些学生果真去按目参考，又大半不能理解，有参考之名，无参考之实。这就是以教师自己为本位，忽略了学生能力的弊病。第二，须顾到图书室的设备。教师提示的书籍，学生从图书室立刻可以检到，既不耽误工夫，且易引起兴趣。如果那参考书的确必要，又为学生的能力所能利用，而图书室没有，学生只能以记忆书名了事；那就在阅读上短少了一分努力，在训练上错过了一个机会。因此，消极的办法，教师提示参考书籍，应以图书室所具备的为限；积极的办法，就得促图书室有计划地采购图书——各科至少有最低限度的必要参考书籍，国文科方面当然要有它的一份。这件事很值得提倡。现在一般学校，不是因经费不足，很少买书，就是因偶然的机缘与教师的嗜好，随便买书；有计划地为供学生参考而采购的，似乎还不多见。还有个补救的办法，图书室没有那种书籍，而地方图书馆或私家藏书却有，教师不妨指引学生去借来参考。

图书室购备参考书籍，即使有复本，也不过两三本；一班学生同时要拿来参考，势必争先恐后，后拿到手的，已经浪费了许多时间。为解除这种困难，可以用分组参考的办法：假定阅读某种书籍需要参考四部书，就分学生为四组，使每组参考一部；或待相当时间之后互相交换，或不再交换，就使每组报告参考所得，以免他组自去参考。

指定了参考书籍，教师的事情并不就此完毕。如果那种书籍的编制方法是学生所不熟悉的，或者分量很多，学生不容易找到所需参考的部分的，教师都得给他们说明或指示。一方面要他们练习参考，一方面又要他们不致茫无头绪，提不起兴趣；唯有如上所说相机帮助他们，才可以做到。

四、阅读方法指导

各种书籍因性质不同，阅读方法也不能一样。但是就一般说，总得像精读时候的阅读那样，就其中的一篇或一章一节，逐句循诵，摘出不了解的处所；然后应用平时阅读的经验，试把那些不了解的处所自求解答；得到了解答，再看注释或参考书，以检验解答的对不对；如果实在无法解答，那就径看注释或参考书。不了解的处所都弄清楚了，又复读一遍，明了全篇或全章全节的大意。最后细读一遍，把应当记忆的记忆起来，把应当体会的体会出来，把应当研究的研究出来。全书的各篇或各章各节，都该照此办法。略读原是用来训练阅读的优良习惯，必须脚踏实地，毫不苟且，才有效益；绝不能让学生胡乱读过一遍就算。唯有开始脚踏实地，毫不苟且，到习惯既成之后才会“过目不忘”，“展卷自得”。若开始就草草从事，说不定将一辈子“过目辄忘”，“展卷而无所得”了。还有一层，略读既是国文功课方面的工作，无论阅读何种书籍，都宜抱着研究国文的态度。平常读一本数学课本，不研究它的说明如何正确；读一本史地课本，也不研究它的叙述如何精当。数学课本与史地课本原可以在写作技术方面加以研究；因作者的造诣不同，同样是数学课本与史地课本，其正确与精当的程度实际上确也大有高下。但是在学习数学、学习史地的立场，自不必研究那些；如果研究那些，便转移到学习国文的立场，抱着研究国文的态度了。其他功课的阅读都只须顾到书籍的内容。国文功课训练阅读，独须内容形式兼顾，并且不把内容形式分开来研究，而认为不可分割的两方面；经过了国文功课方面的训练，再去阅读其他功课的书籍，眼力自也增高。认清了这一层，对于选定的略读书籍自必一律作写作技术的研究。被选的书总有若干长处；读者不仅在记得那些长处，尤其重要的在能看出为什么会有那些长处。同时不免或多或少有些短处；读者也须能随时发现，说明它的所以然，这才可以做到读书而不为书所蔽。——这一层也是就一般说的。

现在再分类来说，有些书籍，阅读它的目的在从中吸收知识，增加自身的经验；那就须运用思考与判断，认清全书的要点，不歪曲也不遗漏，才得如愿。若不能抉择书中的重要部分，认不清全书的要点，或忽略了重要部分，却把心思用在枝节上，所得结果就很少用处。要使书中的知识化为自身的经验，自必从记忆入手；记忆的对象若是阅读之后看出来的要点，因它条理清楚，印入自较容易。若不管重要与否，而把全部平均记忆，甚至以全部文句为记忆的对象，那就没有纲领可凭，徒增不少的负担，结果或且全部都不记忆。所以死用记忆决不是办法，漫不经心地读着读着，即使读到烂熟，也很难有心得；必须随时运用思考与判断，接着择要记忆，才合于阅读这一类书籍的方法。

又如小说或剧本，一般读者往往只注意它的故事；故事变化曲折，就感到兴趣，读过以后，也只记住它的故事。其实凡是好的小说和剧本，故事仅是迹象；凭着那迹象，作者发挥他的人生经验或社会批判，那些才是精魂。阅读小说或剧本而只注意它的故事，专取迹象，抛弃精魂，绝非正当方法。在国文课内，要培植欣赏文学的能力，尤其不应如此。精魂就寄托在迹象之中，对于故事自不可忽略；但是故事的变化曲折所以如此而不如彼，都与作者发挥他的人生经验和社会批判有关，这一层更须注意。初学者还没有素养，一时无从着手；全仗教师给他们易晓的暗示与浅明的指导，渐渐引他们入门。穿凿附会固然要不得，粗疏忽略同样要不得。凭着故事的情节，逐一追求作者要说而没有明白说出来的意思，才会与作者的精神相通，才是阅读这一类书籍的正当方法。有些学生喜欢看低级趣味的小说之类，叫他们不要看，他们虽然答应了，一转身还是偷偷地看。这由于没有学得阅读这类书籍的方法，注意力仅仅集中在故事上的缘故。他们如果得到适当的暗示与指导，渐渐有了素养，就会觉得低级趣味的小说之类在故事之外没有东西，经不起咀嚼；不待他人禁戒，自然就不喜欢看了。——这可以说是消极方面的效益。

又如诗集，若是个人的专集，按写作年月，顺次看诗人意境的扩大或转换，风格的确立或变易，是一种读法。按题材归类，看诗人对于某一题材如何立意，如何发抒，又是一种读法。按体式归类，比较诗人对于某一类体式最能运用如意，倾吐诗心，又是一种读法。以上都是分析研究方面的事，而文学这东西，尤其是诗歌，不但要分析地研究，还得要综合地感受。所谓感受，就是读者的心与诗人的心起了共鸣，仿佛诗人说的正是读者自己的话，诗人宣泄的正是读者自己的情感似的。阅读诗歌的最大受用在此。通常说诗歌足以陶冶性情，就因为深美玄妙的诗歌能使读者与诗人同其怀抱。但是这种受用不是没有素养的人所能得到的；素养不会凭空而至，还得从分析的研究入手。研究愈精，理解愈多，才见得纸面的文字——是诗人心情动荡的表现；读它的时候，心情也起了动荡，几乎分不清那诗是诗人的还是读者自己的。所读的若是总集，也可应用类似前说的方法，发现各代诗人取材的异同，风格的演变，比较各家各派意境的浅深，抒写的技巧；探讨各种体式如何与内容相应，如何去旧而谋新：这些都是研究的事，唯有经过这样研究，才可以享受诗歌。我国历代诗歌的产量极为丰富；读诗一事，在知识分子中间差不多是普遍的嗜好。但是就一般说，因为研究不精，感受不深，往往不很了然什么是诗。无论读和写，几乎都认为凡是五字一句，七字一句，而又押韵的文字便是诗；最近二十年通行了新体诗，又都认为凡是分行写的白话便是诗。连什么是诗都不能了然，哪里还谈得到享受？更哪里谈得到写作？中学生固然不必写诗，但是有享受诗的权利；要使他们真能享受诗，自非在国文课内认真指导不可。

又如古书，阅读它而要得到真切的了解，必须明了古人所处的环境与所怀的抱负。陈寅恪先生作审查一本中国哲学史的报告，中间说："古人著书立说，皆有所为而发；故其所处之环境，所受之背景，非完全明了，则其学说不易评论。而古代哲学家去今数千年，其时代之真相极难推知。吾人今日可依据之材料，仅为当时所遗存最小之一部；欲借此残余断片以窥测其全部结构，必须备艺术家欣赏古代绘画雕刻之眼光及精神，然后古人立说之用意与对象始可以真了解。所谓真了解者，必神游冥想，与立说之古人处于同一境界，而对于其持论所以不得不如是之苦心孤诣，表一种之同情，始能批评其学说之是非得失，而无隔阂肤廓之论。否则数千年前之陈言旧说，与今日之情势迥殊，何一不可以可笑可怪目之乎？"这里说的是专家研究古代哲学应持的态度，并不为中学生而言；要达到这种境界，必须有很深的修养与学识，一般知识分子尚且不易做到，何况中学生？但是指导中学生阅读古书，不可不酌取这样的意思，以正他们的趋向——尽浅不妨，只要趋向正，将来可以渐求深造。否则学生必致辨不清古人的是非得失，或者一味盲从古人，成个不通的"新顽固"，或者一味抹杀古人，骂古人可笑可怪，成个浅薄的妄人。这岂是叫他们阅读古书的初意？所谓尽浅不妨，意思是就学生所能领会的，给他们适当的指导。如读《孟子·许行章》“或劳心，或劳力；劳心者治人，劳力者治于人；治于人者食人，治人者食于人：天下之通义也。”一节，若以孟子这个话为天经地义，而说从前君主时代竭尽天下的人力物力以供奉君主是合理的，现代的民权思想与民主政治是要不得的；这便是糊涂头脑。若以孟子这个话为胡言乱语，而说后代劳心者与劳力者分成两个阶级，劳心阶级地位优越，劳力阶级不得抬头，都是孟子的遗毒；这也是偏激之论。要知道孟子这一章在驳许行的君臣并耕之说，他所持的论据是与许行相反的“分工互助”。劳力的百工都有专长，劳心的“治人者”也有他的专长，各出专长，分任工作，社会才会治理：这是孟子的政治理想。时代到了战国，社会关系渐趋繁复，许行那种理想当然行不通。孟子看得到这一点，自是他的识力。要怎样才是他理想中的“治人者”？看以下“当尧之时”一大段文字便可明白，就是：像尧舜那样一心为民，干得有成绩，才算合格。这是从他“民为贵”的根本观点而来的；正因“民为贵”，所以为民除疾苦，为民兴教化的人是“治人者”的模范。于此可见他所谓“治人者”至少含有“一心为民，干政治具有专长的人”的意思，并不泛指处在君位的人，如古代的酋长或当时的诸侯。至于“食人”、“食于人”，在他的意想中，只是表示互助的关系而已，并不含有“注定被掠夺”、“注定掠夺人家”的意思。——如此看法，大概近于所谓“了解的同情”，与前面说起的糊涂头脑与偏激之论全然异趣。这未必深奥难知，中材的高中二三年生也就可以领会。多做类似的指导，学生自不致走入泥古诬古的歪路了。

五、问题指导

无论阅读何种书籍，要把应当记忆的记忆起来，把应当体会的体会出来，把应当研究的研究出来，总得认清几个问题——也可以叫做题目。如读一个人的传记，这个人的学问、事业怎样呢？或读一处地方游记，那地方的自然环境、社会情形怎样呢？都是最浅近的例子。心中存在着这些问题或题目，阅读就有了标的，辨识就有了头绪。又如阅读《爱的教育》，可以提出许多问题或题目：作为书中主人翁的那个小学生安利柯，他的父亲常常勉励他，教训他——父亲希望他成个怎样的人呢？书中写若干小学生，家庭环境不同，品性习惯各异——品性习惯受不受家庭环境的影响呢？书中很有使人感动的地方，为什么能使人感动呢？诸如此类，难以说尽。又如阅读《孟子》，也可以提出许多问题或题目：孟子主张“民为贵”，书中的哪些篇章发挥这个意思呢？孟子的理想中，把政治分为王道的与霸道的两种，两种的区别怎样呢？孟子认为“王政”并不难行，他的论据又是什么呢？诸如此类，难以说尽。这些是比较深一点的。善于读书的人，一边读下去，一边自会提出一些问题或题目来，作为阅读的标的，辨识的头绪，或者初读时候提出一些，重读时候另外又提出一些。叫学生略读，当然希望学生也能如此；但是学生习惯未成，功力未到，恐怕他们提不出什么，只随随便便地胡读一阵了事，就有给他们提示问题的必要。对于一部书，可提出的问题或题目，往往如前面说的，难以说尽。提得太深了，学生无力应付；提得太多了，学生又无暇兼顾。因此，宜取学生能力所及的，分量多少又得顾到他们的自修时间。凡所提示的问题或题目，不只叫他们“神游冥想”，以求解答；还要让他们利用所有的凭借，就是序目、注释、批评、及其他参考书。在教师提示之外，学生如能自己提出，当然大可奖励。但是提得有无价值，得当不得当，还须由教师注意与指导。为养成学生的互助习惯与切磋精神起见，也可分组研究；令每组解答一个问题或题目，到上课时候报告给大家知道，再听同学与教师的批判。

以上说的，都是教师给学生的事前指导。以后就是学生的事情了——按照教师所指导的去阅读，去参考，去研究。在这一段过程中，学生应该随时作笔记。说起笔记，现在一般学生似乎还不很明白它的作用；只因教师吩咐要作笔记，他们就在空白本子上胡乱写上一些文字交卷。这种观念必须纠正。要让他们认清，笔记不是教师向他们要的赋税，而是他们读书学习不能不写的一种记录。参考得来的零星材料，临时触发的片段意思，都足以供排比贯穿之用，怎能不记录？极关重要的解释与批评，特别欣赏的几句或一节，就在他日还值得一再检览，怎能不记录？研究有得，成了完整的理解与认识，若不写下来，也许不久又忘了，怎能不记录？这种记录都不为应门面，求分数，讨教师的好；而只为于他们自己有益——必须这么做，他们的读书学习才见得切实。从上面的话看，笔记大概该有两个部分：一部分是碎屑的摘录；一部分是完整的心得——说得堂皇一点，就是“读书报告”或“研究报告”。对于初学，当然不能求其周密深至；但是敷衍塞责的弊病必须从开头就戒除，每抄一条，每写一段，总得让他们说得出个所以然。这样成了习惯，终身写作读书笔记，便将受用无穷，无论应付实务或研究学问，都可以从笔记方面得到许多助益。而在上课讨论的时候，这种笔记就是参加讨论的准备；有了准备，自不致茫然无从开口，或临时信口乱说了。

学生课外阅读之后，在课内报告并讨论阅读一书某一部分的实际经验；待全书读毕，然后作全书的总报告与总讨论，前面已经说过。那时候教师所处的地位与应取的态度，《精读指导举隅》曾经提到，不再多说。现在要说的是成绩考查的事。教师指定一本书叫学生阅读，要他们从书中得到何种知识或领会，必须有个预期的标准；那个标准就是判定成绩的根据。完全达到了标准，成绩很好，固然可喜；如果达不到标准，也不能给他们一个不及格的分数就了事，必须研究学生所以达不到标准的原因——是教师自己的指导不完善呢，还是学生的资质上有缺点，学习上有疏漏？——竭力给他们补救或督促，希望他们下一次阅读的成绩比较好，能渐近于标准。一般指导自然愈完善愈好；对于资质较差，学习能力较低的学生的个别指导，尤须有丰富的同情与热诚。总之，教师在指导方面多尽一分力，无论优等的次等的学生必可在阅读方面多得一分成绩。单是考查，给分数，填表格，没有多大意义；为学生的利益而考查，依据考查再打算增进学生的利益，那才是教育家的存心。

以上说的成绩，大概指了解，领会以及研究心得而言。还有一项，就是阅读的速度。处于事务纷繁的现代，读书迟缓，实际上很吃亏；略读既以训练读书为目标，自当要求他们速读，读得快，算是成绩好，不然就差。不用说，阅读必须以精细正确为前提；能精细正确了，是否敏捷迅速却是判定成绩应该注意的。

题目是至善拟的

1941 年 3 月 1 日作

附录：

《略读指导举隅》例言（朱自清作）

一、本书与《精读指导举隅》一样，专供各中学国文教师参考用。

二、本书专重略读指导，书中举了七部书作例子。计经籍一种，名著节本一种，诗歌选本一种，专籍两种，小说两种。其中《孟子》、《史记菁华录》、《唐诗三百首》、《蔡孑民先生言行录》适于高中学生阅读，《胡适文选》、《呐喊》、《爱的教育》适于初中学生阅读。

三、本书的《前言》是向各位中学教师说的，我们以为对于学生“略读”要做到“指导”二字，至少有这么些工作。否则是让学生随便看书，不是“指导”他们阅读。

四、本书各篇《指导大概》是用教师的口气向学生说的。我们按照《前言》所提出的，对于每一部书，作了指导的实例。这七篇“大概”都是完整的成篇的文字，只因写下来不得不如此，并不是说每指导一部书，就得向学生作一番这样长长的演讲，说过了就完事。“指导”得在讨论里；每篇“大概”中的每一节，都该是讨论的结果，这结果该是学生自已研求之后，在讨论时间，又经教师的纠正和补充，才得到的。我们希望各位教师能将这样的态度和方法，应用在别的书籍的略读指导里。

五、本书各篇，我们虽都谨慎地用心写出，但恐怕还有见不到的错误。盼望各位教师多多指教，非常感谢。

《孟子》指导大概

阅读《孟子》，可取两种本子。一种是宋代朱熹的《孟子集注》，一种是清代焦循的《孟子正义》。两种都有商务印书馆的《国学基本丛书》本（《孟子集注》与《大学章句》、《中庸章句》、《论语集注》合称《四书章句集注》；中华书局也有；又，这四种是宋代以来至今通行的读本，各地都有木刻本），后一种又有世界书局的《诸子集成》本，定价不高，而且容易买到。《四书章句集注》是朱熹一生心力所萃，其发挥处表示宋学的精神——宋学指宋代的道学，也就是现代所谓哲学，朱熹是宋代的大哲学家，他注这四部儒书，实即发挥二程（程颢、程颐）与他自己对于儒家思想的认识，所以表示宋学的精神。他的训诂考证虽不免有粗疏阙略之处，还待后来好些专家给他正补；但就一般说，简单扼要，篇幅不多，便于省览。《孟子正义》是依据后汉赵岐《孟子章句》的注，逐一给它作详密的疏，所采清代顾炎武以下六十余家之说；“于赵氏之说或有所疑，不惜驳破以相规正；至诸家或申赵义，或与赵殊，或专翼孟，或杂他经，兼存备录，以待参考”（见《孟子篇叙》篇末疏中），这是集大成的工作，一般批评都说它当得精博两字。但篇幅繁多，训诂考证又偏于专门，初学者未必能够消化。现在不妨把《孟子集注》作为大家案头阅读的本子，而从图书室中检出一部《孟子正义》来，供偶尔的参考；能力较强，素养较深的同学，自可兼看《正义》。

参考书不拟多举，只提以下四种。一是历史课内所用的本国史课本。要读《孟子》，不可不明了孟子所处的时代；关于这一点，无论何种本国史课本，多少总有述及。二是冯友兰的《中国哲学史》（商务印书馆本）。这部书的第六章讲孟子思想极简要。阅读古代所谓诸子，必然牵涉思想问题，这就关系到哲学。哲学不一定微妙难知；就简单方面说，只是哲学家所抱的一种见解，“持之有故，言之成理”而已。所以，国文课内的阅读，也可取关于哲学的书籍来作参考。三是钱穆的《论语要略》（商务印书馆本）。这是一本研究《论语》也就是研究孔子的书；孟子自负继承孔子，他的思想与孔子关系最密切，理解《论语》当然可以帮助理解《孟子》。但所以提出这本书，尤其重要的在它的方法。《论语》只是散乱地记述孔子的言行，这本书却从其中采辑相关的材料，分题研究；因为材料是本身的，排比在一起，其结论也就显然可知，没有穿凿附会的弊病：这种研究方法，对于《孟子》也极为合适。四是裴学海的《古书虚字集释》（商务印书馆本）。《孟子》一书，虽与后代的文言相差不远，但还有若干虚字，是后代文言所不常用的。这种虚字的训释，《孟子正义》收集得很齐备；恐怕一般同学无力看《正义》，所以提出这一本书。其体例与字典相似；对于每一个虚字，从实例中归纳出若干训释来，在每一个训释之下，就列举古书中的那些例句。只是各字的排列次第与寻常字典不同，它不依各字的形体，按部首排列，而依各字的声音，按音母编次。起初使用它，不免感觉不便；但音母实在并不难辨，少加注意，渐即熟悉，若是记得注音符号注音的人，一经指点便明白了。——以上所举，除第一种外，通常认为大学适用；拿来给高中同学参考，似乎是躐等。但所谓某种书适宜于某种程度的读者，原是大概的说法；高中二三年的同学，距离大学的阶段已经不远，若能多努力，多用心，便是大学用书，又何尝不可参考？况且这三种书都是现代人编撰的，条理明白，文字流畅，比较参考从前人编撰的书，阅览上可以省力不少，理解上也有亲切之感。这是提出它们来的又一层理由。

《孟子》一书，记载孟子一家的思想言论，与《荀子》、《庄子》等书同类，应当归入“子”部。《汉书·艺文志》、《隋书·经籍志》、《旧唐书·经籍志》都把它列在儒家，正是认孟子为诸子之中的一家。但是到了宋代，《孟子》一书却被选拔出来，升到了“经”部。清代何绍基《东洲草堂金石诗集》中有《寄题丁俭卿新获嘉祐二体石经册》七言古诗一首，题目下记道：“丁俭卿舍人兄新得宋嘉祐二体石经三百七十余纸，为《易》、《书》、《诗》、《春秋》、《礼记》、《周易》、《孟子》七经。《玉海》等书述汴石经，不言有《孟子》。表章亚圣，自此刻始。是足补史志之缺。”以前的石经不收《孟子》，这嘉祐石经却收了，可见把《孟子》归入经部是从宋仁宗时候开始的。而南宋陈振孙作《直斋书录解题》，把《孟子》列入经类，是目录家对《孟子》移易观点的开头。“经”字原指六艺（《诗》、《书》、《易》、《礼》、《乐》、《春秋》）而言（这样用得最早的，当推《礼记》中的《经解》）。六艺都是孔子以前的旧籍，孔子教人，这些就是他的教科书。他教的时候，也许加点儿选择，又或随时引申，算是他的讲义。后来人所说孔子删正六经，情形大概如此。孔子以后的儒家效法孔子，继续用六艺教人，而他家却只讲自己的思想学说，不讲旧籍，因此，六艺就似乎是儒家所专有。到汉武帝时候，罢黜百家，专尊儒术，立《诗》、《书》、《易》、《礼》、《春秋》于学官（或说《乐经》其时已亡失，或说乐本没有专书），定名为“五经”；于是“经”字开始含有特别高贵的意味。唐代以三礼（《仪礼》、《礼记》、《周礼》）三传（《左传》、《公羊传》、《穀梁传》）合《诗》、《书》、《易》为九经。唐文宗开成年间，在国子学刻石，又把《孝经》、《论语》、《尔雅》加进去，为十二经。到了宋代，如前面所说，《孟子》又被加进去，便成十三经。现在用平心的看法，经部书实在就是儒家的书；孟子虽是诸子之中的一家，但如陈振孙所说：“自韩文公称‘孔子传之轲，轲死不得其传’，天下学者咸曰孔孟，孟子之书，固非荀杨以降所可同日语也”；那末被列入经部确是应该的。

《孟子》又是“四书”之中的一部。朱熹取《礼记》中的《大学》、《中庸》两篇，以配《论语》、《孟子》，为作章句集注，定名为“四书”。他在《大学章句》的开头记道：“子程子曰：《大学》，孔氏之遗书，而初学入德之门也。于今可见古人为学次

第者，独赖此篇之存。而《论》、《孟》次之。学者必由是而学焉，则庶乎其不差矣。”他的《中庸章句序》说：“《中庸》何为而作也？子思子忧道学之失其传而作也。……若吾夫子，则虽不得其位，而所以继往圣，开来学，其功反有贤于尧舜者。然当是时，见而知之者，惟颜氏曾氏之传得其宗，及曾氏之再传，而复得夫子之孙子思；则去圣远而异端起矣。子思惧夫愈久而愈失其真也，于是推本尧舜以来相传之意，质以平日所闻父师之言，更互演绎，作为此书，以诏后之学者。”可见他编辑“四书”，宗旨在供给研究道学的人一套有系统的教科书。他的意思，先读《大学》，懂了为学次第，才可以尽《论》、《孟》的精微；对于《论》、《孟》既能融会贯通，再读《中庸》，才可以穷道学的旨趣（现在“四书”次第，《中庸》在《大学》之前，乃以篇幅多少排列，并非朱熹的原意）。这套教科书，元仁宗延祐年间开始据以取士，明代清代因仍不改，凡读书的人必须诵习，势力最为广遍。因此，“四书”几乎成为知识分子的常识课本，无论习行方面、思想方面、言语方面，都不免与它发生关系。现在读《孟子》，这一层也是应该知道的。

《孟子》一书，汉人都以为孟子自作。司马迁《史记·孟子荀卿列传》里说：“孟轲……游事齐宣王，宣王不能用。适梁，梁惠王不果所言，则见以为迂远而阔于事情。……所如者不合。退而与万章之徒序《诗》《书》，述仲尼之意，作《孟子》七篇。”赵岐《孟子题辞》里说：“孟子闵悼尧舜汤文周孔之业将遂湮微，……于是则慕仲尼，周流忧世，遂以儒道游于诸侯，思济斯民。然由不肯枉尺直寻，时君咸谓之迂阔于事，终莫能听纳其说。……于是退而论集所与高弟弟子公孙丑、万章之徒难疑答问，又自撰其法度之言，著书七篇。”这都说孟子如现在的教师一样，自编讲义，自订学生所作的笔记，集合起来，成为一部学术讲录。到唐代韩愈，始以为其书出于弟子之手。韩愈《答张籍书》里说：“孟轲之书，非轲自著；轲既殁，其徒万章、公孙丑相与记轲所言焉耳。”这是说《孟子》一书只是学生的笔记集，孟子自己并没有动笔。后人给后一说找证据，提出两点。一点是《孟子》书中，对于孟子所见诸侯大都称谥，而诸侯之中，有可断言死在孟子之后的（如鲁平公），孟子绝不能预知他死后的谥；可证其书并非孟子自作。又一点是：《孟子》书中，对于孟子弟子大都称“子”，这是尊称，非师对弟子所宜用；可证其书并非孟子自作。对于前一点，有人解释说，书是孟子自己所作，但后来又经弟子编定；当编定的时候，于当时诸侯，就其可知的一律加谥，以便识别。对于后一点，有人解释说，“子”是男子的通称，不一定是尊称，师对弟子也常用；在《孟子》书中，就有“子诚齐人也”、“我明语子”的话，都是孟子称他的弟子可以为证。前一解释是可能的，后一解释是确凿的；但只能证明那两个证据不很坚强，并不能就此证明《孟子》书确系孟子自作。大概自作的确据是找不到的；清代阎若隅《孟子生卒年月考》里说：“《论语》成于门人之手，故记圣人容貌甚悉；七篇成于己手，故但记言语或出处耳”；也只是想象之辞——不记容貌，岂便是自作的确据？现在只能信从较古且较可靠的材料，如朱熹一样，认为“《史记》近是”（见《孟子集注》卷首的《孟子序说》）。但有一点可以断言的，就是：无论是孟子自作或弟子所记，其编撰工作总之出于一人之手，不像大多数的子书那样，是一派中前后许多学者的著作的结集。这从文字方面看，便可以知道。朱熹说：“《论语》多门弟子所集，故言语时有长长短短不类处；《孟子》疑自著之书，故首尾文字一体，无些子瑕疵，不是自下手，安得如此好？若是门弟子集，则其人亦甚高。”（《朱子语类》）首尾文字一体，读过《孟子》的人都有这种感觉；若不是出于一人之手，怎能一体呢？朱熹答人疑问，又说：“熟读七篇，观其笔势，如熔铸而成，非缀辑所就也。”（宋代王应麟《困学纪闻》引）非缀辑所就，也说明出于一手的意思。还有一层，私人著作的古书，据现在所知，最早是《论语》。《论语》是记言体，极为简约。及到《孟子》、《庄子》等书，便由简约的记言进而为铺排的记言，更有设寓的记言，这是战国诸子文体的初步。此后乃有不用记言体而据题抒论的，如《荀子》书中的一部分；这是战国诸子文体演进的第二步（以上冯友兰《中国哲学史》引傅斯年说）。这也是文字观点上的话；要把《孟子》与其他子书比较，应先有这样的概念。

现在的《孟子》凡有七篇，是赵岐作《孟子章句》以后的本子。以前所传的《孟子》却有十一篇。赵岐《孟子题辞》里说：“又有《外书》四篇——《性善》、《辩文》、《说孝经》、《为政》，其文不能宏深，不与《内篇》相似；似非《孟子》本真，后世依放而托也。”后来传《孟子》的都依据赵本，《外书》四篇于是亡失。但他书中称引《孟子》的话，为七篇中所没有的，现在还可以见到。清代顾炎武《日知录》里说：“《史记》、《法言》、《盐铁论》等所引《孟子》，今《孟子》书无其文，岂俱所谓《外篇》者邪”；大概是不错的。至于七篇编排的次序，赵岐以为具有意义的。他在《孟子篇叙》里说：“孟子以为圣王之盛，惟有尧舜，尧舜之道，仁义为上；故以梁惠王问利国，对以仁义为首篇也。仁义根心，然后可以大行其政；故次之以公孙丑问管晏之政，答以曾西之所羞也。政莫美于反古之道，滕文公乐反古；故次以文公为世子，始有从善思礼之心也。奉礼之谓明，明莫甚于离娄；故次以离娄之明也。明者当明其行，行莫大于孝；故次以万章问舜往于田号泣也。孝道之本，在于情性；故次以告子论情性也。情性在内，而主于心；故次以尽心也。尽己之心与天道通，道之极者也；是以终于尽心也。”这样从散乱之中看出个条理来的办法，大概模仿《易经》的《序卦》，说得通时，未尝不新奇可喜。但这完全依据主观，只是读者的一种看法，绝非作者当时编排的原意。现在不用主观的眼光，那末，《孟子》每篇中的各章以及七篇的次序，只能说是大概以类相从，从政治经济的实际方面进到心性存养的抽象方面。《梁惠王篇》、《滕文公篇》中，大都是与当时诸侯及人物的谈话；《万章篇》中大都谈尧舜禹汤以及孔子的故事；《离娄篇》、《尽心篇》中，汇集许多短章：所以说它大概以类相从。在前面的几篇中，谈政治经济的话居多，一贯的宗旨在阐明“王政”；到第六篇《告子》，却有许多章发挥对于“性”的见解，第七篇《尽心》开头一章便说尽心知性：所以说它大概从政治经济的实际方面进到心性存养的抽象方面。而第七篇《尽心》的末了一章，说从尧舜到孔子，每“五百有余岁”而有“知”道的圣人出世；以下接说孟子自己所处的时地：“去圣人之世，若此其未远也；近圣人之列，若此其甚也”；结末说：“然而无有乎尔，则亦无有乎尔！”叹息没有人继孔子而起，隐然以继承孔子之业为己任。这一章表明自家宗旨，与他书的“自叙”性质相近；编在末了，却不能说它没有意义。总之，《孟子》书的编排，并没有严密的逻辑的次序，所以不必按着次序一章章的读；为充分了解起见，还是颠乱了次序，把相关各章（如论“王政”的各章、阐明“民为贵”的各章）作一次读，来得有益。

孟子的出处，《史记·孟子荀卿列传》记载得很略；生卒也不详。后来经许多人考证，其说互有异同。大概他先事齐宣王，后见梁惠王、梁襄王，又事齐宣王；年寿很高，在八十岁以上，卒于距今二千二百三十年前后。他那时代是所谓战国之世。我国古代，从春秋到汉初，是社会组织的大改变时期。在春秋以前，社会上显分两个阶级，一是贵族，一是庶人。贵族之中又有层层阶级，都握有政治权与经济权，而且世代相袭；庶人只是贵族的奴仆，平时替贵族服种种劳役，战时便替贵族打仗拼命。这在当时人的意念中，认为当然之事，故而大家相安过去。可是到了春秋之世，贵族阶级开始崩坏了。其时诸侯上僭于天子，卿大夫上僭于诸侯，陪臣也上僭于卿大夫；贵族阶级不能各自守其阶级的制限，本身就大乱起来。同时庶人崛起而为大地主、大商人，他们有了经济上的势力，也便有政治上的势力，足以威胁贵族。这是个全新的局面，以前不曾有过。有心人遇到了，自然要精思深虑，求得一个有条理的理论，以为自己及他人应付这新局面的标准。

所谓诸子书，就是这样来的；诸子都是处在新局面中的有心人。社会组织的大改变，到汉代而渐渐停止，对于由自然趋势产生出来的新制度，大家又能相安；于是诸子也就没有了。以上说明我国古代特别有“诸子争鸣”这个现象的原因。再说处在新局面中的有心人，孔子是最早的一个；他却是拥护旧制度的。冯友兰《中国哲学史》里说：“在一社会之旧制度日即崩坏之过程中，自然有倾向于守旧之人，目睹世风不古，人心日下，遂起而为旧制度之拥护者，孔子即此等人也。不过在旧制度未摇动之时，只其为旧之一点，便足以起人尊敬之心；若其既已动摇，则拥护之者，欲得时君世主及一般人之信从，则必说出其所以拥护之之理由，与旧制度以理论上的根据。此种工作，孔子已发其端，后来儒家者流继之。”“为旧制度之拥护者”，“与旧制度以理论上的根据”，这两语说明了孔子的精神，也就是儒家的精神；现在读《孟子》书，应当特别记住。孟子距离孔子一百多年，其时思想界情形，与孔子时候有所不同。在孔子时候，还没有其他有势力的学派与孔子对抗；及到孟子时候，思想派别已极复杂。他唯恐“孔子之道不著”（《滕文公下》“外人皆称夫子好辩章”），所以对于他派的学说，尽力攻击；除他自己明说的“距杨墨”（同在前章）以外，又驳斥“为神农之言者许行”（《滕文公上》“许行章”）、崇拜公孙衍、张仪的景春（《滕文公下》“公孙衍、张仪章”）、讥讽他的淳于髡（《离娄上》“男女授受不亲章”、《告子下》“先名实者为人也章”）、主张薄税自夸有水利经验的白圭（《告子下》“吾欲二十而取一章”、“丹之治水也愈于禹章”）等人的主张或议论；对于法家、名家、阴阳家、兵家等，也都有反对的论调（“省刑罚”——《梁惠王上》“晋国天下莫强焉章”——抵拒法家言，“生之谓性也，犹白之谓白与?”——《告子上》“生之谓性章”——抵拒名家言，“天时不如地利”——《公孙丑下》“天时不如地利章”——抵拒阴阳家言、抵拒兵家言的篇章尤其多，这里不列举了)。《孟子》书几乎是一部辩论集，这是孟子所处的时代使然。而他辩论的一贯精神，只是拥护旧制度，“与旧制度以理论上的根据”。

孟子以为旧时的政治经济制度都是要得的，他把它称为“仁政”或“王政”或“王道”；而当世的各国纷争，民生困苦，全由于诸侯不能行那种“仁政”，一般“游事诸侯”发言立说的人不懂得那种“仁政”。在事实上，旧时的政治经济制度只是自然趋势的产物，不一定含有什么道理；可是，他要把它作为当世的标准，自当说出道理来。这种道理是他想象出来的，推论出来的，不尽是旧制度的本真；用现在的说法，是他个人的“心得”，而不是“客观的叙说”；他讲尧舜禅让（《万章上》“尧以天下与舜有诸章”)，井田制度（《滕文公上》“滕文公问为国章”)，以及解释故事，称引《诗》《书》，无不如此。“仁政”为什么要得？因为王者“以德行仁”（《公孙丑上》“以力假仁者霸章”)，一切施为都为民众着想，顾到民众的全部利益。民众为什么这样怠慢不得？因为“民为贵”（《尽心下》“民为贵章”)。他用这些道理来解释旧制度，这些道理其实是他的新理论。在孔子并不看轻霸者，对于齐桓公与管仲，曾经深表赞美（《论语·宪问篇》)；孟子却不惜说得歪曲一点，“仲尼之徒，无道桓文之事者”（《梁惠王上》

“齐桓晋文之事章”)，而把政治分为“王”“霸”两种，贵王而贱霸。在孔子主张正名，只说“君君，臣臣，父父，子子”(《论语·颜渊篇》)，处什么地位的人各尽他应尽的本分；孟子却更进一步，说“贼仁者谓之贼，贼义者谓之残，残贼之人，谓之一夫；闻诛一夫纣矣，未闻弑君也”(《梁惠王下》“汤放桀章”)：不尽君的本分的人简直不是君，不妨诛灭他。从他“民为贵”与“仁政”为民的观点，自不得不达到这样的结论。孔子自称“述而不作”(《论语·述而篇》)，孟子师法孔子，也是述而不作；其实他们并非不作，并非没有自己的新见解；只是以述为作，在称说古制、传述旧闻的当儿，就将自己的新见解参和其中而表达出来。孔子把《春秋》的“书法”归纳为“正名”两字，孟子把旧时的政治经济制度描写成为民的“仁政”；从他们依据旧材料之点来说，那是“述”，从他们将旧材料理论化之点来说，便是“作”了。儒家给与后代的影响，在其“述”的方面小，在其“作”的方面大；换句话说，古制与旧闻的本身，对后代并没多大影响，其影响后代极大的，乃是儒家对古制与旧闻所加的理论。自从孟子把政治分为“王”“霸”两种，直到如今，谈政治的人的心目中常常存在着这种区别，无论国体是什么，政体是什么，总觉得“王道”是值得仰慕的，“霸道”是不足齿数的：可见孟子理论影响后代的大了。

“仁政”为什么必须施行？又为什么能够施行？这是孟子所必须说明的。他主张“仁政”，目的原在遏制当世的纷乱，解除民生的困苦；用现在的说法，他抱着一腔救世的热诚。若不说明这两点，怎能得到人家的信从？若不能得到人家的信从，又怎能达到他的目的？他说明这两点，把根据完全放在人的心理方面。他说：“人皆有不忍人之心。先王有不忍人之心，斯有不忍人之政矣。以不忍人之心，行不忍人之政，治天下可运之掌上。”（《公孙丑上》“人皆有不忍人之心章”）“人皆有不忍人之心”，社会纷乱，民生困苦，是“不忍人之心”所难堪的；所以“仁政”必须施行。这种心是人人皆有的，只要根据了这种心，发挥出来便是“不忍人之政”，便是“仁政”；所以“仁政”能够施行——非但能够施行，而且容易得很，一定办到，“可运之掌上”。他因齐宣王不忍见一条牛“觳觫而就死地”，（《梁惠王上》“齐桓晋文之事章”）便断定他可以“保民而王”，意思就是如此。这可以说，他要说明他的政治见解才有他的心理见解，也可以说，他根据他的心理见解才有他的政治见解；总之，他的政治见解与心理见解是一贯的。在心理见解方面，他发挥得更为深广。因“人皆有不忍人之心”，自然见得人性都善。从性善之说推行开来，便构成了他关于修养方面以及崇高人格的一套理论。

孟子说：“所以谓人皆有不忍人之心者，今人乍见孺子将入于井，皆有怵惕恻隐之心，非所以内交于孺子之父母也，非所以要誉于乡党朋友也，非恶其声而然也。”（《公孙丑上》“人皆有不忍人之心章”）怵惕恻隐之心就是现在所谓同情心，并非所为，而自然流露。以下接着说：“由是观之，无恻隐之心，非人也。无羞恶之心，非人也。无辞让之心，非人也。无是非之心，非人也。”对于羞恶、辞让、是非之心，没有如对于恻隐之心那样举出例证；

但他的意思，必以为这三种心也是并无所为，而自然流露，看“由是观之”一语便可推知。他说过“人之所以异以禽兽者几希”（《离娄下》“人之所以异于禽兽者几希章”），恻隐、羞恶、辞让、是非之心便是那“几希”的部分，所以说没有这四种心就不是人。以下接着说：“恻隐之心，仁之端也。羞恶之心，义之端也。辞让之心，礼之端也。是非之心，智之端也。人之有是四端也，犹其有四体也。”这“端”字可以比做萌芽，植物有萌芽，乃是自然机能，只须营养得宜，不加摧残，自会发荣滋长；人的“四端”正与相同，像四体一样，“我固有之也”（《告子上》“告子曰性无善无不善也章”），只须扩而充之，不为“自贼”，自会完成具有仁义礼智四德的崇高的人格。人人皆有“四端”，是孟子性善之说的根据。但事实上确有不善的人；这由于他们不能扩而充之，不把“四端”积极发展的缘故。所以他说：“求则得之，舍则失之，或相倍蓰而无算者，不得尽其才者也。”（同在前章）“才”就是现在所谓本质，指人人有善性而言；一般人不能发展他们的本质，“舍则失之”，便流于恶；善与恶之间，才有倍蓰乃至计算不清的距离。因此，光是有这“四端”，而任其自然，是不行的；人要合于所以为人的道理，而不致同于禽兽，必须“尽其才”，扩充这“四端”。这是孟子对于修养的根本观点。修养到了极致，当然是崇高的人格；可是，依他的说法，“圣人与我同类者”（《告子上》“富岁子弟多赖章”）；“尧舜与人同耳”（《离娄下》“王使人瞰天子章”），圣人具有崇高的人格，尧舜是他心目中的标准圣人，却说得这么平常，毫不希奇，见得圣人也不过是扩充到了家，无论什么人原都可以扩充到家的。

以上所说，大部分根据冯友兰《中国哲学史》，为篇幅所限，只能扼要提出；诸同学要知道得详细，可以参看原书。但读《孟子》一书，有了上述的一些概念也就够了。孟子的政治见解与心理见解是一贯的，无非从人性本善的观点出发；记住了这一层，读他的二百几十章便能左右逢源，而不至于迷离惝恍，不明白他何所为而云然。不过，刚着手读过三遍，只能知道孟子思想的大概而已，绝不能说已读通了《孟子》；往后每多读一回，必将多一分了解，多一层领会，其了解与领会的增多且将永无止境。这不但读《孟子》书如此，读古典或具有永久价值的文学作品，大都如此。因为这些东西不比数学的定理或化学的方程式，除非不懂，要懂就完全懂；这些东西是要用生活经验去对付的，生活经验愈丰富，愈能够咀嚼其中的意味；一个人的生活经验没有止境，所以一部古典或文学作品，可以终身阅读而随时有心得。《孟子》书是宋代以来势力很广遍的一部古典，几乎成为知识分子的常识课本，诸同学现在读它只是个开端，将来自当随时读它。抱着拘泥的态度读它当然流为迂腐（如相信今世必须有仁者出来王天下才行），但抱着融通的态度读它却是真实的受用（如相信人必须合于所以为人的道理）。

《孟子》七篇，据今本共三万五千二百二十六字，诸同学要以两个月的课外略读时间完全仔细读过，事实上恐怕办不到。那只好取尤其重要的来读，如与当时诸侯人士论仁政的以及发挥性善之说的若干章。读的时候，须认定两个目标：一是知道孟子思想的大概；一是借此养成阅读虽古而并不艰深的文言的能力。知道某人的思想，当然不就是信从某人的思想；但知道得既已真切，把自己的生活经验来印证，又觉此时此地仍还适合的时候，便不妨信从。古典之中，《孟子》的文字较易通晓，议论的发展，语调的呼应，都与现在人相近；超旷飘逸的文字如《庄子》，简奥费解的文字如《墨经》，尽可以让具有哲学兴趣的文学者与考据者去研究，一般人不一定要阅读；而如《孟子》那样的文字，却是受教育的人所必须通晓的，若还不能通晓，就可以说不懂文言，吃亏自不必说。——以上是对于两个目标的说明。

前面说过把相关的各章作一次读的话。所谓相关的各章，就是各章同属于某一个题目的意思。题目由读者的观点而定；对于《孟子》的二百几十章，可取的观点无数，所以题目也无数，各章的组合方式也无数。现在只能举一个例子来说。孟子对于修养，根本见解在扩充“四端”，其扩充的条目怎样呢？这便是一个观点，一个题目。假如择定了这个题目，至少得把以下各章排比起来读。《公孙丑上》“人皆有不忍人之心章”说明人皆有“四端”，《告子上》“告子曰性无善无不善也章”也说明人皆有“四端”；前章以“苟能充之，足以保四海，苟不充之，不足以事父母”作结，仅说及能否扩充的后果；后章却有“弗思耳矣”与“求则得之，舍则失之”的话，见得那些不能扩充的人，其病在于“弗思”。能思便能扩充，《告子上》“公都子问曰章”即说明此意。那章里说：“耳目之官不思而蔽于物，物交物，则引之而已矣。心之官则思，思则得之，不思则不得也。”人有与禽兽同具的“耳目之官”，又特别有禽兽所不具的能思的“心之官”；“心之官”当其职而能思，“耳目之官”就不为外物所蔽，善端自能尽量扩充了。因此，讲求扩充，从消极方面说，必须寡欲，必须求放心。前一层意思见《尽心下》“养心莫善于寡欲章”，后一层意思见《告子上》“仁人心也章”。从积极方面说，必须慎于择术，存心为仁；这可看《公孙丑上》“矢人岂不仁于函人哉章”。必须把“有所不忍”“有所不为”的心推广开来，遍及于“所忍”、“所为”；这可看《尽心下》“人皆有所不忍章”。必须在伦常之间实践，使善端自然扩充，各方面都无欠缺；这可看《离娄上》“仁之实事亲是也章”。必须在实践上辨别人的“所欲”、“所恶”到底是什么，抱持着“舍生而取义”的精神；这可看《告子上》“鱼我所欲也章”。而《万章下》“一乡之善士章”所说的“尚友”古人，《公孙丑上》“子路人告之以有过则喜章”所说的“与人为善”，也是讲求扩充的人应有的事儿。在扩充的过程中，要在“自得”，才可以“取之左右逢其原”；这可看《离娄下》“君子深造之以道章”。又要在继续不间断，才可以积久而成熟；这可看《尽心下》“孟子谓高子曰章”。扩充而不得所欲，譬如我爱人而人不爱我，我敬人而人不敬我，那不必怨人，只当向自己方面加功，“反求诸己”；《公孙丑上》“矢人岂不仁于函人哉章”，《离娄上》“爱人不亲反其仁章”。《离娄下》“君子所以异于人者章”，都说到这层意思。“反身而诚”，如《离娄上》“居下位而不获于上章”所说，“至诚而不动者，未之有也”。到得这个地步，便如《滕文公下》“公孙衍张仪岂不诚大丈夫哉章”与《尽心上》“孟子谓宋勾践曰章”所说，无论“达”或“穷”，“得志”或“不得志”，总之无往而不善；又如《尽心上》“万物皆备于我矣章”所说，人生的“乐莫大焉”。——与前面所举的题目有关的，除了这里所指出的各章，当然还有；这里只是个简约的组合罢了。这样把若干章贯穿起来读，比较单读一章易于了悟，且也富有趣味。贯穿起来必须有一条线索，那线索便是读者的理解力；理解若不透彻，贯穿起来就将流于穿凿，那非但不能增进了悟，反而把自己搅糊涂了。因此，读的时候该分两个步骤：每章仔细体会，理解它的要旨，是前一个步骤；然后把相关各章贯穿起来，看出它们彼此照应，互相发明之点，是后一个步骤。古典原不妨阅读一辈子；现在阅读《孟子》，取两个步骤，实在不是徒劳无益之举。

前面说过，《孟子》书是铺排的记言体，其中更有设寓的记言。所谓铺排，就是说得畅达详尽；唯恐对方不感动，不了解，不相信，故用畅达详尽来取胜。这在较长的各章都可以看出。其所用方法，一种是逐层疏解。如《梁惠王上》“孟子见梁惠王章”的“万乘之国弑其君者”、“不夺不餍”若干语，只是上文“上下交征利而国危矣”的意思，不过说得更明白一点。又如《告子下》“五霸者三王之罪人也章”开首提出“五霸者，三王之罪人也；今之诸侯，五霸之罪人也；今之大夫，今之诸侯之罪人也”三个判断，以下便逐一说明，说明完毕而文字也完毕。又如《滕文公上》“有为神农之言者许行章”说，“或劳心，或劳力，劳心者治人，劳力者治于人”，便接上“当尧之时……”一段，这不过是“岂无所用心哉？亦不用于耕耳”的实例，为上文“劳心者治人”的解释；以下说了陈相倍他的师，便接上“昔者孔子没……”一段，这不过说倍师是要不得的，借以衬托出陈相的荒唐。第二种方法是不惮反复——说了正面，再说反面，说了反面，又回到正面。如《梁惠王下》“庄暴见孟子章”曰论乐，“今王鼓乐于此……”，“今王田猎于此……”，先从“不与民同乐”的方面说，接着反过来，“今王鼓乐于此……”，“今王田猎于此……”，又从“与民同乐”的方面说。又如《公孙丑上》“仁则荣章”先提出“仁则荣，不仁则辱”的原则，以下“今恶辱而居不仁”与原则不相应，是反面；“如恶之，莫如……”才与原则相应，是正面；可是“今国家闲暇……”，又说到反面去了。第三种方法是多用排语。如《梁惠王上》“齐桓晋文之事章”的“为肥甘不足于口与？轻暖不足与体与？抑为采色不足视于目与？声音不足闻于耳与？便嬖不足使令于前与？”列举种种嗜欲。又如《梁惠王下》“所谓故国者章”从“左右皆曰贤”到“然后杀之”，语作三排，其意无非说任贤诛罪，一切得从民意。又如《公孙丑上》“人皆有不忍人之心章”从“无恻隐之心，非人也”到“无是非之心，非人也”，从“恻隐之心，仁之端也”到“是非之心，智之端也”；书中说及仁义礼智的地方，往往作排语，不可尽举。第四种方法是插入譬喻——用具体的事例来显明抽象的理论。如《梁惠王上》“齐桓晋文之事章”的“缘木而求鱼”，《梁惠王下》“为巨室章”的“教玉人雕琢玉”，《公孙丑上》“仁则荣章”的“恶湿而居下”，《滕文公上》“滕定公薨章”的“君子之德，风也，小人之德，草也”，都是单纯的譬喻。又如《梁惠王上》“寡人之于国也章”以战喻为政同篇，“齐桓晋文之事章”以力举百钧、明察秋毫喻仁心足以王天下，《公孙丑下》“孟子之平陆章”以受人之牛羊喻牧民，《滕文公下》“戴盈之曰章”以攘鸡喻关市之征，都用譬喻来启发对方，使对方自然领悟，不得不首肯作者所持的理论。第五种方法是重言申明。如《梁惠王上》“王曰叟章”的答语，开头说“何必曰利?”结尾又说“何必曰利?”《滕文公下》“外人皆称夫子好辩章”的答语，开头说“予岂好辩哉？予不得已也”，结尾又说“予岂好辩哉？予不得已也”。——应用以上五种方法，文字自然见得畅达详尽，与日常谈话差不多了。现在一个善于谈话的人的言辞，或一个善于演说的人的讲辞，听者觉得畅达详尽；如果留意一下，便知道多少与这里所说的五种方法有关。至于所谓设寓，与上面所举譬喻例子两类之中的后一类相近；但并不明白表示说的是譬喻，仿佛那故事真有其事似的；这便是寓言。《公孙丑上》“夫子加齐之卿相章”的宋人揠苗，《离娄下》“齐人有一妻一妾章”的齐人乞墦，都是例子。说了宋人揠苗的故事，以下便说“助长”无益而有害，说了齐人乞墦的故事，以下便说求富贵利达而不以其道的可羞，这样把设寓的意思点明，是寓言的原始形式。

《孟子》文字倾向于铺排，而其书是记言体，可见孟子当时的说话本来就那么铺排。这是时代的影响。那时候游说之风大盛，游士立谈可以取卿相，全靠辩论的技术，畅达详尽，说得人动听。孟子虽自视甚高，不屑将自己排在游士的队伍里；可是他要

“正人心，息邪说，距诐行，放淫辞”（《滕文公下》“外人皆称夫子好辩章”），就不得不与游士一样，利用辩论的技术，一利用，自然走入铺排一路了。他说：“予岂好辩哉？予不得已也。”可见他自己也承认，他的说辞与游士的辩是相仿的；不过游士的辩为的富贵利达，他的辩为的“不得已”，是二者的分别。大概辩论不会十分浑厚，多少要露点儿锋芒。朱熹《孟子集注》卷首的《孟子序说》里记着程子的话说：“孟子有些英气，才有英气，便有圭角；英气甚害事。如颜子便浑厚不同。”这是在修养的造诣上所下的批评。现在不比较二人修养的造诣，单说《孟子》的文字，其英气是极易感觉到的。英气何从而来？就在于孟子好辩，具有游士的舌锋。

就学习语文的观点说，畅达详尽的具有英气的文字，与简约浑厚的文字，虽不能说二者有优劣之判，入手却有难易之不同，读了见效，也有迟速的分别。这就是说，前一类文字，阅读比较容易；要增进语文方面的素养，也以阅读前一类文字比较方便。现在读《孟子》，如果不是敷衍塞责地读，而是认认真真地读，其效果至少可以使思路开展，言辞顺适，没有枯窘、梗阻的毛病。尤其因为《孟子》文字与现在人说话相近，如果翻译为白话，大都与口头的白话差得不远，所以易于得到上述的效果。最好能够熟读，不去强记，而自然背诵得出。通体熟读也许不容易办到；选定其中较长的若干章，把它熟读，却是必要的。

《孟子》文字虽说与现在人说话相近，却也有些字句是后来文言中所不常用的。如“愿比死者一洒之”（《梁惠王上》“晋国天下莫强焉章”）的“比”字，作“为”字“代”字解；“君为来见也”（《梁惠王下》“鲁平公将出章”）的“为”字，作“将”字解；“夫子加齐之卿相”（《公孙丑上》“夫子加齐之卿相章”）的“加”字，作“居”字解；这些都不可滑过，致文义含糊；若细看注释，体会语意，自也不致含糊。又如“则苗浡然兴之矣”（《梁惠王上》“孟子见梁襄王章”）的“之”字，不作代名词用而与助词“焉”字相当；“吾不惴焉”（《公孙丑上》“夫子加齐之卿相章”）的“焉”字，不作表决定的助词用而与表反诘的助词“乎”字相当；“舍皆取诸其宫中而用之”（《滕文公上》“有为神农之言者许行章”）的“舍”字，作“止”作“不肯”解都很牵强，而作“任何”作“什么”解，同于现在的“啥”字（见《责善》半月刊第一卷第十一期李行之《孟子书中之方俗语》），便非常顺适；这些也须仔细揣摩，才能得其神情。又如“苗则槁矣”（《公孙丑上》“夫子加齐之卿相章”），用现在的话说，就是“苗可枯了”或“苗却枯了”；“木若以美然”（《公孙丑下》“孟子自齐葬于鲁章”），用现在的话说，就是“棺木仿佛太好了一点似的”；“人之有道也”（《滕文公上》“有为神农之言者许行章”）同于“人之为道也”，用现在的话说，就是“人的情形是这样的”；这样用贴切的今语来理解，便见得较生的句式都是生动有致的了。

杨树达《高等国文法》的总论里说：“从孔子到孟子的二百年中间，文法的变迁已就很明显了。孔子称他弟子为‘尔，汝’，孟子便称‘子’了。孔子时代用‘斯’，孟子时代便不用了。阳货称孔子用‘尔’，子夏曾子相称亦用‘尔，汝’，孟子要人‘充无受尔汝之实’（《尽心下》‘人皆有所不忍章’），可见那时的‘尔，汝’已变成轻贱的称呼了。”这是读《孟子》书注意到文法方面的例子。又如称名，《论语》中无论他称自称，往往于单名之下加个助词“也”字，以表提示，“回也”，“赐也”，“由也”，“雍也”，不一而足；《孟子》中却极为少见，仅有“求也为季氏宰”（《离娄上》“求也为季氏宰章”），“轲也请无问其详”（《告子下》“宋牼将之楚章”）等几处。在对话里，自称名字的有“克告于君”（《梁惠王下》“鲁平公将出章”），“丑见王之敬子也”（《公孙丑下》“孟子将朝王章”），“此非距心之所得为也”（同篇“孟子之平陆章”），“前日虞闻诸夫子曰”（同篇“充虞路问曰章”），“丹之治水也愈于禹”（《告子下》“丹之治水也愈于禹章”）等例子；可是称呼对手，便用代名词“子”字而不直呼其名。这可以看出语气与称谓的变迁。又如“然”字“如”字同样可以用作形容词副词的语尾，但《论语》以用“如”字为多，《孟子》以用“然”字为多。《论语》中这种用法的“如”字，最多见于《乡党篇》，他如“翕如也，……纯如也，皦如也，绎如也”（《八佾篇》），“申申如也，夭夭如也”（《述而篇》），“誾誾如也，……行行如也……侃侃如也”（《先进篇》）都是。用“然”字的，只有“斐然成章”（《公冶长篇》），“颜渊喟然叹曰”（《子罕篇》），“硁硁然小人哉”（《子路篇》）等少数几处。《孟子》中这种用法的“然”字，如“填然鼓之”（《梁惠王上》“寡人之于国也章”），“天油然作云，沛然下雨，则苗浡然兴之矣”（同篇“孟子见梁襄王章"),"举欣欣然有喜色而相告曰"(《梁惠王下》"庄暴见孟子曰章"),"岂不绰绰然有余裕哉"(《公孙丑下》"孟子谓蚳鼃曰章"),"予然后浩然有归志","悻悻然见于其面"(同篇"孟子去齐尹士语人曰章"),"使民盻盻然终岁勤动"(《滕文公上》"滕文公问为国章"),"何为纷纷然与百工交易"(同篇"有为神农之言者许行章"),"夷子怃然为间曰"(同篇"墨者夷之章"),"如其自视欿然"(《尽心上》"附之以韩魏之家章")都是。用"如"字的,只有"则皇皇如也"(《滕文公下》"周霄问曰章"),"欢虞如也,……皞皞如也"(《尽心上》"霸者之民章")等少数几处。两书用这两个字,规律实相一致,就是:在语中用"然",在语末用"如",又加上个助词"也"字。但从多用少用上,也就可以看出孟子时代的语言习惯与孔子时代不尽相同了。以上不过略发其凡。诸同学如能自定观点,将《孟子》书作文法方面的研究,是很有意思的事儿;而且可研究处不会嫌少的。

顾炎武《日知录》(卷十九)里说:"'时子因陈子而以告孟子,陈子以时子之言告孟子',(《公孙丑下》'孟子致为臣而归章')此不须重见而意已明。'齐人有一妻一妾而处室者,其良人出,则必餍酒肉而后反。其妻问所与饮食者,则尽富贵也。其妻告其妾曰:"良人出,则必餍酒肉而后反。问其所与饮食者,尽富贵也。而未尝有显者来。吾将瞷良人之所之也。"'(《离娄下》'齐人有一妻一妾章')。'有馈生鱼于郑子产,子产使校人畜之池。校人烹之,反命曰:'始舍之,圉圉焉;少则洋洋焉,攸然而逝。'子产曰:'得其所哉!得其所哉!'校人出,曰:'孰谓子产智！予既烹而食之，曰：“得其所哉！得其所哉！”’（《万章上》‘诗云娶妻如之何章’）此必须重叠而情事乃尽。此《孟子》文章之妙。”这是读《孟子》书注意到文字技巧方面的例子。又如“杀人以梃与刃，有以异乎？……以刃与政，有以异乎？”（《梁惠王上》“寡人愿安承教章”）“王之臣有托其妻子于其友，而之楚游者，比其反也，则冻馁其妻子，则如之何？……士师不能治士，则如之何？……四境之内不治，则如之何？”（《梁惠王下》“王之臣章”）都是从远引起，渐入题旨，对方感愧而无所逃遁。又如“伊尹以割烹要汤章”（《万章上》）描写伊尹对于出处的心理，“伯夷目不视恶色章”（《万章下》）描写伯夷、伊尹、柳下惠、孔子四人各不相同的品格，都有抓住要点，传神阿堵的好处。诸同学如能按此类推，也将会有不少的心得。

1941年3月24日作

《爱的教育》指导大概

本书初版，在一九二六年发行。过了十多年，又经译者修改过一遍，把一些带有翻译调子的语句改得近乎通常的口语，其他选词造句方面也有修润，这便是修正本。所以本篇的引述和引用原文，都依据着这个修正本。

本书命名的来历，看卷首《译者序言》便能明白。原作者亚米契斯的生平，可看卷首“作者传略”。这是作者作品中间销行最广的一部书；在意大利儿童读物中间，也算是最普遍的。意大利为什么会产生这样一部书？意大利人又为什么欢迎这样一部书？都和意大利当时的社会情形、政治情形有关系。 关于意大利当时的社会情形，政治情形，现在先约略谈一谈，使诸位同学对本书的立意可以多一点了解。本书中有少数几节是关涉到意大利的历史的，也必须略知意大利的情形，读下去才不至于茫无头绪。

欧洲各国打败了法国的拿破仑（一八一五年）之后，三十多年间，奥地利的势力最为强盛，由首相梅特涅掌握大权，在国际间占着主人翁的地位。当时各国因受美国独立（一七七六年）和法国革命（一七八九年）的影响，民权思想已很普遍；一班新党对于在梅特涅领导下的社会、政治制度很不满意，都想起来革命。且说意大利，其时绝对没有政治上的统一，各邦的君主都依附着奥地利，把旧时的种种苛政恢复过来。这使爱国志士非常痛心，便有许多秘密团体组织起来，从事革命运动。"烧炭党"是其中最有名而且最有力量的一个。但因奥地利派遣军队到来，革命运动暂时被镇压下去了。这是一八二〇年到一八二一年间的事。到了一八四八年，奥地利民众起来革命，把梅特涅赶走。意大利人闻风响应，强迫撒地尼亚王查理阿尔伯特出任反抗奥地利的领袖，想把奥地利的势力完全驱逐出境；但战争失败了，不得已与奥地利订立停战条约，把军队退出业已取还的隆巴尔地。下一年春天，意大利各地的民权运动盛极一时，撒地尼亚的民主党人主张重振旗鼓，用武力驱逐奥地利人，这次运动不久又失败了。于是查理阿尔伯特让位于他的儿子维多利亚·爱马努爱列二世。爱马努爱列二世得到三个人的帮助，终于在一八六一年成立了统一的意大利王国。那三个人便是加富尔、马志尼和加里波的。

加富尔是现代欧洲史上一个伟大的政治家，向来反对专制政体，羡慕英国的国会制度。他长于解决实际问题，不肯但凭理想。自从任了首相以后，极得爱马努爱列二世的信任，他便专心致志于发展国内的富源，提倡教育的普及，改良军队的组织。因此之故，撒地尼亚不久就成为一个富强而且开明的国家，一方面足以驱逐奥地利人，另一方面足以吸引国内其他各邦的倾慕。内政上既有相当成效，又从事外交上的工作，联络英法两国。结果得到法国拿破仑三世的援助，在一八五九年，意法两国联军把奥地利人打得大败。

马志尼是意大利当时革命党人中间最有名的一个。他原是文学家，曾经加入烧炭党。后来看见烧炭党人大都口是心非，大不满意，便另行组织一个“少年意大利党”。这个党的潜势力非常之大，使国内人才在精神上集合拢来。他们和当时各国的革命党人一样，不但抱持民权主义，且也抱持民族主义；以爱国、爱民族为高于忠君的美德，以全国民众大团结为非实现不可的目标；他们要建设一个统一的民族的国家。爱马努爱列二世和加富尔所以能够成功，实在得力于马志尼所领导的少年意大利党人为多。

加里波的是个军事天才。他早年就从事革命工作，屡次失败，逃往国外，常常往来于南北美洲。一八五九年，撒地尼亚和奥地利战争，他才回国加入军队服务。下一年，意大利中部各地并入撒地尼亚王国；南部的西西里人也起来背叛西班牙方面的波旁族的统治势力。加里波的便乘机统率他的红衣志愿军一千人，由热那亚南下援助，不到三个月的工夫，就把西西里岛征服。于是再渡海登陆，把那不勒斯王赶走。由西西里王国的人民公决把本国领土并入撒地尼亚王国。其年十一月间，加里波的和爱马努爱列二世并辔进那不勒斯城，沿路人民欢声雷动。

一八六一年二月，意大利统一后的国会，在首都丘林开第一次会议，议决以意大利国王的尊号上给爱马努爱列二世，现代的意大利王国于是正式成立。自从对奥战争到这时候，仅有两年的短时间，一般都认为现代世界史上少见的伟绩。到了一八六六年，普鲁士奥地利两国战争；意大利得到普鲁士的援助，乘机向奥地利收回威尼西亚地方。一八七〇年，法国拿破仑三世因屡次败于普鲁士，把驻防罗马城的法国兵士召回；意大利又乘机进占罗马城。于是意大利半岛完全统一，首都也从丘林迁到了罗马。

诸位同学手头如果有世界地图，最好翻出来，看一看意大利的形势。

从前面所说的意大利建国略史，可以知道作者所处的是怎样一个时代。本书中充满着爱国、爱民族的情绪，对于教育，对于军事，都极端推崇，几乎到了虔敬的地步，这正是所谓时代精神的表现，何况如《作者传略》里所引“近代意大利文学”的话，他“自称为马志尼的弟子，他的信仰，他的癖性，都属于马志尼派”。本书初版于何年，不得而知。但据第四卷“维多尼亚·爱马努爱列王的大葬”一节，可知本书是从一八八一年十月记起，到一八八二年七月为止（爱马努爱列二世死于一八七八年，这一节里说“四年前今日”国王大葬，可证其年是一八八二年）。假定本书的撰作就在这年（其年作者三十七岁），这以后正是意大利人从奋斗中得到满足，意兴非常发皇的一段时期，说到爱国、爱民族，主张教师神圣、军人神圣，谁又不衷心激动，五体投地？这便是本书所以受普遍欢迎的缘由了。

本书算是一个小学生在校一学年，共十个月的日记。那个小学生名叫安利柯；父亲亚尔培脱勃谛尼，是个技师。日记并不每天都记；最多的是二月，记了十三节；最少的是七月，只有四节，十个月共一百节。除了最后一个月（七月），九个月中都有一篇

《每月例话》，是教师讲给学生听的关于高尚少年的故事，由学生笔记下来的。《每月例话》用的旁叙法；就是说，作者但作客观的叙述，自己并不在文中露脸。《每月例话》以外各节，如通常日记一样，用的自叙法；就是说，所叙思想感情都是属于安利柯的，所闻所见都是通过安利柯的耳目的。后一节和前一节，往往互相联系，使读者不觉得突兀。如第一节《始业日》叙述换了个新先生，结尾说“学校也不如以前的有趣味了”；第二节《我们的先生》便用“从今天起，现在的先生也可爱起来了”开头，描写新先生的性态，记载新先生的谈话，便是一例。

这一学年的日记不专记学校生活，也有校外的种种事故，个人的，家庭的，乃至社会的，总之以安利柯为线索。除安利柯是主人公以外，属于家庭的，有安利柯的父亲、母亲和姊姊，属于学校的，有男教师、女教师和同学，都在书中担任重要角色。对于父亲、母亲和姊姊，并不特别提叙，只在涉及他们的处所，描写他们的性格和姿态。对于男教师，第一卷的《我们的先生》和第二卷的《校长先生》两节是提叙；全校八位男教师都讲到了，而特别详于安利柯那一级的教师和校长先生。对于女教师，第一卷的《我的女先生》、第二卷的《弟弟的女先生》和第三卷的《女教师》三节是提叙。对于同学，第一卷的《同窗朋友》一节是提叙；一级中间共有五十五个学生，而这一节只叙了十五个，以后提到的就是这十五个（还有一个在第一卷《灾难》一节叙及的因救人而受伤的洛佩谛）。以上所说提叙的几节都须仔细看，把各人的大概情形记住，看下去才不至于搅不清楚。书中在提叙的时候，不一定把其人名字点明，以后再行提到时名字方才出现；如《同窗朋友》一节里只说“有一个小孩绰号叫做‘小石匠’的”，那个小孩名叫安东尼阿拉勒柯，要看了第三卷《小石匠》一节才知道：这一层也须注意。

仔细看过提叙的几节，你是对于书中重要角色有个扼要的印象了；于是一节节读下去，可以看他们种种的活动。那种种的活动，犹如一把刻刀在你的心上一回又一回的刻着，使你对于他们的性格和姿态，印象越来越深。原来作者先想定了这么些人物，他们的性格和姿态，都宛然如在目前，然后下笔；所以能够前后一贯，在读者心上留下深刻的印象。在有些长篇小说里，人物的性态往往有转变，前后不尽一样；其所以转变的因素，在外的是环境，在内的是心理，环境和心理有移动，性态自也转变。本书的体裁虽是日记，实际也是一部长篇小说，人物的性态却是很少转变的；只有泼来可西的父亲，那个铁匠，先是虐待儿子，习惯不良，自从儿子得了奖赏（第五卷《赏牌授与》），他的脾气改好了，和以前竟如两人，是个显著的例外。这因为本书所叙，时间仅占十个月，不能算长，在这十个月中间，安利柯和一班同学所处的环境，无非平静的丘林地方的学校、家庭和社会，他们心理上虽不能说绝无移动，但还不至于使性态有显然的转变的缘故。知道了这一层，便可以明白本书和前面提及的有些长篇小说不同：那些小说描写人物的性态，打个譬喻说，是沿着一条线进展的；而本书却注重在性态的某几点，并不注重在进展。一个人的性态不容易一下子描写尽致，所以分开几处写；在不同的事件和场合上，把性态的某几点再三刻画，于是性态不是平面的而是立体的了。

本书为什么以技师的儿子安利柯为主人公？这有可以说的。像技师一类人物，在社会上属于所谓中层阶级，不如富贵之家那样占有特殊地位，也不如劳苦之家那样处处逊人一筹。从所受的教养和生活的经验上，他们最深切感到爱国、爱民族的必要（主张革命维新的人大多出于中层阶级）；其他公民道德方面，也是他们知道的多，实践的多。作者写作本书，根本意旨在教训小学生乃至一般人；其教训的内容是中层阶级的爱国、爱民族的思想，以及种种公民道德。这唯有用一个中层阶级的儿童作主人公，让他应付各事，就在叙述各事的时候，把教训传达出来，最为方便。还有许多在故事中没有传达得尽的教训，也可以借指导的口吻，径直的发挥一阵；所以本书各节，除了叙事而外，特别有“记言”一体，专记父亲、母亲和姊姊的教训。大凡教训人家，不宜摆起教训的架子来；说个故事，谈阵闲天，使人家自能悟出其中所含的教训，不但悟出而已，且能深深感动，这是最高妙的。径直的发挥一阵，是摆起教训的架子来了，效果要差一点。本书虽用记言体，而并不多（用占全书五分之一不到一点），其故在此。记言的各节都与故事密切关系，仿佛就是故事之中的一部分，靠这办法，直接教训的气味也就减轻不少。

《译者序言》里说：“书中叙述亲子之爱，师友之情，朋友之谊，乡国之感，社会之同情，都已近于理想的世界；虽是幻影，使人读了觉到理想世界的情味，以为世间要如此才好。”这差不多说本书的写法属于理想一派，并非写实一派。大概从教训的动机写下来的东西，不能没有“要如此才好”的意味，一有这个，自然入于理想一派。但本书叙述各人的思想行动，都切近人情，事实上未必尽有，而人情上可能有；描写人貌物态，又根据细密的观察和深入的体会；所以能像写实一派的作品一样，给人一种亲切之感。

阅读本书的时候，可就全书一百节顺次在题目上加个数目。这样，深究起来就方便多了。譬如，你把涉及卡隆各节的节数都记下来，第二回汇看那几节，就可以看出卡隆的性态的整个，以及作者用什么方法描写卡隆的性态。又如，你把涉及可莱谛、泼来西可、克洛西等家庭状况的各节的节数都记下来，第二回汇看那几节，就可以看出中层阶级的安利柯对那些家庭作何感想，以及作者所表现的家庭给予儿童的影响又怎样。又如，你把有关舍己助人的各节的节数都记下来，第二回汇看那几节，就可以看出作者心目中的义勇观念是怎样，又可以推求那种义勇观念的动机是什么。你要研究作者怎样描写人情，摹状物态，都可以用这样方法；那是说不尽的。记下节数的时候，如果顺便记下阅读当时的印象或意见，自然更好。把零星的印象或意见汇集拢来，你的深究就有了凭借，有了线索，绝不至于全不着拍了。

本书原名 Coure，这个意大利字是“心”的意思。“心”字的确可以统摄本书；书中人物不少，故事很多，人与人之间有各个不同的关系，但无非相感以“心”、相爱以“心”的具体例子。单说个“心”字还不免笼统；若说得精切些，作者在本书中所表现的乃是“善推的心”。什么叫做“推”？就是推己及人，推近及远。书中人物的见解和行动，差不多都从“推”字出发。如父亲给予安利柯的教训：勉励他勤学，从全世界的儿童如果停止了求学的活动，人类就将退回野蛮的状态着想（第一卷《学校》）；教他同情穷苦的人，以丐妇不得人帮助时的难过心情着想（第二卷《贫民》）；教他敬爱教师，以意大利五万小学教师，为国民的进步、发达而劳动着想（第三卷《感恩》）；给他说明爱国的理由，以国人的血统、祖墓、语言、文字、人物、环境都是属于意大利的，彼此构成个不可分的整体着想（第四卷《爱国》）；都是显著的例。又如，校长要鼓励学生向军队致谢，向军旗致敬，便说军队之中，意大利各处的人都有，意即说这便是意大利全国人的缩影，足见全国人都热烈的保卫国家；旗还是一八四四年当时的旗，为了国家，其下曾不知战死了多少的人（第二卷《兵士》）。安利柯看见曾为罪犯的人叫住了代洛西，问代洛西为什么爱护他的儿子（克洛西），其时代洛西脸红得像火一样，没有回答；安利柯便想象代洛西心中要说的话道：“我的爱他，因他不幸的缘故；又因为他父亲是不幸的人，是忠实地偿了罪的人，是有真心的人的缘故。”（第六卷《七十八号的犯人》）这些见解也从“推”字而来，与安利柯的父亲颇相一致。至于人物的行动，凡读过本书的人，该会注意到书中特多关于体贴人情的描写。体贴人情，就是“己所弗欲，勿施于人”；反过来，就是他人所愿欲的，务须努力使他满足；他人的满足，也就是自己的满足。若不是“善推”，就不会有那种行动。安利柯跟了母亲去布施贫民，发觉那人家的儿子是自己的同学（克洛西），轻轻地告诉了母亲；母亲叫他不要作声，说："如果他觉到自己的母亲受朋友的布施，多少难为情呢！"（第一卷《贫民窟》）"小石匠"访问安利柯，把衣上沾着的白粉沾在椅背上，安利柯想用手去拍，被父亲按住了手；过了一会，父亲却偷偷地把它拭去了；事后父亲说明道："在朋友前面如果扑了，那就无异于骂他说：'你为什么把这弄龌龊了？'"（第三卷《"小石匠"》）代洛西去探访害着重病的"小石匠"，把新近得到的挂在胸前的赏牌取下，放入袋里，同去的安利柯问他为什么，他说："我自己也不知道，总觉得还是不挂的好。"（第六卷《病床中的"小石匠"》）卡隆新遭母丧；那一天放学的时候，安利柯看见母亲来了，就跑过去想求抚抱，母亲却把他推开；他起初莫名其妙，及见卡隆的悲哀孤独的神情，才悟出了母亲推开他的缘故。（第七卷《卡隆的母亲》）这些例子，都是属于"己所弗欲，勿施于人"一类的。可莱谛当安利柯往访的时候，忙着用锯截柴，说要在父亲回家以前把柴锯完，使父亲看了欢喜。（第二卷《朋友可莱谛》）卡洛斐掷雪球，误伤了一个老人的眼睛，他去探访那老人，把自己费尽心血、搜集而成的邮票帖送给他，作为礼物；后来那老人把邮票帖送还卡洛斐，并且加粘了三张瓜地玛拉的邮票，那是卡洛斐搜求了三个月还没有得到的。（第三卷《坚忍心》）泼来可西来到安利柯家里，在安利柯的玩具中间，很像特别中意那小火车；安利柯心想把小火车赠他，父亲也示意于安利柯，要他赠他；于是泼来可西带了那小火车回去。（第五卷《玩具的火车》）安利柯和姊姊闻知家里要没有钱了，大家愿意牺牲，特地向母亲说明，先前答应他们购买的扇子和颜料盒都不要了，可是第二天早晨就餐的时候，安利柯的食巾下面藏着新买的颜料盒，姊姊的食巾下面藏着新买的扇子。（第八卷《牺牲》）这些例子，都是属于“以他人的满足为满足”一类的。以上不过随便举出，使诸位同学对于所谓“善推的心”有个明晰的观念。这种例子多得很，不能也不必尽举。本书作者把这种“善推的心”赋予书中的人物，编成许多故事，以传达他的教训。爱父母，爱教师，爱朋友，爱军人，爱劳动者，爱穷苦的人，爱残废的人，爱死了的人，爱学校，爱社会，爱国家民族，伦理方面的许多项目差不多都提到了。因为一切的爱都出于“推”，“推”的根本就是感觉和情绪方面的事儿，所以本书对于一切现象，多从感觉和情绪方面发挥，很少用剖析之笔。有一类小说用了剖析之笔写故事，在故事的背后，往往隐伏着关于人生、社会的问题，待读者自己去解答。本书并不属于那一类；它注重在引起读者的感觉和情绪，以“善推的心”感染读者。

试举一个例子，克洛西父亲的故事，见于第五卷《囚犯》和第六卷《七十八号的犯人》两节。那人是个细木工，因为主人虐待他，发起火来，把刨子掷过去，误中了主人的头部，主人丧命，于是犯了罪。他被禁在监狱中六年，才得释放出来。若用剖析之笔，他被虐待当时的愤怒心情，以及在监狱中六年心情上的变动，多少要刻画一点儿。但本书并不刻画，对于他的犯罪，只说“与其说他是恶人，毋宁说是个不幸者”；对于监狱生活给予他的影响，只说“学问进步，性情也因以变好，已觉悟自己的罪过，自己很痛悔”；都是寻常的述说。而于一个墨水瓶的赠予，却费了许多笔墨，成为《囚犯》一节的中心。原来作者意在借此一事，引起读者感恩的情绪和同情于罪犯的情绪。那人的性情，以前是否完全不好？到出狱时候知道感恩，是否由于监狱把他改好了？这些是作者不想去剖析的。作者又写代洛西发觉了克洛西的父亲是罪犯，就要安利柯务守秘密，不要让克洛西知道；及安利柯和代洛西看见了那父亲，两人和克洛西告别，都把手托在颐下，又写道："克洛西的父亲虽亲切地看着我们，脸上却呈露出若干不安和疑惑的影子来。我们觉得好像胸口正在浇着冷水"；后来又遇见了，那父亲问代洛西为什么那样爱护他的儿子，代洛西没有回答，安利柯解释其故道："大约见了曾杀过人、住过六年监牢的犯人，心里不免恐惧了罢"；最后，"克洛西的父亲于是走近去，想用腕勾住代洛西的项颈，但终于不敢这样，只是把手指插入那金黄色的头发里抚摸了一会。又眼泪汪汪地对着代洛西，将自己的手放在口上接吻，其意好像在说，这接吻是给你的。"这些都是告诉读者一种感觉，普通人和罪犯之间，心理上总存着一条界限：一方面虽具有十二分同情，但"心里不免恐惧"；另一方面，虽"已觉悟自己的罪过"，但不敢去勾住同情他的人的项颈。这条界限何从而来？是不是在感觉上可以切除？也是作者不想去剖析的。

从感觉和情绪方面发挥，可以说是本书的根本手法。父亲、母亲的直接教训如此；安利柯记他的经历见闻如此；插进去的九节《每月例话》也如此。如写卡隆的正直：如果有人说他说谎，"他立刻火冒起来，眼睛发红，一拳打下来，可以击破椅子"。写女先生的辛苦：既已费尽心力对付学生，"学生的母亲们还要来诉说不平：什么‘先生，我儿子的钢笔头为什么不见了?’什么‘我的儿子一些都不进步，究竟为什么?’什么‘我的儿子成绩那样的好，为什么得不到赏牌?’什么‘我们配罗的裤子被钉戳破了，你为什么不把那钉去了?’”写校长终于不愿放弃教育事业：当他要辞职踌躇未决的时候，忽有一个人领了孩子来请许转学，校长把那个孩子的脸和桌上的亡儿的照片比较打量了好久，说了一声“可以的”，随后就把预备好的辞职书撕了。写父亲的体贴人情：当安利柯想拍去“小石匠”沾在椅背上的白粉的时候，“不知为了什么，忽然父亲抑住我的手。过了一会，父亲自己却偷偷拭净了”。写代洛西的熟悉地理：他闭了眼睛讲给朋友听道：“我现在眼前好像看见全意大利。那里有亚配那英山脉突出爱盎尼安海中，河水在这里那里流着，有白色的都会，有湾，有青的内海，有绿色的群岛。”写斯带地的镇静：当他打胜了欺侮他妹子的勿兰谛之后，检点书包里的书册笔记簿，用衣袖拂过，又数一数钢笔的数目，放好了，“然后像平常一样向妹子说：‘快回去吧!’我还有一门算术没有演出哩!’”以上所举，都就感觉着笔，使读者如闻其声，如见其态。

又如教师请学生各给他一颗真心，说：“我现在并不要你们用口来答应我，我确已知道你们已在心里答应我，‘愿意’了。”教师给全班学生介绍格拉勃利亚的小孩，说格拉勃利亚是名所，是名人的出生地，是产生强健的劳动者和勇敢的军人的地方，又是风景之区。泼来可西明明是常被父亲打的，当同学劝他告诉校长，请校长替他向父亲劝说的时候，他却“跳立起来，红着脸，抖索着，发怒地说：‘没有的事，父亲是不打我的。’”勿兰谛因不守校规，被斥退了；他的母亲跑到学校里，哭着向教师恳求道：“我为了这孩子，不知受了多少苦楚！如果先生知道，必能怜悯我吧。对不起！我怕不能久活了，先生！死是早已预备了的，但总想见到这孩子改好以后才死。”街上抬过受伤的劳动者，勿兰谛挤在人群中间看；一个绅士怒目向着勿兰谛，用手杖把他帽子掠落在地上，说：“除去帽子！蠢货！因劳动而负伤的人正在通过哩！”以上所举，都就情绪着笔，是情绪的喷吐；多少有些压迫的力量，使读者不得不被它感动。

本书中有好些节，叙写兼注于感觉和情绪两方面，对某一题旨造成一种空气，把读者包围在那空气中间。现在举两节为例。一是第六卷《赏品授与式》一节。其中写授与赏品的会场，写参与该会的各色人物，写七百个小孩的合唱，写代表意大利全国十二区的少年登台受赏，写乐队的奏乐，写满场观众的喝彩和抛掷花朵，都是从感觉方面把一个规模盛大、精神奋发的集会烘托出来，使读者的“耳目之官”仿佛亲自接受到那些感觉。接受赏品的少年是十二个，是代表意大利全国十二个区的，这在读者已经知道了；而在十二个少年上了台，一列排立的时候，忽然场中有人叫喊：“请看意大利的气象！”虽只是一句话，其中蕴蓄着多少爱国的情绪啊！读者读到这一句，想到国家的前途系于少年，想到全国各区少年齐集在一起所含的象征意义，更想到其他，他虽不是意大利人，对于他自己的国家，必将深深地爱着了。给赏之后，判事演说；演说辞不全记，只记末了几句：“但是，你们在要离开这里以前，对于为你们费了非常劳力的人们，应该致谢！有许多人为你们尽了全心力，为你们而生存，为你们而死亡。这许多人现在那里，你们看！”这几句话蕴蓄着多少敬师的情绪啊！读者读到这里，对于通常认为卑卑不足道的小学教师，必将另有个看法；他们是关系国家前途的少年们的教导者，他们是神圣。“请看意大利的气象”那句话虽只由一个人叫喊出来，教师的几句话虽只是判事个人的演说，但从会场的热烈情形上，很可以想见他们二人实在吐出了全场的心声。若没有热烈情形的描写，他们二人的话是无法安插的，写了下来也是没有效果的。唯其兼注于感觉情绪两方面，如上所说，其结果乃造成一种空气，表达出爱国的题旨（敬师也为的爱国）。又一例是第八卷《诗》一节。那是父亲的教训，题旨是学校生活的情味好像诗。篇中列举从教室里传出来的教师讲话的片段；又从静的瞬间写，说“静得像这座大屋中没有一个人一样”，更从动的瞬间写，说“小孩们从教室门口水也似地向大门泻出”；又随举学生家属见着他们的孩子时问话的片段：这些是人人经验过的对于学校的感觉。把这些综合起来，加上想象，于是教师的热情教育，家属的殷勤期望，那一批孩子当前的生意蓬勃，将来的未可限量，都宛然如在目前。想象到这些，爱学校的情绪自然引起来了；学校不仅是许多孩子与若干教师聚集的场所，而是一首充溢着生命的诗，其精神的美，永远值得歌咏赞叹。——这一节就文字上看固然专从感觉方面着笔，但所写感觉都有唤起情绪的作用，所以也是感觉和情绪双方兼注。

本书中九节《每月例话》 是插入的故事。其中《少年爱国者》、《少年侦探》、《少年鼓手》三节，题旨都是爱国。后两节没有什么，读了《少年爱国者》那一节，却该知道一点：那种爱国未免偏于感情，即此为止，也还没有弊病；若顺此发展开来，以为本国的一切都是好的，不容他国人批评的，那就要不得了。那节故事很简单：一个穷苦的意大利少年在海轮中，受了三个外国人周济他的钱，那三个外国人喝醉了，批评意大利种种的不好，甚至于说意大利人是强盗。当"强盗"两字刚说出口的时候，那少年把得来的钱丢到他们身上，怒叫道："拿回去！我不要那说我国坏话的人的东西。"故事就此完了。那末了的动作与话语，就是通常读小说的所谓"顶点"；人家侮辱我的同国人，我动怒而加以呵斥，确是人情之常；若再加上一些叙说，表明听取他国人的批评，不能纯凭感情，有时很要理智，那自然同于蛇足。但纯凭感情的爱国，往往流于狂妄，从唯我最好进到唯我独尊，势必至于蔑视他国，排斥他国。现代世界的纷扰不安，未尝不是此种爱国心在那里作祟。唯有知道己国的可爱在哪里，忠心诚意地爱着；又知道己国的缺失在哪里，与同国人共同努力，弥补此缺失，直到绝无缺失为止；那才是现代公民应持的态度。而那种态度是不凭理智不会有的。

此外《洛马格那的血》、《少年受勋章》、《难船》三节，题旨都是舍己救人。舍己救人的动机，从一方面说，是由于人己一体的观念。既认定人己一体，他人将要遇到的灾害，就如自己的灾害一样，若不竭力抵御，不是对不起他人，简直是对不起自己：这样想时，自然表现出舍己救人的行动来。从另一方面说，由于灾害宁归于我的观念。——这种观念的反面，便是乐利宁归于人；许多圣贤豪杰的存心，实在也不外于此。——既见灾害到来，猜测其结果，必将有人受难，与其让人受难，不如由我来受：这样想时，自然也表现出舍己救人的行动来。以上两种观念原是相通的，不过前者着眼于己的方面较多，后者着眼于人的方面较多罢了。三节故事中的主人公都抱着舍己救人的精神，显然的，作者意欲教训读者，使读者实践这种人类社会间的美德，至少也得理解这种美德。

《洛马格那的血》一节，故事是这样的：一个深夜里，洛马格那街附近的一所屋子里，弗鲁乔和他的外祖母（书中作祖母，但据“我是你母亲的母亲”一语，应该是外祖母）两个人留着，父亲母亲都有事出去了。弗鲁乔是个欢喜赌钱常常和人打架的孩子，这时刚才回来；外祖母询知他又干了恶事，便一面哭着一面用温和的言辞劝诫他。可是他生性刚强，听了外祖母的话，只是默不作声，并没有认错的表示。这使外祖母更痛伤了；于是说到她自己的将死，说到他幼小的时候怎样的柔顺，但愿他能够回复到那时的柔顺。弗鲁乔感动了，心中充满了悲哀，正想把身子投到外祖母的怀里去，两个强盗进来了。当其中一个的面罩偶尔落下来的时候，外祖母认出是一个熟人，叫出他的名字。那强盗便“擎起短刀扑近前去；老妇人立时吓倒了，弗鲁乔见这光景，悲叫起来，一面跳上前去用自己的身体覆在祖母的身上。强盗碰了一下桌子逃走了，灯被碰翻，也就熄灭了。”在黑暗之中，弗鲁乔才说出强盗未来以前的心中言语，请求外祖母饶恕他；外祖母说她已经饶恕他了。于是弗鲁乔再也不作声，原来他代替了外祖母，背部被强盗的短刀戳穿，他死了。这故事无非说弗鲁乔的恶行只是一时的过错，骨子里却如书中所说，有着“壮美的灵魂”。严格说起来，故事并不能算写得好；前半节的外祖母责备弗鲁乔和后半节的弗鲁乔被杀，有些勉强牵合拢来似的。弗鲁乔和外祖母没有一点仇恨（当时也不过不肯认错而已，怨恨外祖母的心是没有的），却有十多年来依依膝下的情意，看见强盗擎起短刀向外祖母扑去，当然会不假思索跳上前去保护；先前的责备不责备，与此并没有多大关系。而一篇理想的完美的小说，犹如一个有机体，是不容许有没有多大关系的部分存在的。其所以有前半节文字，还是由于作者的一贯的作风，可使弗鲁乔在将死的时候，与外祖母作一番关于饶恕过错的对话，借以激动读者的感情。

《少年受勋章》一节，和前面提及的《赏品授予式》一节一样，描写一个盛大的会场，以唤起读者的感觉和情绪。故事是简单不过的，那作为篇中主人公的少年在河中救起了一个将要淹死的孩子，因而市长以意大利国王的名义，授予他勋章。他的行为的高尚，在市长的演说词中有所说明。“勇敢在大人已是难能可贵的美德，至于在没有名利之念的小孩，在体力怯弱，无论做什么都非有十分热心不可的小孩，在并无何等的义务责任，就使不做什么，只要能了解人们所说的，不忘人的恩惠，已足受人爱的小孩，勇敢的行为真是神圣之至的了。”这么长的一句话，无非说那少年救人是“无所为而为”。“无所为而为”比较起“有所为而为”来，结果纵使相同，价值可高得多了。这一节只是一篇记叙文字，不能算是一篇类似小说的东西；因为小说常常写人和事相遇时，心理上行动上的发展过程，其过程或简或繁都可以，但不能绝对没有，而这一节里却绝对没有。《难船》一节就不同了。故事也很简单：少年马利阿和少女寇列泰同乘一条海船，遇到了风浪，船沉没了；逃命的舢板只剩一个位置，马利阿很慷慨地把它让给了寇列泰。在开头，先叙两人相遇，彼此拿出食品来，一同吃着。次叙两人关于身世的问答：马利阿的父亲近在客中逝世，他回去预备依靠亲戚；寇列泰的离家原想承受叔母的遗产，可是没有如愿，现在是回到父母那里去。次叙风浪来了，马利阿被震倒，头部撞出了血，寇列泰照料他，把自己的头巾替他包在头上。然后叙到作为“顶点”的马利阿让寇列泰逃生的一幕。前面的那些叙写，都与末后马利阿的英勇行为有照应，因为同食同谈，彼此之间就有了情感；因为身世不同，马利阿就觉得寇列泰比起他自己来，是更不容死的；因为有过替包头部创伤的事儿，马利阿又觉得对于这样一个好同伴，是非让她活命不可的。关于这些，只要读时稍稍留心，很容易看出来。看出了这些，便会感到马利阿抱起寇列泰，把她掷给舢板上的水手，这个行动非常的自然，为什么非常的自然？就在于切合心理，近于人性。

《每月例话》的另外三节——《少年笔耕》、《爸爸的看护者》、《六千里寻母》，题旨就是对于父母的爱。其中《爸爸的看护者》一节，那主人公少年西西洛在医院中看护的实在不是他的父亲，而是个不相识的老人。他父亲离家已一年，回到国土就得病，西西洛接了信跑去看他，可巧医院中人给他指错了一个人；

那病人的容貌原来全不像他父亲，但病了变了样子是可能的，那病人又病得很重，不能开口；因此他就认为真是他父亲，留在医院里看护他了。到了第五天，他自己的父亲病愈出院了，无意中彼此遇见，西西洛才知认错了人。但当他父亲叫他一同回去的时候，他却说不能丢弃那当作爸爸看护了他五天的孤身病人，他愿意再留在这里。于是像以前一样，又看护了两天，直到那病人死去。他在离开病房的当儿，“那五日来叫惯了的称呼，不觉脱口而出：‘再会！爸爸！’”这篇故事带着喜剧情味（关键在于误会），而意义非常严肃。对于错认为父亲而看护他的病人，即使在弄明白之后，情感还是深挚，这并非奇迹，正是人情。若是前五天尽心竭力的看护，到发觉了错误之后，便把那病人看得如不相干的人一样，头也不回地离开了他，他才不近人情了。

《少年笔耕》是少年叙利亚因年老的父亲佣书养家，心上过不去，便每夜起来私自代替父亲缮写的故事。父亲以为自己的工作成绩增多，觉得高兴；可是看了叙利亚疲惫的神态，不能努力用功（他每夜起来写字太困乏了），又深深的烦恼，严厉的责备着他。在叙利亚，屡次想向父亲说明原由，但是给帮助父亲的念头战胜了，终于不曾出口。在父亲，见儿子总是不肯改好，愤怒愈甚，竟至说出了“我早已不管他了”的话。这样的发展是很自然的。叙利亚既已存了私自帮助父亲的意念，唯有一直帮助下去最是正道，假若说破了，父亲便将不让他深夜里起来，那就无法再帮了；并且，父亲正为了自己的工作成绩增多而高兴，若让他明白了所以然，他那高兴便将转而为懊恼了；所以想说而终于不说。再说父亲，因为经常收入不够家用，至于另做工作来补贴，他的心情一定是非常郁闷的；若是一家人能够体谅他，大家努力奋勉，那还足以自慰；而眼前偏有一个不肯用功只想打瞌睡的叙利亚；他或许还这样想，目前收入增多，若没有别的烦心的事，生活也还不算错，而叙利亚的事偏来烦他的心，使他不得舒快，所以他对于叙利亚越来越恨，几乎不当他做儿子。发展到了这地步，于是达到故事的“顶点”：在叙利亚下了决心，想不再起来的那一夜，由于“习惯的力”，他又起来缮写了。不一会，父亲闪进室中来了，看见了叙利亚的作为，便恍然于从前的一切。在互说“原恕我”的声音中，父子两个的爱情如火一般燃烧起来，两个灵魂融和在一块了。——这故事组织完美，有动人的力量。

《六千哩寻母》是少年玛尔可到美洲去寻访断了消息的母亲的故事。他的母亲原在叫做爱列斯的地方，他到爱列斯，探知母亲跟了主人家到可特淮去了。寻到可特淮，又知迁到杜克曼去了。寻到杜克曼，又知迁到赛拉地罗去了。在赛拉地罗才见到他母亲。这样屡次转换目的地，无非要使玛尔可多跋涉些路程，借此见出他的孝心；然而在故事的结构上，未免有重复呆板之嫌。当寻到赛拉地罗的时候，他母亲正患着重病（内脏起了致命的癌肿），一因家信阻梗，二因对于自己的身体没有信心，悲伤和畏怯使她拒绝医生手术的主张，她宁愿就此死去。但在闻知玛尔可老远跑来看她的当儿，她的希望勇气突然鼓起来了，她情愿受医生的手术了。于是她有救了，医生对玛尔可说：“救活你母亲的，就是你！”这里见出儿子是母亲的生命的光，为了儿子，母亲重又热爱着生命；反过来，也就见出儿子对于母亲的爱，是本于天性，莫知其然而然的——然而在故事的结构上，未免太凑巧了。此篇写美洲的景物，都从玛尔可（一个意大利少年）的眼光着笔，又掺入玛尔可的凄惶焦灼的心情，一切景物便带着奇幻的色彩。玛尔可所到之处，常常受着同国人的帮助，这虽说是常情，却也是作者极欲着力叙写的一个项目；从这个项目，很易激起读者的爱国心。

读这一本《爱的教育》，若是想"摘录佳句"的话，其中佳句可真不少。什么叫佳句呢？就是情味丰富，禁得起咀嚼，越咀嚼越觉得有意思的句子。如果读的时候不加咀嚼，只是逐字逐句的读下去，那就虽遇佳句，也辨认不出来。所以咀嚼工夫是不可少的。咀嚼不是凭空的冥想，须从揣摩故事的情景出发；在如此这般的情景中，看这么一句，或传出一种深至的心情，或表出一种生动的姿态，或显出一种鲜明的印象，那无疑的是佳句了。现在略举几个例子在此，待诸位同学自己去"反三"。

先生讲盲童学校的情形给学生听（第五卷《盲孩》），说到因病盲目的比较生来就盲目的痛苦更深，他举一个盲童的话道："就是一瞬间也好，让我眼睛再亮一亮，再看看我母亲的脸，我已记不清母亲的面貌了！"这是佳句，中间含着不知多少的哀酸。这盲童所希望的并不奢，只要一瞬间，一瞬间之后，再回入黑暗的世界，直到终身，他也情愿；但是这一瞬间事实上不会有了。事实上不会有而仍希望着，那心情的伤痛不言可知了。

“小石匠”的父亲进了夜学校（第六卷《夜学校》）。总爱坐在自己儿子的座位上（夜学校就设在小学校里），当他第一夜进学校，就和校长商量道：“校长先生！让我坐在我们‘兔子头’的位子里吧！”这是佳句，细细咀嚼时，可以辨出多种意味。他自己是早年失学，他的儿子却在学龄得入学校，比他幸福得多，这在他自是一种安慰，但安慰之中不免带着羡妒。现在他也得上学了，而且坐在儿子的座位了，他羡妒之心也就得到满足了。这是一。他入夜学校，自以为回返到幼年时代了。他要坐在儿子的位子上，就是要处在儿子的观点上感受一切，尝尝那儿子经历已惯而自己还没有经历到的趣味。这是二。他对校长称自己的儿子，不叫他的名字，不说“我的孩子”，而用平时叫惯的他的诨名“兔子头”。在这三个字上，透露着多少天真和喜爱孩子的心情啊！这是三。

诺琵斯性情傲慢，待同学没有和气，先生劝诫了他一番，问他还有什么要说的（第五卷《傲慢》）。“他只是冷淡地回答。‘不，没有什么。’”这是佳句，把傲慢者的神态和心情都表出来了。傲慢者不肯接受别人的意见，尤其不肯接受别人劝诫自己的意见；表现在外面，便是任别人说得如何详恳亲切，总是回答他一个冷淡。诺琵斯听了先生的话，心里果真没有什么话要说吗？不，他心里的话多着呢。他自以家庭地位比别的同学好，别的同学都不在他眼里，对于他们，他认为没有亲爱和气可言的。先生教他和大家要好，那无异教他辱没自己。但这些道理先生是不会明白的，对他说也徒然，所以负气地说“没有什么”就完了。读者把这些辨认出来，一个傲慢的诺琵斯就如在目前了。

安利柯去参观幼儿院（第七卷《幼儿院》），许多幼儿正进食堂就餐。就餐之前，按照习俗，须作祈祷。“祈祷的时候，头不许对着食物的，他们心为食物所系，总常拉转头来看后面，大家合着手，眼向着屋顶，心不在焉地述毕祈祷的话，才开始就食。”这是佳句，描绘出幼儿的天真神态。拉转头颈来看后面，该是看先生是不是在注意他们吧；如果先生不注意的话，也许回转头来对着将要到嘴的食物偷看一眼吧。行祈祷的仪式，若在大人，即使心里并没有宗教的信仰，也会假装出非常虔敬的神态的。而在幼儿，没有那种矜持的习惯，要他们祈祷。他们只能“眼向着屋顶”，只能“心不在焉”。试想，“眼向着屋顶”五个字，包含着多少无聊意味。他们对祈祷既是“心不在焉”，他们的心到哪里去了？不是说他们在这个时候，除了放在面前的食物，什么都不想了吗？

安利柯记《弟弟的女先生》（第二卷），说她“有时对于小孩，受不住气闹，不觉举起手来，终于用齿咬住了自己的指，把气忍住了。她发了怒以后，非常后悔，就去抱慰方才骂过的小孩。也曾把顽皮的小孩赶出教室过，赶出以后，自己却咽着泪”。安利柯记泼来可西得了赏牌，“大家都向他道贺：有的去抱他，有的用手去摸他的赏牌”。（第五卷《赏牌授予》）安利柯记春天到了的时候，“一吸着窗外来的新鲜空气，就闻得出泥土和木叶的气息，好像自己在乡间了”。（第七卷《春》）写巴拉那河岸的景色，说“港口泊着百艘光景的各国的船只，旗影乱落在波下”。（第八卷《六千里寻母》）这些都是佳句，给读者一个宛然自己感受到的印象。

诸位同学如果把以上所举为例，自己去推求，将发现许多的佳句，每句足供良久的欣赏。

1941 年 4 月 4 日作

《呐喊》指导大概

鲁迅先生所写的短篇小说，编成三本集子，一本叫做《呐喊》，一本叫做《彷徨》，又一本叫做《故事新编》。第三本是以神话、传说及史实为题材的——如嫦娥奔月，大禹治水；以现代社会生活为题材的，是前面两本。现在从两本中提出《呐喊》，供大家略读；一方面练习短篇小说的阅读，一方面约略窥见鲁迅先生的思想和艺术。《呐喊》起初由新潮社出版，后来北新书局发行；鲁迅先生去世后，鲁迅先生纪念委员会编纂《鲁迅全集》，便收在第一卷里。现在最容易买到的，是北新书局的本子。有些书局出版《鲁迅选集》、《鲁迅创作选》之类，虽不全收《呐喊》中的短篇小说，但重要的几篇总是有的。还有各家书局所出的国文教科书，往往采选《呐喊》中的短篇小说，统计起来，也有七八篇，所以即使不买整本的《呐喊》，还是可以各随方便，搜集拢来，看到《呐喊》的全貌。《呐喊》共收短篇小说十四篇，目次如下：《狂人日记》、《孔乙己》、《药》、《明天》、《一件小事》、《头发的故事》、《风波》、《故乡》、《阿Q正传》、《端午节》、《白光》、《兔和猫》、《鸭的喜剧》、《社戏》——那是按照写作时日的先后编排的；前面有《自序》一文，略述自己的经历、作小说的动机和集子命名的由来。

小说是什么东西？在我国，最早的说明当推《汉书·艺文志》："小说家者流，盖出于稗官，街谈巷语，道听途说者之所造也。"这是说，小说是琐屑的或不经的记载。后来人受这个观念的影响，把性质并不相类的一些著作，都包括在《小说》这个共名之下。明朝胡应麟的《少室山房笔丛》里，分小说为六类：（一）志怪，如《搜神记》、《述异记》之类；（二）传奇，如《赵飞燕外传》、《霍小玉传》之类；（三）杂录，如《世说新语》、《北梦琐言》之类；（四）丛谈，如《容斋随笔》、《梦溪笔谈》之类；（五）辩订，如《鼠璞》、《鸡肋》之类；（六）箴规，如《颜氏家训》、《世范》之类。清朝编《四库全书总目提要》，分小说为三派：（一）叙述杂事，如《西京杂记》、《世说新语》之类；（二）记录异闻，如《山海经》、《穆天子传》之类；（三）缀缉琐语，如《博物志》、《述异记》之类。这些所谓小说，和我们现在的"短篇小说"都不相干。

我国从前杂戏之中，有一种叫做"说话"，在庆祝及斋会的时候，供人娱乐；操这种职业的，称为"说话人"。据记载，南宋时的"说话"有四种家数：一是"小说"，二是"讲史"，其余两种，这里从略。"小说"的必要条件大约有三项：（一）须讲近世事；（二）须有"得胜头回"（"头回"是"冒头"的意思，"得胜"是吉语）；（三）须引证诗词。"讲史"是讲说前代书史文传兴废争战之事。"说话人"的"说话"，记录下来，称为"话本”。宋时“小说”的“话本”，现在可以见到的，有《京本通俗小说》。明末有一部《今古奇观》，至今还流传得很普遍，中间保存有宋代的旧话本，也有明人的拟话本（就是说，那不是“说话人”的“说话”，只是摹拟他们“说话”的体式而写作的）。“讲史”方面，有《大唐三藏取经诗话》、《大宋宣和遗事》等，都是宋代的拟话本，其篇幅比较长，故事比较复杂，是后来“章回小说”（如《水浒传》、《儒林外史》之类）的始祖。以上两类，向来都称为小说，但和我们现在的“短篇小说”也不相干。

现在所谓“短篇小说”，是从西方传来的。胡适先生有一篇文字，叫做《论短篇小说》；从其中摘录几节如下：

……西方的“短篇小说”，在文学上有一定的范围，有特别的性质，不是单靠篇幅不长便可称为“短篇小说”的。

我如今且下一个“短篇小说”的界说：短篇小说是用最经济的文学手段，描写事实中最精彩的一段，或一方面，而能使人充分满意的文章。这条界说中，有两个条件最宜特别注意。今且把两个条件分说如下：

（一）“事实中最精彩的一段或一方面”，譬如把大树的树身锯断，懂植物学的人看了树身的“横截面”，数了树的“年轮”，便可以知道这树的年纪。一人的生活，一国的历史，一个社会的变迁，都有一个“纵剖面”和无数“横截面”。纵面看去，须从头看到尾，才可看到全部。横面截开一段，若截在要紧的所在，便可把这个“横截面”代表这个人，或这一国，或这一个社会。这种可以代表全部的部分便是我所谓“最精彩”的部分。又譬如西洋照相术未发明之前，有一种“侧面剪影”，用纸剪下人的侧面，便可知道是某人（此种剪像，曾风行一时，今虽有照相术，尚有人为之）。这种可以代表全形的一面，便是我所谓“最精彩”的方面，若不是“最精彩”的所在，决不能用一段代表全体，决不能用一面代表全形。

（二）“最经济的文学手段”，形容“经济”两个字，最好是借用宋玉的话：“增之一分则太长，减之一分则太短；着粉则太白，施朱则太赤。”须要不可增减，不可涂饰，处处恰到好处，方可当“经济”二字。因此，凡可以拉长演作章回小说的短篇，不是真正“短篇小说”；凡叙事不能畅尽，写情不能饱满的短篇，也不是真正“短篇小说”。

能合我所下的界说的，便是理想上完全的“短篇小说”。世间所称“短篇小说”虽未能处处都与这界说相合，但是那些可传世不朽的“短篇小说”，决没有不具上文所说两个条件的。

这个短篇小说的界说很扼要，但还有需要补充说明的地方。从“描写事实中最精彩的一段”一语看来，好像短篇小说和历史著作、报纸记载一样，也是记录事实的；不过不记录全部，只描写其中最精彩的一段罢了。如果这样想，就错了。短篇小说固然有记录事实的，如《呐喊》中《一件小事》那一篇，说的是鲁迅先生自己坐人力车，那车夫撞倒了一个老女人，便不再拉车，却扶了那老女人一同到巡警分驻所去，这当然是事实；但大多数的短篇小说却出于虚构，并非事实；即使有事实作底子，也绝不是依样葫芦，照录其中最精彩的一段。世间实在不曾有过阿Q那个人，也不曾有人做过像《阿Q正传》所叙的那番事。同样情形，世间实在不曾有过《狂人日记》写的那个狂人；日记前面的序文里，虽有“今撮录一篇，以供医学研究”的话，好像鲁迅先生只做了“撮录”的工夫，其实那日记就是鲁迅先生虚构的。我们知道，用文字记录事实，是有实际上的需要，为的是把那事实告诉远方或将来的人。虚构一些小说，难道也有实际上的需要吗？小说家为什么要不惮烦劳的写他们的小说呢？原来小说家写小说，就广义说，也是有实际上的需要的；不过不像写记录事实的文章一样，单把事实告诉了人家就完事；他们提起笔来，最基本的欲望却在把他们之“所见”告诉人家。什么叫“所见”？就是从生活经验中得来的某种意思。那意思也许包含得很广博，也许只是很狭小的一点儿，都没有关系；可是必须有了它，小说家才动手写小说。——如果没有它，而硬要写小说，写下来的一定不是真正小说，只是或为实录或为虚构的叙事文而已。——就如鲁迅先生，从他生活经验中，见到人类有许多不甚高明的品性，如“精神上的胜利法”（就是被人欺侮了，却以见欺于小人或后辈自慰，这样想的时候，自己俨然是君子或前辈，感到胜利的愉快了）之类，他才把这许多品性赋与阿Q，写成《阿Q正传》。又从他的生活经验中，见到家庭制度和礼教对于人性的戕贼，他才借了狂人的口吻把它暴露出来，写成《狂人日记》。“所见”是抽象的意思，写成了小说，便是具体的故事，其中却含蓄着发挥着那抽象的意思；这是小说和叙事文的根本不同处。叙事文在事实本身而外，不需要作者的什么“所见”，作者只须把事实记录得明白得当，就算尽了责任了。凡是好的小说，其中所含蓄所发挥的必具有真实性；就是说：世间的确有这么一种情形或道理，一般人对它或是没有见到，或是见到了而并不深入透切，待小说家把它写成了小说，大家才恍然有悟，表示同感或相信。这样说起来，胡适先生所下界说中的“事实”两个字，若认为“实有其事”的事实，便与短篇小说的实际不尽符合；须认为“具有真实性”的情形或道理，那才适合于一般的真正短篇小说呢。

我们有了“所见”，也可以径直写出来。如鲁迅先生见到人类有许多不甚高明的品性，见到家庭制度和礼教对于人性的戕贼，未尝不可以一是一，二是二，列举例子，逐步论断，写成两篇文章。但那是议论文，不是短篇小说。小说家不把自己的“所见”写成议论文，却借故事来发挥，让它含蓄在故事里头；为的要使读者感动，得到深切的印象；也为的要使读者读了故事而见到小说的“所见”，仿佛是自己发现似的，不像读议论文那样显然处于被动地位。这里所说借故事来发挥，最关重要，故事的大纲和细节，都为那“所见”而存在，不充分，不行，太啰嗦，也不行，所以必须用“最经济的文学手段”来组织故事。按照讨论小说的用语，那“所见”便是题旨，那故事便是题材。把实有其事的事实作题材，对于题旨，往往有不充分或太啰嗦的缺憾；不如径自造个故事，凡足以发挥那题旨的，充分采入，与题旨没有关涉的，绝不滥取，来得称心得多，即使并不自造故事，而以事实作题材，也决不能像作叙事文一样，一律照实记录；事实上有这个节目，可是，这个节目与题旨无关，便不能不把它去掉；事实上没有那个节目，可是，从发挥题旨的观点看，那个节目非有不可，便不能不把它加进去。鲁迅先生有一篇《我怎么作起小说来》，讲他作小说的经验，中间说："所写的事迹，大抵有一点见过或听到过的缘由，但绝不全用这事实，只是采取一端，加以改造，或生发开去，到足以几乎完全发表我的意思为止。人物的模特儿也一样，没有专用过一个人，往往嘴在浙江，脸在北京，衣服在山西，是一个拼凑起来的脚色。"这个话是作小说不全依事实的实例。——以上所说，都关于组织故事，就是组织题材，明白了这一层，小说为什么常常出于虚构，或只从事实中"采取一端"，也就可以了然。原来唯有这样做，才是发挥题旨的"最经济的手段"，而那手段才够得上称为"文学手段"。

"最经济的文学手段"，总括地说，是把抽象的题旨化为具体的题材，按照讨论小说的用语，便是把题旨"形象化"，题旨是小说家从生活经验中得来的，说给人家听，虽也可以使人家了解；可是看不见，摸不着，不能使人家感动，得到深切的印象。必须把它装在一个题材里，成为某一件故事，故事之中有某一个或某几个人物在那里活动着，与实有其事的事实一般模样，于是它具有了形象，仿佛看得见摸得着似的；这才能使人家感动，得到深切的印象。故事不能不是某一件，人物不能不是某一个或某几个，否则就不成形象。形象要充分的活泼生动，有血有肉，形象后面要处处伏着抽象的题旨：这是认真的小说家所努力经营的。从形象受到了感动，得到了深切的印象，进一步去探索那伏在形象后面的东西：这是认真的小说读者应该努力从事的。张天翼先生作过一篇《论〈阿Q正传〉》，篇中“读书笔记一则”里的几节，对于“形象化”说得很透彻，现在摘录在这里：

阿Q之癞，说“儿子打老子”，不能反抗未庄“那伙鸟男女”而只欺侮小尼姑，以及痛恶“假洋鬼子”及其“哭丧棒”，等等，这的确是《阿Q正传》里的那个阿Q才有的花头。这些，只是属于这一个阿Q，……这些是特殊的东西。

但这些，只是使抽象阿Q具体化，使之形象化的一种手段。

……这是表现阿Q性本质的一种艺术手段。

换言之，那么这篇作品里关于阿Q的这些形象虽然是特殊的，是仅仅属于“这一个”阿Q，但它倒正是为了表现一般的阿Q性而有的。例如“癞”，用来表现忌讳毛病，“儿子打老子”是用来表现“精神胜利法”，而调笑小尼姑则用来表现欺软怕硬，以及排斥异端，诸如此类。

所以作品里所表现出来的典型人物，又有特殊性，又有许多现实阿Q的一般性。而后者则居于主要地位；这是那个典型人物的灵魂，是作者在这作品中所含的哲学，是这作品的内在精神。

但那些表现成“这一个”人物的诸形象，艺术家也决不把它忽略过去，要是忽略了这些，仅只写出一个不可感觉的灵魂，没有血肉，那么就不像一个人了，不能使我们得到一个印象，不能使我们当作真有这么一个阿Q似的那样感受了。

并且——要是忽略了这些形象，或是随意处置这些形象的话，那就连那个灵魂都不能充分表现出来，或是不能适如其可地表现出来。

这些形象——决不是随便安排的。

你看，关于阿Q的状貌，举动，谈吐等等，哪怕只要写一两笔，我们就知道阿Q的地位身份，并且由此而知道阿Q之为人。

就说“癞”吧，这也正是阿Q那样生活里才会有的毛病，……

……别的人，只要他也是在阿Q之得癞病的同样条件之下，也会变成一个癞头。当然，并不是一得了“癞”即成了阿Q。他跟阿Q仅仅只有这一点相同，就是他也没法讲卫生，也让细菌在他头上猖獗。此外他也许就跟阿Q没有相同之点了。他并不是阿Q。这样，他头上的“癞”——所起的作用也就不同了，不是可以拿来表现阿Q性之一的“忌讳毛病”的了。或者呢，他的“癞”，压根儿就不起什么作用。

这“癞”等等，如果在这个典型人物身上是不可能有的，或者即可能有而并不是可以用来表现这阿Q性的，或是压根儿没有作用的——那么这“癞”在此就不适当。那么作者就不会把它选进去，而会另外去选上别的一些更适当的东西来表现它。

这些形象是要经过选择的：要适当。形象也该有其典型性。

张先生的这几节文字只就《阿Q正传》而言；其实凡是好的小说，用的都是同样的手段。我们虽不一定要写作小说，可是我们要阅读小说，对于小说家所用的手段就不能不有一点知识；有了这种知识，我们才可以深入的了解每一篇好小说，也可以辨别哪些小说是好的，哪些小说却要不得。——没有什么题旨的，当然不成其为小说；虽有题旨而并不“具有其真实性”的，不是好小说；题旨虽不错而“形象化”不够充分的，也不是好小说。

胡先生文中既提明“西方的‘短篇小说’”（其实“西方”之上还得加上“近代”两字），以下却又讲“中国短篇小说的略史”，记《庄子》、《列子》中的一些“寓言”，陶潜的《桃花源记》、杜光庭的《虬髯客传》，都是很好的短篇小说，好像我国从前原也有短篇小说似的。我们要知道，那些文章只不过和近代西方的短篇小说偶尔相类而已，其作者决不是有意识的要写什么短篇小说。我国人有意识的写像胡先生给它下界说的那种短篇小说，并不上承“寓言”、《桃花源记》、《虬髯客传》的系统，而是受的西方文学的影响。鲁迅先生是其中最早的一个。在《我怎么做起小说来》里，他说到开始写《狂人日记》，以下接着说：“大约所仰仗的全在先前看过的百来篇外国作品和一点医学上的知识”，这便是他受西方文学影响的证据。还有，我国文学向来的方式，说到一个人，往往先叙他的籍贯、家世、经历等等，说到一件事，往往从头至尾，交代得清清楚楚；短篇小说不一定用哪些方式，却把作者所要说明的在故事的进展中和人物的动作、对话中表现出来，这在向来是很为少见的；像鲁迅先生的那篇《明天》，开头就是没头没脑的一句话："没有声音"——"小东西怎么了"？又像那篇《孔乙己》，描写孔乙己那个人物，全从酒店小伙计的观点出发，篇中的"我"便是酒店的小伙计：这些方式，更是向来所没有。短篇小说所以要运用这些方式，为的是"经济"，也是受的西方文学的影响。

鲁迅先生有《自叙传》（即《鲁迅自传》，见《集外集拾遗补编》）一篇，现在抄录于后：

> 我于一八八一年生于浙江省绍兴府城里的一家姓周的家里。父亲是读书的；母亲姓鲁，乡下人，她以自修得到能够看书的学力。听人说，在我幼小的时候，家里还有四五十亩水田，并不很愁生计。但到我十三岁时，我家忽而遭了一场很大变故，几乎什么也没有了；我寄住在一个亲戚家里，有时还被称为乞食者。我于是决心回家，而我底父亲又生了重病，约有三年多，死去了。我渐至于连极少的学费也无法可想；我底母亲便给我筹备了一点旅费，教我去寻无需学费的学校去，因为我总不肯学做幕友或商人，——这是我乡衰落了的读书人家子弟所常走的两条路。

其时我是十八岁，便旅行到南京，考入水师学堂了，分在机关科。大约过了半年，我又走了，改进矿路学堂去学开矿，毕业之后，即被派往日本去留学。但待到在东京的预备学校毕业，我已经决意要学医了。原因之一是因为我确知道了新的医学对于日本的维新有很大的助力。我于是进了仙台医学专门学校，学了两年。这时正值俄日战争，我偶然在电影上看见一个中国人因做侦探而被斩，因此又觉得在中国医好几个人也无用，还应该有较为广大的运动……先提倡新文艺。我便弃了学籍，再到东京，和几个朋友立了些小计划，但都陆续失败了。我又想往德国去，也失败了。终于，因为我底母亲和几个别的人很希望我有经济上的帮助，我便回到中国来；这时我是二十九岁。

我一回国，就在浙江杭州的两级师范学堂做化学和生理学教员，第二年就走出，到绍兴中学堂去做教务长，第三年又走出，没有地方可去，想在一个书店去做编译员，到底被拒绝了。但革命也就发生，绍兴光复后，我做了师范学校的校长。革命政府在南京成立，教育部长招我去做部员，移入北京，后来又兼做北京大学、师范大学、女子师范大学的国文系讲师。到一九二六年，有几个学者到段祺瑞政府去告密，说我不好，要捕拿我，我便因了朋友林语堂的帮助逃到厦门大学做教授，十二月走出，到广东做了中山大学的教授，四月辞职，九月出广东，一直住在上海。

我在留学时候，只在杂志上登过几篇不好的文章。初做小说是一九一八年，因了一个朋友钱玄同的劝告，做来登在《新青年》上的。这时候才用“鲁迅”的笔名，也常用别的名字做一点短论。现在汇印成书的有两本短篇小说集：《呐喊》，《彷徨》，一本论文，一本回忆记，一本散文诗，四本短评，别的除翻译不计外，印成的又有一本《中国小说史略》，和一本编定的《唐宋传奇集》。

鲁迅先生名树人，字豫才，《自叙传》中没有提及。此篇作于一九三〇年，以后他仍住在上海，从事著译。到一九三六年十月十九日病殁，年五十六岁。

关于他想提倡新文艺，在《〈呐喊〉自序》中说得比较详细，这和他以后的写作态度极有关系。《自序》中说：

……我便觉得医学并非一件紧要事，凡是愚弱的国民，即使体格如何健全，如何茁壮，也只能做毫无意义的示众的材料和看客，病死多少是不必以为不幸的。所以我们的第一要著，是在改变他们的精神，而善于改变精神的是，我那时以为当然要推文艺，于是想提倡文艺运动了。在东京的留学生很有学法政理化以至警察工业的，但没有人治文学和美术；可是在冷淡的空气中，也幸而寻到几个同志了，此外又邀集了必须的几个人，商量之后，第一步当然是出杂志，名目是取“新的生命”的意思，因为我们那时大抵带些复古的倾向，所以只谓之《新生》。

《新生》的出版之期接近了，但最先就隐去了若干担当文字的人，接着又逃走了资本，结果只剩下不名一钱的三个人。创始时候既已背时，失败时候当然无可告语，而其后却连这三个人也为各自的运命所驱策，不能在一处纵谈将来的好梦了，这就是我们的并未产生的《新生》的结局。

我感到未尝经验的无聊，是自此以后的事。我当初是不知其所以然的；后来想，凡有一人的主张，得了赞和，是促其前进的，得了反对，是促其奋斗的，独有叫喊于生人中，而生人并无反应，既非赞同，也无反对，如置身毫无边际的荒原，无可措手的了，这是怎样的悲哀呵，于是以我所感到者为寂寞。

这寂寞又一天一天的长大起来，如大毒蛇，缠住了我的灵魂了。

然而我虽然自有无端的悲哀，却也并不愤懑，因为这经验使我反省，看见自己了：就是我决不是一个振臂一呼应者云集的英雄。

“改变他们的精神”，是他当初想提倡文艺运动的因由，后来他做文章，就一贯的实做这句话，不但短篇小说如此，其他许多杂文也无不如此。关于这一层，以下还要说，现在且再摘录《〈呐喊〉自序》的话。序中说那年他住在北京一个会馆里抄古碑，一个老朋友跑来，问他抄这些是什么意思，他回答说：

“没有什么意思。”

“我想，你可以做点文章……”

我懂得他的意思了，他们正办《新青年》，然而那时仿佛不特没有人来赞同，并且也没有人来反对，我想，他们许是感到寂寞了，但是说：

“假如一间铁屋子，是绝无窗户而万难破毁的，里面有许多熟睡的人们，不久都要闷死了，然而是从昏睡入死灭，并不感到就死的悲哀。现在你大嚷起来，惊起了较为清醒的几个人，使这不幸的少数者来受无可挽救的临终的苦楚，你倒以为对得起他们么？”

“然而几个人既然起来，你不能说决没有毁坏这铁屋的希望。”

是的，我虽然自有我的确信，然而说到希望，却是不能抹杀的，因为希望是在于将来，决不能以我之必无的证明，来折服了他之所谓可有，于是我终于答应他也做文章了，这便是最初的一篇《狂人日记》。从此以后，便一发而不可收，每写些小说模样的文章，以敷衍朋友们的嘱托，积久就有了十余篇。

中间用铁屋子作比喻的一节，是热诚的先觉者失望以后的沉痛语。为什么失望？因为人家对他的主张，“既非赞同，也无反对”；又因为眼见了现代我国的许多史实。关于后者，在另外一篇《〈自选集〉自序》里说得很明白。

……见过辛亥革命，见过二次革命，见过袁世凯称帝，张勋复辟，看来看去，就看得怀疑起来，于是失望，颓唐得很了。……不过我却又怀疑于自己的失望，因为我所见过的人们，事件，是有限得很的，这想头，就给了我提笔的力量。

接着前面所抄的，《〈呐喊〉自序》还有以下的话：

在我自己，本以为现在是已经并非一个切迫而不能已于言的人了，但或者也还未能忘怀于当日自己的寂寞的悲哀吧，所以有时候仍不免呐喊几声，聊以慰藉那在寂寞里奔驰的猛士，使他不惮于前驱。至于我的喊声是勇猛或是悲哀，是可憎或是可笑，那倒是不暇顾及的；但既然是呐喊，则当然须听将令的了，所以我往往不恤用了曲笔，在《药》的瑜儿的坟上凭空添上一个花环（这一篇的副题旨是革命者的寂寞的悲哀，瑜儿因参加革命而被杀，连他的母亲也不能理解他，可是他的坟上却有一个不知是谁献与的花环，这暗示同情他理解他的未尝无其人），在《明天》里，也不叙单四嫂子竟没有做到看见儿子的梦（这一篇的题旨是母子之爱，寡居的单四嫂子把整个的心魂放在儿子宝儿身上，宝儿病了，求签许愿，请教地方上顶有名的医生，样样都做到，可是宝儿终于死掉，于是她什么希望也没有了，只希望在梦里见见她的宝儿），因为那时的主将是不主张消极的。至于自己，却也并不愿将自以为苦的寂寞，再来传染给也如我那年青时候似的正做着好梦的青年。

《呐喊》的名称，取义就是如此。在《〈自选集〉自序》里，也有类似的话；现在再抄在这里，以供参看：

……为什么提笔的呢？想起来，大半倒是为了对于热情者们的同感。这些战士，我想，虽在寂寞中，想头是不错的，也来喊几声助助威吧。首先，就是为此。自然，在这中间，也不免夹杂些将旧社会的病根暴露出来，催人留心，设法加以疗治的希望。但为达到这希望计，是必须与前驱者取同一的步调的，我于是删削些黑暗，装点些欢容，使作品比较的显出若干亮色，那就是后来结集起来的《呐喊》，一共有十四篇。

这些也可以说，是“遵命文学”。不过我所遵奉的，是那时革命的前驱者的命令，也是我自己所愿意遵奉的命令……

在《我怎么作起小说来》里，还有以下的几句话：

……当我留心文学的时候，情形和现在很不同：在中国，小说不算文学，做小说的也决不能称为文学家，所以并没有人想在这一条道路上出世。我也并没有要将小说抬进“文苑”里的意思，不过想利用他的力量，来改良社会。

自然，做起小说来，总不免自己有些主见的。例如，说到“为什么”做小说吧，我仍抱着十多年前的“启蒙主义”，以为必须是“为人生”，而且要改良这人生。我深恶先前的称小说为“闲书”，而且将“为艺术的艺术”，看作不过是“消闲”的新式的别号。所以我的取材，多采自病态社会的不幸的人们中，意思在揭出病苦，引起疗救的注意。

从上面抄录的一些话看来，可见鲁迅先生当时虽然失望，虽然感到寂寞的悲哀，可是热诚绝没有消散；所以一见前驱的猛士，便寄与同感，和他们作一伙儿。说“聊以慰藉”他们，说“喊几声助助威”，都是谦逊的话；在那时，他的寂寞至少减轻了若干分之一，而“改变他们的精神”的热诚重又燃烧起来了吧。为什么“不恤用了曲笔”？他自己说是听从“将令”，“那时的主将是不主张消极的”，所以他在作品里也保留着一点希望；但是他又说“不愿将自以为苦的寂寞，再来传染给……青年”，这不是他自己也愿意保留着一点希望吗？“删削些黑暗，装点些欢容，使作品比较的显出若干亮色，”这三语是“不恤用了曲笔”的注脚；为什么要如此？说是“与前驱者取同一的步调”。为什么“必须与前驱者取同一的步调”？说是这才可以达到“将旧社会的病根暴露出来，催人留心，设法加以疗治的希望”。斟酌周详，选取了最有效的道路走，这正是热诚的先觉者的苦心，而为的是前面悬得有希望。“改良社会”，“改良这人生”，“改变他们的精神”，话虽不同，意义也不尽一样，但指的都是那希望。“将旧社会的病根暴露出来，催人留心，设法加以疗治”；从“病态社会的不幸的人们中”取材，“揭出痛苦，引起疗救的注意”：在这些方面发挥他的“所见”，便是他取的达到那个希望的手段。以上单就《呐喊》一集而言，却可以推及其他作品；《呐喊》之外，他还有短篇小说，还有多量的杂文，取材不一定限于旧社会和不幸的人们，但揭露病根，促人注意疗治，是前后一致的；希望“改良社会”，“改良这人生”，“改变他们的精神”，也是前后一致的。从这里，便可以认识他的一贯的写作态度，一贯的战斗精神。

关于作小说的手段，《我怎么作起小说来》里很说到一些；这也该抄下来看看，因为别人的说明总不及作者自己说的来得亲切。作小说不全依事实的一节，前面已经抄过了，这里便略去了。

……我力避行文的唠叨，只要觉得够将意思传给别人了，就宁可什么陪衬拖带也没有。中国旧戏上，没有背景，新年卖给孩子看的花纸上，只有主要的几个人（但现在的花纸却多有背景了），我深信对于我的目的，这方法是适宜的，所以我不去描写风月，对话也决不说到一大篇。

我做完之后，总要看两遍，自己觉得拗口的，就增删几个字，一定要它读得顺口；没有相宜的白话，宁可引古语，希望总有人会懂，只有自己懂得或连自己也不懂的生造出来的字句，是不大用的……

忘记是谁说的了，总之是，要极省俭的画出一个人的特点，最好是画他的眼睛。我以为这话是极对的，倘若画了全副的头发，即使细得逼真，也毫无意思。我常在学学这一种方法，可惜学不好。

可省的处所，我决不硬添，做不出的时候，我也决不硬做……

这些话无非说，用最经济的文学手段，使题材充分的“形象化”；可以与前面谈短篇小说的部分相印证。

有一些人，他们相信某一事应该怎么做，或主张必须怎么做，可是做来并不如他们所相信、所主张的；这就是心手不相应，也称为眼高手低。原来相信或主张是知识方面的事儿，按照着实做是习行方面的事儿。从知识到习行，不是一步就跨得过去的，中间还有个努力历练的阶段；历练不够，两方面就不一致了。鲁迅先生的写作态度和手段，他自己说得很明白了，这些都属于知识方面；从他的作品看，又可知道他的历练非常充分，所以习行方面能够心手相应，眼光和手段一样，就行了。剖析作品的结果，才真窥见了他的思想和艺术——仅仅读他的《自序》一类文字，虽不能说无所窥见，但总之还隔着一层。

鲁迅先生说：“将旧社会的病根暴露出来，催人留心，设法加以疗治”；就暴露病根的观点看，《呐喊》一集是充分注意此点的。暴露得最深广的，自然是《狂人日记》和《阿Q正传》两篇。前一篇差不多包括全部的历史；所谓病根是人与人之间互相欺凌，互相压迫（依照狂人的说法便是“吃人”，以自私为当然，不肯拿出真心来与人相见。那大家所遵从的是传统的制度和教条(依照狂人的说法便是“古久先生的陈年流水簿子”)，认为“这是从来如此”，碰也碰不得的；谁如果碰了它，便是“疯子”，便是公众的仇敌。给狂人诊病的何先生说“不要乱想”；这句话很有意味。“不要乱想”便是不要怀疑传统的制度和教条；一个人必须和众人一样，以自私为当然，不拿出一点儿真心来，他才不是“疯子”。可是，人人如此，“真的人”、“不吃人的人”便不会出现了，“人人太平”的日子也不会到来了。这样的暴露，骤然看去，好像有点儿过分；但只要放开眼光，留心现实，便会见到家庭、社会乃至国家、民族之间，或为小事，或为大事，的确时时刻刻在那里起纠纷；真正“吃人”当然只是狂人的“狂”想头，而互相欺凌，互相压迫，却是今日极普遍的现象。那么，鲁迅先生所谓“旧社会”，岂仅指“以前的社会”（依照狂人的说法便是“四千年来”）而言；在大家还没有“从真心改起”，“去了这心思(指‘吃人’的心思)，放心做事走路吃饭睡觉”以前，那社会全是他所希望改良的“旧社会”了。《阿Q正传》所暴露的，差不多全是人性上的重要病根。如前面已经提到的“忌讳毛病”，“精神胜利法”，“欺软怕硬”等，表现在阿Q身上，虽不过是些可笑的言语和行动；但只要放开眼，便会见到在庄严的场合里，在体面的人物身上，也常常有类似的言语和行动。自从阿Q这个人物被鲁迅先生创造出来之后，当我们听到那些类似的言语，看到那些类似的行动的时候，便说：“这是阿Q性”；听的人听了这一句，也就点头同意，不待再加解释，已能心领神会：这可见那些病根的普遍存在，且被普遍认识了。前些年有人说，“阿Q时代”已经过去了，又有人说，并没有过去；于是起了争辩。依我们看来，必须现实人物的言语和行动，再没有需要用着“这是阿Q性”这句话去批评它的了，那“阿Q时代”才算过去。在还需要用着这句话的时候，即使是将来的社会，也还是鲁迅先生所希望改良的“旧社会”。

在《孔乙己》里，写孔乙己“也读过书，但终于没有进学，又不会营生”，于是穷困潦倒，不免“做些偷窃的事”；最后因此被打折了腿，死在不知什么地方，在人们的记忆里也就消失了，好像他并没有生到世上来似的。在《白光》里，写陈士成应了第十六回的考试，仍没有进得一个秀才；旧有的精神失常症又发作了，“贵”的方面既绝了望，想在“富”的方面取得补偿，便又去挖掘那相传祖宗埋在地下的窖藏；挖掘的结果如以前一样，毫无所得；错乱的精神更指引他到山里挖掘去，于是跌落湖里，被淹而死。这两篇暴露的是从前教育制度的病根。从前教育制度绝不注重在教育成能思想能实干的人；那只是利禄之途，谁贪那利禄谁就往这一途碰去，碰而不得如愿的当然是大多数，他们固然不一定像孔乙己似的作贼或陈士成似的发痴，但潦倒终身，虚此一生，却和孔乙己、陈士成并无二致。

《药》和《明天》两篇，题旨都是亲子之爱。亲子之爱是最原始又最普遍的，该没有什么病根了，但两篇中也暴露了一个病根，就是：因为愚昧无知，以至爱而不得其道。在《药》里，华老栓的儿子小栓害了肺痨病，老夫妻两个不惜拿出辛苦积蓄下来的一包洋钱，去买人血馒头（蘸的是杀头的犯人的血）给他吃，希望他一服而愈。在《明天》里，单四嫂子照料她儿子宝儿的病，“神签也求过了，愿心也许过了，单方也吃过了”，最后去诊地方上最有名望的医生何小仙。她听了何小仙几句莫名其妙的话，“不好意思再问”，买了一服莫名其妙的药回来，希望它有起死回生的功效。就爱子之心而论，华老栓夫妻两个和单四嫂子都算是至乎其极的了，可是并不能挽救他们儿子的死亡，即说尽人事，他们也实在没有尽得到家；这都由于他们的愚昧无知。在愚昧无知的病根之下，爱子而不得其道的父母，世间正多着呢。

《头发的故事》和《风波》两篇，题材都关于发辫。前一篇记一位N先生谈他剪掉发辫以后的经历，先是满清还没有推翻，到处受人的笑骂、冷淡和严防，有几个学生学他的样，也剪掉了发辫，立刻被学校开除；后来民国成立了，可是“元年冬天到北京，还被人骂过几次，后来骂我的人也被警察剪去了辫子，我就不再被人辱骂了；但我没有到乡间去”；以下又谈到当时有人嚷什么女子的剪发，以为这“又要造出许多毫无所得而痛苦的人”；最后他说了“造物的皮鞭没有到中国的脊梁上时，中国便永远是这一样的中国，决不肯自己改变一支毫毛”的话。《风波》是张勋拥了溥仪复辟那时候发生在乡村间的故事：航船夫七斤剪掉了辫子，听说皇帝又坐龙庭了，惴惴于自己的没有辫子，他的妻子也同样的惴惴，由怨恨而至于绝望；可巧邻村的酒店主人赵七爷来了，他本来“将辫子盘在顶上，像道士一般”，这时却回复了原来的打扮，还说“没有辫子，该当何罪”，使七斤更感到着急，可是总想不出办法；幸而过了十多日，他看见赵七爷的“辫子又盘在顶上了”，从此推知皇帝不坐龙庭了，一场风波才算平静下来。这两篇中的“辫子”是“改革”的象征，一般人对改革都抱着对辫子的态度，“决不肯自己改变一支毫毛”，这正是我国人心理上的重要病根。N先生的辫子是自己嫌它不便当剪掉的；剪掉之后，直到民国元年的冬天，在首善之区的北京，他还受人的骂。七斤的辫子是进城时被人剪掉的；剪掉之后，在传闻皇帝又坐龙庭了的时候，他自己家庭间和心理上不免掀起风波。看似重要而实际上无关重要的辫子问题尚且如此，其他的改革还能轻易谈到吗？

以上只是粗略地说，对于《呐喊》一集中暴露病根的部分，没有说得精密和齐全。此外的部分，希望大家在阅读的时候，逐一自己检出。鲁迅先生所以能够暴露出这些病根，由于他有深广的生活经验，又有一腔希望加以疗治的热诚。就读者一方面说，当然不应该一味盲从，见作者怎么说就怎么相信，最要紧的，得问一问：作者所暴露的是不是真际？社会间是不是确实有此病根？要回答这样的问题，必须凭借读者自己的生活经验。如果读者对于人性和社会情形毫无所知，那简直无从知道“是不是”。但毫无所知的人到底少有，生活经验即没有作者那样深广，也往往会涉及作者所经验的范围；如见向来男子实行多妻主义，却一般的要求女子守贞操，便觉得狂人的“吃人”之说不尽是“狂”想头；又如见败家子潦倒颓唐不堪，却盛称祖宗积德，富贵功名，世间无两，便觉得阿Q宛然如在目前。这时候，读者和作者起了“共鸣”了，他断言作者所暴露的是真际，断言社会间确实有此病根，便绝不是盲从。读者的生活经验愈丰富，从好作品里得到的东西便愈多愈精。

暴露病根的作品，其中的人物自然是“不幸的人们”；在前面提到的几篇里，主人公如狂人，阿Q，孔乙己，陈士成，等等，都是的，他如狂人的大哥，用怪眼色看着狂人的赵贵翁，与阿Q打架的王胡，不准阿Q革命的“假洋鬼子”，等等，又何尝不是。他们受病的情形，虽个个不同；可是，同样的陷入那“旧社会”的大泽中，只能随波逐流，与“势”推移，不能跳出那大泽，另走新途径，另辟新天地，所以同样是“不幸”的人。看鲁迅先生使用“不幸”这两个字，便可知道他并没有鄙薄他们，深恶他们的意思，他只侧重在“改良社会”，社会改良了，一切的“势”另换个样子，这批人也便从“不幸”之中解放出来了。因此，描写人物的手法，和一般谴责小说大有不同。谴责小说认定某一些人是坏人，把一切的坏事情都归到他们身上去，而他们的坏又似乎并没有旁的根由，只在于他们本性坏，天生是坏人。这也算是作者的一种认识，其合理与否且不论，单问作者何以要写那样的小说，从好一点的方面说，并非借此发抒愤懑，从坏一点的方面说，便是借此揭人隐私。这种认识和用意影响到读者，第一，使读者认为人是单独活动的、与社会毫无关涉的生物，翻开小说来，就想查究谁是坏人，谁是好人，而得到答案也很容易，仿佛看旧戏似的，只须认那登场人物的“脸谱”，便可以明白。第二，使读者也感到愤懑，对于所谓坏人，恨之刺骨；或者得到一种窥见了人家的秘密似的快感，仿佛说，你们这批坏东西现在是赤裸裸的显现在我眼前了，此外就别无所得。《呐喊》一集中的短篇小说便不然。由于作者的认识和谴责小说的作者不一样，其描写人物，着力于人物在社会中，凭其性习，与事物接触，内面外面起怎样的变化这一方面。起变化的虽是这一个人物，但使他起这样变化而不起那样变化的因素，不完全居于他自己（前面所说“随波逐流，与‘势’推移”，那用“波”和“流”来作比喻的“势”，便不居于他自己）；这一点也极注意。如此写来，好人坏人就并不划然分明。如阿Q，总算是个极不足取的人了；他头上有了癞疮疤，口头便有许多忌讳，他时常被闲人揪住了打，便发明精神上的胜利法；他与事物接触而起这样的变化，其因素完全属于他吗？如果社会间没有把人家的缺陷作为取笑资料的风尚，阿Q该不至于讳说“癞”、“赖”，从而一转再转，连“光”、“亮”、“灯”、“烛”都讳说的吧？如果社会间没有以撩打人为乐的闲人，阿Q该不会有“儿子打老子”，“我是虫豸”，“第一个能够自轻自贱的人，除了‘自轻自贱’不算外，余下的就是‘第一个’”这些奇妙想头吧？这样想开去，便见得阿Q虽然不足取，但他不是坏人，而是个“不幸”的人；他的“不幸”在他的习性既不高妙，又正遇着了有这样风尚、这样闲人的社会。伏在背后的可以想得出来的意旨，不就是：假如社会改良了（性习虽属于个人，但与社会牵涉之处太多了），阿Q也许会颇有可取吗？这样就阿Q说，无非举个例，指明鲁迅先生描写“不幸”的人的手法，与谴责小说描写坏人不同，其用意则在引导读者向“改良社会”的目标走去。

鲁迅先生说："我力避行文的唠叨，只要觉得能够将意思传给别人了，就宁可什么陪衬拖带也没有"。"经济"本是短篇小说的一个重要条件，陪衬拖带太多，便说不上"经济"了，但必须以"够将意思传给别人"为度。鲁迅先生对于此点，是确实能够做到的。试以《白光》一篇为例。若逐一叙述主人公陈士成状貌怎样，处在怎样的境况之中，一连应了多少回的考，以前应考失败了曾有怎样的举动，那便是陪衬拖带太多了；而且琐屑芜杂，连不成一气。所以并不那么写，而从陈士成看了第十六回的榜，还是看不到自己的名字，精神重又失常开始；这精神失常便成为一条线索，全篇写陈士成那个下午那一晚上的思想行动，都集中在此点，而必须让读者明白的一些事情，也就交织在其中。如写他看榜时候，凉风"吹动他斑白的短发"；写他跌落在万流湖里之后，乡下人将他捞上来，"那是一个男尸，五十多岁，'身中面白无须'（以前照相还未通行，凡需要表明状貌的场合，只能用文字记载；这六字是'仵作'填写在'尸单'上的，而应考时候也得同样填写；'身中'是中等身材，'无须'见得陈士成是个老童生——没有进学的童生，年纪无论如何大，是照例不得留须的）"；读者从这两语便知道他的状貌。关于状貌，可写的也很多，而只写这两语，因为这两语和他的屡次失败以致精神失常有关系的缘故。头发已经斑白了，还只是个只能"无须"的童生，在一个热心于锦样前程的人，怎得不发痴？又如写他看了榜回到家里，便把七个学童放了学；租住在他宅子里的"杂姓"都及早关了门，为的是根据他们的老经验，怕看见发榜后他那闪烁的眼光；读者从这两点，便知道他的境况的一斑。宅子里收容一些“杂姓”，是家境凋零的最显著的说明；仅有几个学童为伴，生活的孤苦寂寞可想而知了。唯其如此，他对于锦样前程盼望得愈切，然而那前程“又像受潮的糖塔一般，刹时倒塌了”；因此他萌生了图谋另一前程（发掘窖藏而致巨富）的想头，虽说在精神失常的当儿，却也是非常自然的事。又如让读者知道他这回应考是第十六回，只从叙述他屈指计数，“十一、十三回，连今年是十六回”带出；让读者知道他以前也曾发掘过窖藏，只从叙述他平时对于家传的那个谜语的揣测带出。这些都是不可以略的，省略了便叫读者模糊；但不使这些各自分立，成为陪衬拖带的部分，而全给统摄在那个下午那一晚上他精神失常这一条线索之下；这便做到了“够将意思传给别人”，而“什么陪衬拖带也没有”。——其他各篇差不多都这样的“经济”，大家阅读的时候，可以各自研求。

鲁迅先生以旧戏与花纸为比，说他的小说也不用背景；这个话也不宜呆看。他所不用的背景，是指与传达意思没有关系而言。世间的确有一些短篇小说，写自然景物（鲁迅先生称为“描写风月”）费了许多的篇幅；写人物来历费了许多的篇幅；可是仔细看时，那些篇幅与题旨并没有多大关系，去掉了也不致使读者模糊，这就同旧戏与花纸有了不相称的背景一样，反而使人物见得不很显著了。那种背景当然不用，用了便是小说本身的一种疵病。至于没有了便不“够将意思传给别人”的背景，鲁迅先生却未尝不用。如《风波》的开头两节，第一节写临河土场上的晚景。第二节写农家的男女老幼准备在这土场上吃晚饭，分明是背景。这背景何以要有呢？因为下文七斤为了辫子问题发愁，赵七爷到来发表“没有辫子，该当何罪”的大道理，以及九斤老太抒发她的不平，七斤嫂由急而恨，骂人打孩子，八一嫂替七斤辩护，致受七斤嫂辱骂，和赵七爷的威胁，等等，都发生在这个场面上，都发生在这吃晚饭的时间；先把场面和时间叙明，便使读者格外感到亲切——农村里的许多人，只有在这个场面这个时间，大家才聚在一起，说长道短，交换意见。并且，先叙了“场边靠河的乌桕树”，以下叙小女孩六斤被曾祖母骂了，“直奔河边，藏在乌桕树后”，以及七斤嫂“透过乌桕叶，看见又矮又胖的赵七爷正从独木桥上走来”，才见得位置分明，使读者如看见舞台上的现代剧。先叙了大家准备在场上吃晚饭，以下叙九斤老太骂曾孙女儿的话：“立刻就要吃饭了，还吃炒豆子，吃穷了一家子！”才见得声口妙肖，使读者一与她接触便有如见其人的感觉。而赵七爷一路走来，大家都招呼他“请在我们这里用饭”；待赵七爷站定在七斤家的饭桌旁边，周围便聚集了许多看客；也因开头有大家准备吃晚饭的叙述，便不觉得突兀。又如《故乡》一篇，叙鲁迅先生自己还乡搬家，觉得故乡不如记忆中的故乡那么好了，而全篇中心则放在一个幼年时一起玩得很熟的乡间小朋友闰土的转变上；借此表达出生活的重担压在各人的肩上，会把人转变得与前绝不相同的题旨。篇中于母亲提起了闰土的当儿，便回忆幼年时与闰土结识的经过，叙他讲述许多有趣的乡间生活经验，“都是我往常的朋友所不知道的”——这部分占了一千字以上的篇幅，也是背景的性质。这背景何以要有呢？因为下文闰土到来时，鲁迅先生招呼他：“啊！闰土哥，——你来了？……”而他开口便是一声“老爷！……”这一声“老爷”暗示了他一切的转变，所以鲁迅先生接着叙道：“我似乎打了一个寒噤；我就知道，我们之间已经隔了一层可悲的厚障壁了”；而要让读者也明白这层意思，非把闰土当初是怎样一个乡下小孩子交代清楚不可，如果没有那一千多字背景的叙述，那么，鲁迅先生听了一声“老爷”虽打个寒噤，而在读者决不会有什么深刻的印象。

《呐喊》一集十四篇小说中，只有《头发的故事》有大篇的对话；那是体裁如此，特意要让N先生自言自语，发一大篇议论，议论发完，小说也就完毕。以外各篇，对话都很简短，与鲁迅先生自己说的“对话也决不说到一大篇”的话完全应合。鲁迅先生曾称引他人的话：“要极省俭的画出一个人的特点，最好是画他的眼睛。”他写对话，就用的画眼睛的方法，简单几笔，便把人物的特点表现出来了。现在随举一些例子来说。如酒客嘲笑孔乙己偷人家的东西；孔乙己便睁大眼睛说：“你怎么这样凭空污人清白……”。酒客又说亲眼见他偷了人家的书，被人家吊着打；孔乙己便争辩说：“窃书不能算偷……窃书……读书人的事，能算偷么？”街坊孩子吃了孔乙己的茴香豆，每人一颗，还想再吃；孔乙己看一看豆，摇头说：“不多不多！多乎哉？不多也（‘君子多乎哉？不多也’是孔子的话，见《论语·子罕篇》）。”这些对话，表现出孔乙己所受于书本的教养。闰土重逢分别了近三十年的鲁迅先生，劈头便叫“老爷!”鲁迅先生的母亲叫他不要这样客气，还是照旧哥弟称呼时，他便说：“啊呀，老太太真是……这成什么规矩。那时是孩子，不懂事……”这些对话，表现出闰土所受于习俗的教养。又如华大妈烤好了人血馒头给小栓吃，轻轻说：“吃下去吧，——病便好了。”小栓吃过馒头，一阵咳嗽，她就说：“睡一会吧，——便好了。”话是简短极了，却充分传出了她钟爱儿子切盼儿子病好的心情。九斤老太见曾孙女儿在晚饭前吃炒豆子，发怒说：“我活到七十九岁了，活够了，不愿意眼见这些败家相，——还是死的好。”随后就连说：“一代不如一代!”待听赵七爷提到“长毛”，便对赵七爷说：“现在的长毛，只是剪人家的辫子，僧不僧，道不道的。从前的长毛，这样的么？我活到七十九岁了，活够了。从前的长毛是——整匹的红缎裹头，拖下去，拖下去，一直拖到脚跟；王爷是黄缎子，拖下去，黄缎子；红缎子，黄缎子，——我活够了，七十九岁了。”这些话，具体的传出了她贱今贵古，愤愤不平的顽固心情。阿Q既决定了投降革命党，想得高兴，便大声嚷道：“造反了！造反了!”他见未庄人都用惊惧的眼光看他，更加高兴，喊道：“好，……我要什么就要什么，我欢喜谁就是谁。”接着便唱起锣鼓的音节和戏文来了：“得得，锵锵！悔不该，酒醉错斩了郑贤弟，悔不该，呀呀呀……得得，锵锵，得，锵令锵！我手执钢鞭将你打……”正在惧怕革命的赵家人见他走过，想从他那里探听一点关于革命的消息，欲说不好说，却问他“现在……发财么?”他便回答：“发财？自然。要什么就是什么……”赵家人又说：“像我们这样穷朋友是不要紧的……”他便说：“穷朋友？你总比我有钱。”这些话，把阿Q预料前程无限的得意心情，活泼泼的烘托出来；而他意识中的革命是怎么一回事，也就同时点出。又如康大叔把人血馒头交给华老栓，说：“喂！一手交钱，一手交货！”只此一句，便传出了当刽子手的粗人的神态。驼背五少爷走进华老栓的茶馆，正是华大妈在灶下烤人血馒头的时候，他便说：“好香！你们吃什么点心呀？炒米粥么？”只此三句，便传出了闲得无聊专爱管闲事的茶客的神态。赵七爷听七斤嫂问起“皇恩大赦”，便说：“皇恩大赦？——大赦是慢慢的总要大赦吧。但是你家七斤的辫子呢，辫子？这倒是要紧的事。你们知道：长毛的时候，留发不留头，留头不留发，……”只此数句，便传出了颇负时望，但实际上并不了了的乡村学问家的神态。在《社戏》里，鲁迅先生叙他在北京看旧戏，因为不知道台上唱老旦的那个名角是谁，就去问挤在左边的一个胖绅士；那胖绅士“很看不起似的斜瞥了我一眼，说道，‘龚云甫！’”如果是到过北京的人，用北京人的声调念起来，便会觉得只这“龚云甫”三个字，已经传出了北京的“老戏迷”的神态。——以上所举例子，用简短的对话，把人物的教养、心情、神态等表现出来，使读者直觉的感到；比较用琐琐的叙述加以说明，更为有效。所有各篇的对话，差不多都是这样；与人物的教养、心情、神态等无关而徒然占去篇幅的对话，几乎可以说没有。唯其如此，自也不会有与人物不相称的对话，如乡村中人而作都会中人的口吻，劳动阶级而用知识分子的词语之类。对话与人物不相称，人物的形象便不明确生动，不能使读者当作真有这么一个人物似的那样感到：那是小说的大毛病。对话与人物相称了，然而是些普普通通的话，有固可以，没有也无妨；那样的对话只是拖带的部分，足以破坏“经济”的条件，也还是小说的疵病。必须每句对话都有它的作用，直接的，为表现人物的特点而存在，间接的，为传达整个的题旨而存在，才够得上精粹。鲁迅先生的小说便是这样的；阅读的时候，应当追求每句对话所以要这么写的作用。

不仅写对话，就是写动作，也用画眼睛的方法，使读者知道人物有某种动作之外，更知道一点别的什么。如华老栓夫妻两个准备去买人血馒头，“华大妈在枕头底下掏了半天，掏出一包洋钱，交给老栓，老栓接了，抖抖的装入衣袋，又在外面按了两下。”这就字面看，是说取钱藏钱的动作；然而老夫妻两个积钱不易，把钱看得特别郑重，为了儿子的病，才肯花掉这一包洋钱，这心理，也就在这上头传出来了。又如单四嫂子的儿子宝儿死了，对门的“王九妈便发命令，烧了一串纸钱；又将两条板凳和五件衣服作抵，替单四嫂子借了两块洋钱，给帮忙的人备饭。”蓝皮阿王愿意帮单四嫂子筹措棺材，“王九妈却不许他，只准他明天抬棺材的差使。”当宝儿入殓的时候，单四嫂子哭一回，看一回，总不肯让棺盖盖上，“幸亏王九妈等得不耐烦，气愤愤的跑上前，一把拖开她，才七手八脚的盖上了。”事后单四嫂子以为待她的宝儿已经尽了心，再没有什么缺陷，“王九妈掐着指头仔细推敲，也终于想不出一些什么缺陷。”这些就字面看，是说王九妈种种的动作；然而一个自以为能干有经验，爱替人家作主张的乡间老妇的性格，也就在这上头传出来了。又如闰土简略地说了他景况的艰难，“沉默了片时，便拿起烟管来默默的吸烟了。”这就字面看，是说吸烟的动作；然而闰土为生活的重担所压，致变得木讷阴郁，这意思，也就在这上头传出来了。又如阿 Q 和小 D 打架，互扭着头颅，彼此弯着腰，“阿 Q 进三步，小 D 便退三步，都站着；小 D 进三步，阿 Q 便退三步，又都站着。大约半点钟，他们的头发里便都冒烟，额上便都流汗，阿 Q 的手放松了，在同一瞬间，小 D 的手也正放松了，同时直起，同时退开，都挤出人丛去。”这就字面看，是说打架的动作；然而两个人并非勇于战斗，只因实逼此处，不得不作出战斗的姿态，这意思，也就在这上头传出来了。——以上所举例子，都在写人物的动作之外，还有别的作用。集中写动作之处差不多都是如此，读者也不宜忽略过去。

此外写人物的感觉和思想之处，也有可以说的。如《狂人日记》，狂人吃了蒸鱼，便记道：“这鱼的眼睛，白而且硬，张着嘴，同那一伙想吃人的人一样。”狂人受了何先生的诊脉，听何先生说了“不要乱想，静静的养几天，就好了”的话，便记道：“不要乱想，静静的养！养肥了，他们是自然可以多吃；我有什么好处，怎么会‘好了’？”这些都表现狂人的精神失常，神经过敏，因他一心认定“吃人”两个字，便把一切都联想到这上头去。又如写华老栓在天刚亮时出去买人血馒头，所见的路人，护送犯人的兵丁，看“杀人”的看客，以及“杀人”的场面，都朦胧恍惚，不很清楚。这表现华老栓从半夜起来，作不习惯的晓行，精神不免异样；更因心有所注，专一放在又觉害怕又存有绝大希望的那件事情（买人血馒头）上，所以所见都成了奇景。又如写宝儿的棺材抬了出去之后，单四嫂子忽然觉得屋子太静，太大，太空了，包围着她，压迫着她，使她喘气不得。这表现单四嫂子似的粗笨女人丧了唯一的爱子之后的感觉，最是真切；若写她有种种的敏锐感觉，有思前顾后的许多想头，便不成其为粗笨女人了。又如《一件小事》，写那车夫扶着自称“我摔坏了”的老女人向巡警分驻所走去，“我这时突然感到一种异样的感觉，觉得他满身灰尘的后影，刹时高大了，而且愈走愈大，须仰视才见。而且他对于我，渐渐的又几乎变成一种威压，甚至于要榨出皮袍下面藏着的‘小’来。”这表现车夫对事认真，绊倒了人，生意也不顾了。定须照例到巡警局去理会，这是他的“大”；而“我”却对事苟且，见老女人并没有受什么伤，便叫车夫“走你的吧”，替自己赶路，这是“我”的“小”；和“大”相形，便仿佛觉得车夫的后影非常高大，而且对“我”有压迫之感了。

如以上所说，可见写人物的动作和感觉、思想的部分，也和对话一样，直接的，为表现人物的特点而存在，间接的，为传达整个的题旨而存在。这种笔墨，就一方面说也是叙述，因为它把对话、动作、感觉、思想等写在纸面，让读者知道，与一切文字的叙述相同；但就另一方面说便是描写，因为它把人物生动地勾勒出来，把故事生动的表现出来，让读者感受，与绘画、戏剧有同样的作用。谈论小说的人常常使用“描写”一词，便指这种笔墨而言。鲁迅先生善于描写，他说：“可省的处所，我绝不硬添”；

反面的话没有话，其实不该省的处所，他也绝不硬省；因此，他的小说无不是精粹之作。

鲁迅先生自己说："没有相宜的白话，宁可引古语，希望总有人会懂。"他所谓古语便是文言。在《呐喊》一集中，引用文言的处所其实极少，只有《阿Q正传》一篇是例外。关于《阿Q正传》中引用文言一层，张天翼先生《论〈阿Q正传〉》的"关于《序》及其他"一节里，曾经提及，颇有所发明；现在摘抄在这里。那一节是用主客对话的形式写成的。

主："创作里面总不该用那些非现代语的句子和词儿"，——我完全同意。记得鲁迅先生在一篇文章里谈过，说有人要是写山，拿"崚嶒"，"巉岩"之类的词儿来形容它……（谈到这里，客人不明白这两个词儿是哪四个字，主人就在纸上写给他看。客人笑了起来。）你看这样的词儿！读者读了，那简直不知道这山到底是个什么样子，连作者自己也不知道。这些词儿只是他从旧书上抄下来的。鲁迅先生批评了这种写法。真的，这类词儿实在没有表现出什么来。旧句旧词拿来这么用法，那是三家村老学究式的创作方法：活人说死话。然而《阿Q正传》里那些旧句旧词的用法，那正是我们刚才谈过的——正是拿来示众，拿来否定它的。

客：（接嘴）也跟他的杂感文一样，是讽刺那些死话的。跟那些什么"崚嶒"的用法——绝对是两回事。

主：是的，是一个讽刺。不单是讽刺了那些死话的形式，而且还讽刺了那些死话里所含的意义。（接过《呐喊》来）例如，“夫文童者，将来恐怕要变秀才者也，”我想世界上决不会有这样的傻瓜，就以为这是作者的正面文章，要叫天下的人都去尊敬文童。也决不会有人把“不孝有三无后为大”，“若敖之鬼馁而”，这些，以为是作者要说的话。这些句子在这篇作品里所起的作用，也跟（指着书上）“即此一端，我们便可以知道女人是害人的东西”一样：作用是相同的。这并不是作者自己的意见，也不是作者自己所要说的话。这些——是透过这作品中那些人物来说的，是用了那些人物的口气来说的。这些意见，是未庄文化圈子里那些人物的意见。作者对未庄文化是否定的，讽刺的。而这些词句的拿来用到这里，也就是对它的含义和形式加以否定和讽刺的。换一句话说，那么作者所写下的这些词句，倒恰好是一种反语。

客：（微笑）这种旧词儿还很多哩。（一面翻着书找着，一面说）比如——“立言”，“引车卖浆者流”，“著之竹帛”，“深恶而痛绝之”，“诛心”，“而立”，“庭训”，“敬而远之”，“斯亦不足畏也已”，“神往”，“咸与维新”……这些这些——用在这里就显得极其可笑，正也跟引用“先前阔”，“假洋鬼子”，“一定想引诱野男人”的女人，“假正经”，“妈妈的”这类的话一样可笑。

主：作者正要我们笑它：To laugh is to kill。

客：（想起了一件事）哦，对了！喜欢引用旧句旧词的这种作风，的确不仅是因为读了旧书而已。（自言自语似的）

唔，如果这仅仅只是因为读多了旧书的话，那么三家村老学究和写“崚嶒”的作者也都是读多了旧书，可是一写出来，态度各不相同：一种是把那些旧句旧词当作正派角儿上台，一种可是把它当做歹角和丑角上台。不错，鲁迅先生欢喜引用旧句旧词的这种作风，他的这种引用法——正是出于他的思想和情感，出于他那是非善恶的判断：这正表现了他对未庄文化的批评态度。

主：我认为这一点比“读多了旧书”那个原因还重要得多，这一点，是构成这种作风的更主要因素。（稍停）我认为我们要是把一个词儿，一句话，一个举动的描写等等——全都孤零零地单独提出来看，那就无所谓作风不作风。我们一定要看看这作者用起这些东西来，是怎样一个态度，他把它用在什么地方，怎样用法，等等，这才看得到他的作风。

1941 年 6 月作

《史记菁华录》指导大概

读《史记菁华录》，不可不知道《史记》的大概。《史记》的作者司马迁的传叙，有《史记》的末篇《自序》。那篇历叙他的家世，传述他父亲的学术见解和著述志愿，又记载他自己的游览各地和继承先志，然后说到《史记》的编例和内容。《汉书》里的《司马迁传》，就直抄那篇的原文，不过加入了迁报任安的一封书信罢了。现在为便利读者起见，作司马迁传略如下：

司马迁，字子长，生于龙门（龙门是山名，在今山西省河津县西北，陕西省韩城县东北，分跨黄河两岸，形如门阙）。他的生年有两说：一说是汉景帝中元五年（公元前一四五年），一说是汉武帝建元六年（公元前一三五年），相差十年；据近人考证，前一说为是。他的父亲谈，于各派学术无所不窥，当武帝建元元封之间，为太史令。谈死于元封初年（元封元年当公元前一一〇年），迁即继职为太史令。因此，《史记》中称父亲，称自己，都作“太史公”（《天官书》里有“太史公推古天变”一说，《封禅书》里有“有司与太史公祠官宽舒议”、“太史公祠官宽舒等曰”两语，其中的“太史公”，和《自序》前篇用了六次的“太史公”，都是称父亲；各篇后面“赞”的开头“太史公曰”的“太史公”，都是称自己。官是太史令，为什么称“太史公”呢？关于此点，解释很多。有的说，“太史公”是官名，其位极尊；驳者却说，《汉书·百官公卿表》中并没有这个官。有的说，称“令”为“公”，同于邑令称“公”；驳者却说，这是僭称，用来称呼别人犹可，哪里有用来自称的？有的说，迁尊其父，故称为“公”；驳者却说，明明自称的地方也作“公”，为什么对自己也要“尊”；有的说，尊父为“公”，是迁的原文，尊迁为“公”是后人所改；驳者却说，后人这一改似乎有点愚。有的说，这个“公”字并没有特别表示尊重的意思，只如古代著书，自称为“子”或“君子”而已。此说用来解释称父和自称，都比较圆通，但得其真际与否，还是不可知）。

司马迁青年时期出去游览；《自序》里说：“二十而南游江淮，上会稽，探禹穴，窥九疑，浮于沅湘，北涉汶泗，讲业齐鲁之都，观孔子之遗风，乡射邹峄，厄困鄱薛彭城，过梁楚以归。”黄河、长江流域的大部分，他都到过，回来之后，作“郎中”的官。元封元年，“奉使西征巴蜀以南，南略邛笮昆明”，便又游览了西南地方。及继任了太史令，于太初元年（公元前一〇四年）开始他的著作。《自序》里说：“余尝掌其官，废明圣盛德不载，灭功臣世家贤大夫之业不述，堕先人所言，罪莫大焉。……于是论次其文”，可见他从事著作为的是继承先志。“论次其文”是就旧文加以整理编排的意思；他既受了父亲的熏陶，又读遍了皇室的藏书，观察了各地的山川、风俗，接触了在朝在野的许多人物，自然能够取精用宏。肆应不穷。天汉二年（公元前九九年），李陵与匈奴战，矢尽力竭，便投降了匈奴。消息传来，一班朝臣都说陵罪很重；武帝问到迁，迁独替李陵辩白。他说："陵事亲孝，与士信，常奋不顾身，以殉国家之急，其素所蓄积也，有国士之风。今举事一不幸，全躯保妻子之臣，随而媒蘖其短，诚可痛也！且陵提步卒不满五千，深铩戎马之地，抑数万之师，虏救死扶伤不暇，悉举引弓之民，共攻围之；转斗千里，矢尽道穷，士张空拳，冒白刃，北首争死敌；得人之死力，虽古名将不过也，身虽陷败，然其所摧败，亦足暴于天下。彼之不死，宜欲得当以报汉也。"（见《汉书·李陵传》，《报任安书》中也提到这一层，大致相同）这是说李陵人品既好，将才又出众，战败是不得已，投降是有所待。武帝以为迁诬罔，意在毁谤贰师将军李广利（那一次打匈奴，李广利将三万骑，为主力军，但没有与单于大军相遇，因此少有功劳），并替李陵说好话；便治他的罪，处以最残酷的腐刑（割去生殖器）。这不但残伤了他的身体，同时也打击了他的精神；《报任安书》中说："祸莫惨于欲利，悲莫痛于伤心，行莫丑于辱先，而诟莫大于宫刑。刑余之人，无所比数，非一世也，所从来远矣。昔卫灵公与雍渠载，孔子适陈；商鞅因景监见，赵良寒心；同子参乘，爰丝变色；自古而耻之。夫中材之人，事关于宦竖，莫不伤气，况慷慨之士乎！"从这些话，可知他的羞愤和伤心达到了何等程度。受刑之后不久，他又作"中书令"的官。对于著作事业，还是继续努力；《报任安书》中有"所以隐忍苟活，函粪土之中而不辞者，恨私心有所不尽，鄙没世而文采不表于后也。古者富贵而名摩灭，不可胜记，唯倜傥非常之人称焉。盖西伯拘而演《周易》；仲尼厄而作《春秋》；屈原放逐，乃赋《离骚》；左丘失明，厥有《国语》；孙子膑脚，兵法修列；不韦迁蜀，世传《吕览》；韩非囚秦，《说难》《孤愤》；《诗》三百篇，大氐贤圣发愤之所为作也：此人皆意有所郁结，不得通其道，故述往事，思来者。及如左丘明无目，孙子断足，终不可用，退论书策，以舒其愤思，垂空文以自见”的话，说明了他在痛苦之中，希望立言传世，垂名于久远的心理。接着就说：“仆窃不逊，近自托于无能之辞，网罗天下放失旧闻，考之行事，稽其成败兴坏之理，凡百三十篇；亦欲以究天人之际，通古今之变，成一家之言。草创未就，适会此祸；惜其不成，是以就极刑而无愠色。”写这封书信的时候，既说了“近自托于无能之辞”的话，又有了“百三十篇”的总数，他的初稿大概已经完成了。这封书信，据近人考证，作于征和二年（公元前九一年）；其时迁从武帝幸甘泉，甘泉在今陕西省淳化县西北，距长安西北二百里，所以书中说“会东从上来”；次年正月武帝要幸雍，迁也将从行，所以书中说“仆又薄从上上雍”（“薄”是“近”和“迫”的意思，也就是“立刻要”）。如此说来，他的著作，从开始着手到初稿完成，共占了十几年的时间；一部开创的大著作，十几年的工夫自然是要的。他的死年不可知，大概在武帝末年或昭帝初年（武帝末年当公元前八七年）；年龄在六十岁左右。

司马迁所著的书，他自己并不称为《史记》。原来“史记”这个名词，在古代是记事之史的通称，这在司马迁书里，就有许多证据。如《周本纪》里说:“周太史伯阳读史记曰:‘周亡矣!’”这“史记”指周室所藏的记事之史;《孔子世家》里说孔子“因史记,作春秋”,《十二诸侯年表序》里说孔子“论史记旧闻,兴于鲁而次春秋”,这“史记”指孔子所见的记事之史;《自序》里说:“诸侯相兼,史记放绝”,《六国年表序》里说:“秦既得意,烧天下诗书,诸侯史记尤甚”,这“史记”指各国所有的记事之史;《天官书》里说:“余观史记,考行事,百年之中,五星无出而不反逆行”,这“史记”指汉代的记事之史,从“百年之中”一语可以推知;《自序》里说:“绌史记石室金匮之书”,这“史记”兼指汉代、秦代、秦国(秦记独存,见《六国年表序》)及残余的各国的记事之史,这些都是他著书的参考资料。司马迁没有把“史记”这个通称作为自己的书的专名,也没有给自己的书取一个统摄全部的别的专名;他在《自序》里,只说“著十二本纪,……作十表,……作八书,……作三十世家,……作七十列传,凡百三十篇,五十二万六千五百字,为《太史公书》”而已。班固撰《汉书》,其《艺文志》承沿着刘歆的《七略》,称司马迁书为“太史公百三十篇”,没有“书”字。他的父亲班彪论史家著述,将《太史公书》与左氏、国语、世本、战国策、楚汉春秋并举(见《后汉书·班彪传》),可见在班氏父子当时,还没有把司马迁书称为《史记》的。但范晔在《后汉书·班彪传》的叙述语中,却有“司马迁著《史记》”的话。据此推测,《史记》成为司马迁书的专名,该是起于班范之间,从后汉到晋宋的时代。

《史记》一百三十篇,就体例而言,分为五类,就是:“本纪”、“表”、“书”、“世家”、“列传”。“本纪”记载帝王的事迹，从五帝（黄帝、帝颛顼、帝喾、帝尧、帝舜）到汉武帝，有年的分年，没有年的分代。“表”编排各代的大事，年代已经不可考的作“世表”，年代可考的作“年表”，变化太剧烈的时候作“月表”；并表列汉兴以来侯王的封立和将相的任免。“书”叙述文化的各部门，如礼节、历法、祭祀、水利、财政等，都分类历叙，使读者对于这些方面得到系统的知识。“世家”按国按家并按着年代世系，记载若干有重要事迹的封建侯王；体例和本纪相同，不过本纪记的是统治天下的人，世家记的是统治一个区域的人，有这一点分别而已。“列传”记载自古到汉或好或坏的重要人物，以及边疆内外的各国状态。这五类所包容，范围很广大，组织很完密；在汉朝当时，实在是一部空前的“中国通史”。自从有了《史记》，我国史书的规模就确定了，以后史家作史大多模仿它，现在所谓《二十四史》，除了《史记》以外的二十三史，体例都与《史记》相同（不过“世家”一类，以后的史中没有了。“书”一类自从《汉书》改称了“志”，便一直沿用下去，都称“志”而不称“书”。“表”和“志”并非各史都有，其没有这两类的，便只有“纪”和“传”了）。这种体例称为“纪传体”，与另外两个重要史体“编年体”和“纪事本末体”相对待。

五类之中，“本纪”和“世家”两类都有几篇足以引起人疑问的，这里简略地说一说。

先说“本纪”方面。秦自庄襄王以上，论地位还是诸侯，应该入“世家”；迁却作了《秦本纪》，这是一点。项羽并没有得天下，成帝业；迁却作了《项羽本纪》，这是二点。惠帝作了七年的天子，迁不给他作“本纪”，却作了《吕太后本纪》，这是三点。以上三点疑问，看了《自序》的话，都可以得到解答。《自序》里说：“略推三代，录秦汉，上记轩辕，下至于兹，著十二本纪，既科条之矣。”“科条之”是科分条例，举其大纲的意思；换句话说，十二“本纪”是全书的纲领。既要“录秦汉”，自不得不详及秦的先代。《秦本纪》里说：“秦之先伯翳，帝颛顼之苗裔”，《秦始皇本纪》赞里说：“秦之先伯翳，尝有勋于唐虞之际”，都是说秦的由来久远。《秦始皇本纪》赞里又说：“自缪公以来，稍蚕食诸侯，竟成始皇。”《自序》里说：“昭襄业帝，作秦本纪第五”：都是说秦的帝业的由来。况且诸侯史记大多散失，独有秦记保存着；要举纲领，自宜将秦列入“本纪”了。项羽自为西楚霸王，“霸”是“伯”的借字——“伯长”的意思，“霸王”便是诸侯之长。他实际上为诸侯之长，所以《项羽本纪赞》里说：“分裂天下而封王侯，政由羽出，号为霸王”，自宜将他列入“本纪”了。惠帝当元年的时候，因为吕太后“断戚夫人（高祖的宠姬）手足，去眼辉耳，饮喑药，使居厕中，命曰‘人彘’”，便派人对太后说：“此非人所为；臣为太后子，终不能治天下。”迁既记载了这个话，下文又说：“孝惠以此日饮为淫乐，不听政。”在元年，惠帝便不听政了；惠帝即位以后，实际上纲纪天下的是吕太后，自宜将她列入“本纪”了。

再说“世家”方面。孔子并非侯王，应与老、孟、庄、荀同等，入“列传”；迁却作了《孔子世家》，这是一点。陈涉起自群盗，自立为陈王，六月而死，以后就没有子孙传下去了，这与封建侯王的情形不同，也应入“列传”；迁却作了《陈涉世家》，这是二点。《外戚世家》记载后妃，后妃与封建侯王更不相类，为什么要为她们作“世家”？这是三点。以上三点疑问，也可以从《自序》得到解答。《自序》里说：“二十八宿环八辰，三十辐共一毂，运行无穷，辅拂股肱之臣配焉，忠信行道，以奉主上，作二十世家。”这说明了“世家”所叙人物，都是对统治者尽了“辅拂（同‘弼’字）股肱”的责任的。孔子不仕于周室，在周固非“辅拂股肱之臣”；但在汉朝人观念中，孔子垂教乃是“为汉制作”，他的功劳，实在当代功臣之上；《自序》里说：“为天下制仪法，垂六艺之统纪于后世”，便表示这个意思，那自宜将他列入“世家”了。汉室的兴起，由于天下豪杰群起反秦，而反秦的头一个，便是陈涉。《高祖本纪》里说：“陈胜等起蕲，至陈而王，号为‘张楚’，诸郡县皆多杀其长吏，以应陈涉”；高祖便是响应陈涉的一个。《陈涉世家》里说：“陈胜虽已死，其所置遣侯王将相竟亡秦，由涉首事也。”《自序》里说：“天下之乱，自涉发难。”可见陈涉对于汉室虽没有直接的功劳，间接的关系却非常重大，如果陈涉不发难，也许就没有汉室，那自宜将他列入“世家”了。至于后妃列入“世家”，因为她们对于统治者辅弼之功独大；换句话说，她们影响统治者最为深切。《外戚世家》开头说：“自古受命帝王，及继体守文之君，非独内德茂也，盖亦有外戚之助焉。夏之兴也以涂山，而桀之放也以末喜；殷之兴也以有娀，纣之杀也嬖妲己；周之兴也以姜原及大任，而幽王之禽也淫于褒姒”，便说明这层意思。

五类之中，“列传”分量最多；体例并不一致，又可以分为三类，就是“分传”，“合传”，“杂传”。“分传”是一篇叙一个人，如《孟尝君》、《信陵君》、《李斯》、《蒙恬》等传都是。“合传”是一篇叙两个人或两个人以上：或与事迹关联，不可分割，便叙在一起，如《廉颇蔺相如传》是；或则时代虽隔，而精神相通，也便叙在一起，如《屈原贾谊传》是。“杂传”是把许多人，其学业或技艺或治术或行为相类的，按照先后叙在一篇里，计有“刺客”、“循吏”、“儒林”、“酷吏”、“游侠”、“佞幸”、“滑稽”、“日者”、“龟策”、“货殖”十篇，合了《扁鹊仓公传》（该是“医者列传”，但迁并没有标明），共十一篇。

《史记》中“本纪”、“世家”、“列传”三类，都是叙述人物和他们的事迹的，那些篇章并不是独立的单位，一个人物的性行，一件事情的原委，往往散见在若干篇中，读者要参看了若干篇才可以得其全貌。这由于作者认一百三十篇是整部的书，他期望读者读的时候，不仅抽读一篇两篇，而能整部的读。其所以运用这样做法，有几层理由可以说的。

第一，一部《史记》包括若干人物的事迹，必然有若干共同的项目；若把每个人物的事迹都叙述在关于其人的篇章里，必然有若干重复或雷同，就整部书看起来，便是浪费了许多可省的篇幅。所以作者把这些共同的事迹，叙述在关于主角的篇章里，同时连带叙及与此有关的其他人物；而在关于其他人物的篇章里，便节省笔墨，单说一句“见某篇”了事，有时连这一句也省去了。这叫做“互见”，其主要目的在于避免重复。例如管仲、晏婴两人的重要事迹，都叙在《齐世家》里；于是在《管晏列传》里，对于管仲，便只叙他与鲍叔的交情和他的政治主张两点，对于晏婴，便只叙他事齐三世，与越石父交和荐其御者为大夫三点。大概迁以为管晏的重要事迹，都与齐国关系极大，而管晏与齐国比较，自然齐国居于主位，所以叙在《齐世家》里。《齐世家》里既然叙了，为避免重复起见，《管晏列传》里就不再叙了。若不明白这个“互见”的体例，单就《管晏列传》求知管晏，那是不会得其全貌的。

第二，“互见”的体例不只在避免重复，又常用来寄托作者对于历史人物的褒贬。作者认为某人物该褒，便在关于其人的篇章里，专叙其人的长处；作者认为某人物该贬，便在关于其人的篇章里，专叙其人的短处；遇到该褒的人确有短处，无可讳言，该贬的人确有长处，不容不说的时候，便也用“互见”的办法，都给放到另外的篇章里去。例如《信陵君传》，前面既说“诸侯以公子贤，多客，不敢加兵谋魏十余年”；末后又说“秦闻公子死，使蒙骜攻魏，拔二十城，初置东郡，其后秦稍蚕食魏，十八岁而虏魏王，屠大梁”：隐隐表示信陵君的生死，影响到魏国的存亡。这由于迁对信陵君太倾倒了，任着感情写下去，以至“褒”得过了分寸。所以《魏世家赞》里又说：“说者皆曰，魏以不用信陵君，故国削弱；余以为不然。”读者若单看《信陵君传》而不注意《魏世家赞》里的话，对于迁的史识，就不免要发生误会。又如《信陵君传》写信陵君的个性，先提明“公子为人仁而下士”，以下所叙许多故事，便集中在这一点；所以就文章论，这是一篇完整之作。但“仁而下士”只是信陵君个性的好的一方面，还有不甚高明的方面，却在另外的篇章里。《范雎传》里叙秦昭王要为范雎报仇，向赵国索取从魏国逃到平原君家里的魏齐，魏齐往见赵相虞卿，虞卿便解了相印，与魏齐同到大梁，欲见信陵君，信陵君犹豫不肯见，魏齐怒而自刭。虞卿可以丢了高官，陪着朋友亡命，信陵君与魏齐同宗，偏偏顾忌着秦国，拒而不见，无怪要引起侯嬴的讥刺了。同传里又叙秦昭王把平原君骗到秦国，软禁起来，向他要魏齐的头；平原君只说：“贵而为友者为贱也，富而为交者为贫也；夫魏齐者，胜之友也，在固不出也，今又不在臣所。”平原君看重交情，表示得这么勇决，以与信陵君的顾忌犹豫相对比，更可见出信陵君的“仁”并非毫无问题。读者若单记着《信陵君传》里的“仁而下士”，对于信陵君的个性，就只知识了一半。

第三，“互见”的体例，又常用来掩护作者，以免触犯忌讳。事实上是这样，而在作者所处的地位，却不容不说那样，否则便触犯忌讳；于是也用“互见”的办法，使读者参互求之，自得其真相。例如迁对于高祖、项羽两人，他的同情似乎完全在项羽方面，但他是汉朝的臣子，不容不称赞高祖；因此，他写两人就运用“互见”的体例，大概从正面写时，高祖是一个长者，而项羽是一个暴君，从侧面写时，便恰正相反。《高祖本纪》开头说高祖“仁而爱人”，这是正面。在其他篇章里，便常有相反的记载。《张丞相传》里记载周昌对高祖说：“陛下即桀纣之主也”；《佞幸列传》里直说“高祖至暴抗也”；此外见于《张耳陈余列传》、《魏豹彭越列传》、《淮阴侯列传》、《郦生传》里的，不一而足。从这许多记载，读者可以见到高祖怎样的暴而无礼，恰正是“仁而爱人”的反面。《萧相国世家》里记载萧何请把上林中空地，让人民进来耕种，高祖大怒，教廷尉论萧何的罪，其后对萧何说“相国休矣！相国为民请愿，吾不许，我不过为桀纣王，而相国为贤相；吾故系相国，欲令百姓闻吾过也。”“桀纣王”的话，高祖自己也说出来了，可见高祖连假装“仁而爱人”的心思也并不存的。《高祖本纪》里说：“怀王诸老将皆曰：‘项羽为人慓悍滑贼’”，这是正面。在其他篇章里，便也常有相反的记载。《陈丞相世家》里记载陈平对高祖说：“项羽为人，恭敬爱人，士之廉节好礼者多归之”；《淮阴侯列传》里记载韩信对高祖说：“项羽为人，恭敬慈爱，言语呕呕，人有疾病，涕泣分食饮”；便在《高祖本纪》里，也还留着王陵的“项羽仁而爱人”一句话。陈平、韩信都是弃楚归汉的人，王陵的母亲在楚死于非命，他们三个人对于项羽，当然不会有过分的好评；把他们的话合起来看，项羽“恭敬爱人”该是真的，恰正是“慓悍滑贼”的反面。读者若不把各篇参看，对于高祖、项羽两人，就得不到真切的认识。

“互见”的体例具有避免重复，寄托褒贬，掩饰忌讳三种作用，《史记》是这样，以后仿模《史记》的许多史书也是这样。因此，凡属“纪传体”的史书，必须统看全部，才会得到人物及其事迹的真相；倘若仅抽读一篇两篇，那所得的只是个朦胧而不切实的印象而已。所以，在欲知一点史实的人，“纪传体”的史书并非必读。现在有好些研究历史的人，给大学生作了“中国通史”；给中学生读的“中国通史”似乎还没有，但编辑得完善一点的历史教本，也足够使中学生知道史实了。“纪传体”的史书，就其性质而言，还只是一种材料；把它参互比观，仔细钩稽，是史学家和大学史学系学生的工作，仅仅欲知一点史实的人是不能而且也不必去做的。还有，“纪传体”以人物为经，自不得不以纪事迹为纬，即使不嫌重复，想不用“互见”的体例，事实上也办不到。而在欲知史实的人，却是事迹重于人物。一件事迹往往延续到若干年，另外一种“编年体”为要编年，把整件事迹分割开来，看起来也不方便。所以宋朝袁枢在“纪传体”和“编年体”之外，创立“纪事本末体”和《通鉴纪事本末》；它把一件大事作题目，凡司马光《资治通鉴》中关于这件大事的记载，都抄来放在一起，这样，一件事迹便有头有尾，它的前因后果都容易看明白了。在旧式的史书中，“纪事本末体”比较适宜于一般欲知史实的人，这是应该知道的。

现在的《史记》并不是司马迁当时的原样，已经经过了许多人的增补和窜改。《汉书·司马迁传》载了《史记自序》之文，接着说：“迁之自叙云尔，而十篇缺，有录无书。”这是说整篇的缺失，而古代简策，保存不易，零星的残逸，也是可以想见的事。修补《史记》的，以汉褚少孙为最早；又有冯商和孟柳，“俱待诏，颇序列传”（见《汉书·艺文志》颜师古注）；东汉时有杨终，“受诏删太史公书为十余万言”（见《后汉书·杨终传》）；唐刘知几《史通》外篇《古今正史》中说，《史记》之后，“刘向、向子歆，及诸好事者若冯商、卫衡、扬雄、史岑、梁审、肆仁、晋冯、段肃、金丹、冯衍、韦融、萧奋、刘恂等相次撰续，迄于哀平，犹名《史记》。”这些增补删削的本子，与原书混和起来是很容易的，着手混和的人也不一定为着存心作伪。现在的《史记》，惟褚少孙的补作低一格刊刻，或更标明“褚先生曰”，可以一望而知；此外的增补和窜改便不能辨别了。旧注中颇有辨伪的考证；历代就单篇零句加以考证的，多不胜举；清崔适作《史记探源》八卷，举出伪窜之处特别多，虽未必完全可靠，但一般批评都认为当得“精博”两字。

关于《史记》的注释，宋裴骃的《史记集解》，唐司马贞的《史记索隐》，唐张守节的《史记正义》，合称“三注”，现在都附刊在《史记》里。《史记集解》的序文说：“考较此书（指《史记》），文句不同，有多有少，莫辨其实。而世之惑者，定彼从此，是非相贸，真伪舛杂。故中散大夫东莞徐广，研核众本，为作‘音义’，具列异同，兼述训解；粗有所发明，而殊恨省略。聊以愚管，增演徐氏，采经传百家并先儒之说，预是有益，悉皆抄内，删其游辞，取其要实；或义在可疑，则数家兼列，……号曰‘集解’；未详则阙，弗敢臆说。”《史记索隐》的序文中说：“贞谀闻陋识，颇事钻研，而家传是书（指《史记》），不敢失坠。初欲改更舛错，裨补疏遗，义有未通，兼重注述。然以此书残缺虽多，实为古史，忽加穿凿，难允物情。今止探求异闻，采摭典故，解其所未解，申其所未申者，释文演注，又为述赞，凡三十卷，号曰《史记索隐》。”《史记正义》的序文中说：“守节涉学三十余年，六籍九流，地里苍雅，锐心观采，评史汉，诠众训释而作正义。郡国城邑，委曲申明，古典幽微，窃探其美，索理允惬，次旧书之旨，音解兼注，引致旁通，凡成三十卷，名曰《史记正义》。”看了以上所引，约略可以知道“三注”的大概。若作《史记》的研究，单看“三注”是不够的；因为关于《史记》任何方面的考据，从唐以后还有很多，就是现在也常有人发表新见，必须搜罗在一起，互相比观，才谈得到研究。若并不作研究而仅是阅读，那不必全看“三注”，也可以全不看，只要有一部较好的辞书，如商务印书馆《辞源》或中华书局《辞海》，就可以解决大部分疑难了。

《史记》的大概既已说明，才可以谈到《史记菁华录》。

现在中学里自有历史课程，或用教本，或由教师编撰讲义，学生据以研修，便知道了从古到今的史实。《史记》不是仅仅欲知一点儿史实的人所宜，前面已经说过；若把它认为古史教本，给中学生研修，那在能力和时间上都超过了限度，无论如何是不应该的（事实上也没有一个中学把《史记》作为历史教本的）。但同样一部书，往往可以从不同的观点去看它；譬如《庄子》就内容的观点说，是一部哲学书，但就写作技术的观点说，却是一部文学书；又如《水经注》，就内容的观点说，是一部地理书，但就写作技术的观点说，却是一部文学书。内容和写作技术当然不能划然分开——要了解内容必须明白它怎样表达，要理会写作技术必须明白它说些什么；但偏重一方面，在一方面多用些工夫，那是可以的。从哲学的观点读《庄子》，必须弄清楚庄子思想的整个系统，以及它与当时别派思想的异同，它给与后来思想界的影响等项；从地理的观点读《水经注》，必须弄清楚古今的变迁，广稽图籍，知道什么水道还是与古来一样，什么水道却不同了，又须辨别原著的是非，详加考证，知道某处记载确凿可靠，某处记载却是作者的疏失；但从文学的观点读这两部书，这些方面便不必过于精求，只须注重在词句的运用，篇章的安排，以及人情事态的描写等项就是了。《史记》也同上面所举两部书一样，就内容的观点说，是一部文学书。认《史记》为历史而读它，固非中学生所能胜任；但认《史记》为文学而读它，对于中学生却未尝不相宜，《史记》的多数篇章，叙人叙事都是“文学的”，值得恒久的玩味；《二十四史》中的各史，不一定全是文学，但《史记》无疑的是文学的名著。中学生读《史记》，目的并不在也能写出像《史记》一般的古文，而在借此训练欣赏文学的能力和写作记叙文的技术；换句话说，借此养成眼力和手法，以便运用到阅读和写作方面去，得到切实的受用。

中学生读文学名著，虽不宜贪多务博，广事涉猎，也不能抱定一书，不再他求。因此，对于每一部书，不能通读全部，只能节取其一部分；全部的分量往往太多了，非中学生的时力所能应付；所节取的一部分，当然是全书的精粹。教育部颁布的《中学国文课程标准》，在“实施方法概要”项的“教材标准”目下，初中的略读部分列着“有诠释之名著节本”一条，高中的略读部分列着“选读整部或选本之名著”一语，就是这个意思。现在提出的《史记菁华录》，就是一种“名著节本”或“选本之名著”。

《史记菁华录》是钱唐姚祖恩编的。他在卷首有一篇题辞，末书“康熙辛丑七夕后三日，苧田氏题”；卷尾又有一篇跋，末书“辛丑长至后三日阅讫题此”；据此可知他这部书的编成在清康熙六十年辛丑（公元一七二一年）。“苧田氏”是他的别号；幸而题辞后面有吴振棫的短跋：“此本为吾乡姚公祖恩摘录，比携之入黔，中丞善化贺公见而善之，命校勘刊行，以惠学者；道光癸卯五月，钱唐吴振棫识”；才使我们知道编者的姓名和籍贯。但除此以外，我们对于姚祖恩便别无所知。“善化贺公”是贺长龄，曾做贵州巡抚。吴振棫曾做贵州布政使，此书原版就在任内刊刻，所以卷首书名旁边署着“藩宪吴开雕”五字。“癸卯”是道光二十三年（公元一八四三年），据此可知此书行世快满一百年了。原版而外，各地刻本不少；最近在成都买到一部，是民国三年成都文明阁刻的。自从西洋印刷术流传进来之后，又有些铅印石印的本子。你一定要在某家书铺子里买到一部，往往不能如愿；但如果随时留心的话，却很容易遇见此书，当然不限定哪一种本子。

姚祖恩自题两篇，就所记时日看，跋作在前。此跋说明他的编撰体例，现在全录于后：

《史记》一书，学者断不可不读，而亦至不易读者也。盖其文洸洋玮丽，无奇不备，汇先秦以上百家六艺之菁英，罗汉兴以来创制显庸之大略，莫不选言就班，青黄纂组，如游禁籞，如历钧天，如梦前生，如泛重溟；以故谫材谀学无有

> 能阅之终数卷者。前哲虽有评林，要亦丹黄粗及，全豹不呈。不揣荒陋，特采录而详阅之，务使开卷犁然，皆可成诵，间加论断，必出心裁。密字蝇头，经涉寒暑，幸可成编，固足为雪案之快观也。若所删节者，刊本具存，岂妨翻读。世有三仓四库烂熟胸中之士，吾又安能限之哉？

这里说他所采选的，都可以认为是完整的篇章；如要看删去的部分，自有整部的《史记》在那里。采选之外，他又自出心裁，加以评注。题辞一篇，说明他编撰此书的用意，现在摘录如下：

> 余少好龙门《史记》，循环咀讽，炙粿而味益深长。顾其夥颐奥衍，既不能束之巾笥；又往哲评林，迄无定本。尝欲抽挹菁华，批导窾却，使其天工人巧，刻削呈露；俾士之欲漱芳润而倾沥液者，澜翻胸次，而龙门之精神眉宇，亦且郁勃翔舞于尺寸之际，良为快事矣。……古人比事属辞，事奇则文亦奇，事或纷糅，则文不能无冗蔓；故有精华结聚之处，即不能无随事敷衍之处。掇其菁华而略其敷衍，而后知古人之作文甚苦，而我之读之者乃甚甘也。今夫龙门之文得于善游，夫人而能言之矣；则当其浮长淮，沂大江，极览夫惊沙逆澜，长风怒号，崩击而横飞者，吾于其书而掇取之；望云梦之泱漭，睹九嶷之芊绵，苍梧之野，巫山之阳，朝云夕烟，靡曼绰约，吾于其书而掇取之；临广武之墟，历鸿门之坂，访潜龙之巷陌，思霸主之雄图，鹰扬豹变，慷慨悲怀，

吾于其文而掇取之；奉使巴岷，吊蚕丛鱼凫之疆，扪石栈天梯之险，萦纡晦窅，巉峭幽深，吾于其文而掇取之；适鲁登夫子之堂，抚琴书，亲杖履，雍容尔雅，穆如清风，吾于其文而掇取之。若夫后胜未来，前奇已过，于其中间，历荒隄而经破驿，顽山钝水，非其兴会之所属，斯逸而勿登焉。读其文而可以知其游之道如彼，则文之道诚不得不如此也。……凡《史记》旧文几五十万言，今掇其五之一；评注皆断以鄙意，视他本为最评，约亦数万言。龙门善游，此亦如米海岳七十二芙蓉，研山几案间卧游之逸品也。因目之曰《史记菁华录》云。

这里说摘出一些部分，足以表现《史记》文字的“天工人巧”的，供学者研摩；又把游览比喻读书，游览可以挑选那最胜之处，“顽山钝水”，便舍弃不顾，读书可以挑选那精粹之处，随事敷衍的笔墨，便也舍弃不顾：这是文章家的看法，把《史记》认为文学书，与史学家的看法全然不同。其中“事奇则文亦奇”的“奇”字，与跋中“无奇不备”的“奇”字，在评注中也常常用到，并不是“奇怪”或“新奇”的意思，大概“事奇”的“奇”字，指其事可供描写而言，“文奇”的“奇”字，指其文描写得出而言。但站在史家的立场，不能专取那些可供描写的材料；一事的过场脉络，也不得不叙；趣味枯燥可是关系重要的事迹，也不得不记。这些材料，在文章家看来，便是不奇的事；写成文字，只是寻常的记叙文，便是不奇的文了。

此书选录“本纪”三篇，“表序”三篇，“书”三篇，“世家”九篇，“列传”三十三篇，共五十一篇。各篇之中，并不都加删节，全录的有十六篇（《高祖功臣年表序》、《秦楚之际月表序》、《六国表序》、《萧相国世家》、《伯夷列传》、《司马穰苴列传》、《孟子荀卿列传》、《信陵君列传》、《季布栾布列传》、《张释之冯唐列传》、《魏其武安侯列传》、《李将军列传》、《汲郑列传》、《酷吏列传》、《游侠列传》、《滑稽列传》）。于“合传”中全录一人之传的也有五篇（于《老庄申韩列传》全录《老子传》，于《屈原贾生列传》全录《屈原传》，于《韩王信卢绾列传》全录《卢绾传》，于《郦生陆贾列传》全录《陆贾传》而《郦生传》有删节，于《扁鹊仓公列传》全录《扁鹊传》而《仓公传》有删节）。这些全录的，该是编者所认为完整的篇章，文学的佳作。从此又可推知，凡加以删节的，他必认为其中有“随事敷衍之处”，非作者“兴会之所属”。如“本纪”一类，原是全书的纲领，从史学的观点看，是极关重要的；但作者写来，不能不平铺直叙，有如记账。所以十二“本纪”中，他只选了三篇，而且都加以删节。于《秦始皇本纪》，只取了“议帝号”、“制郡县”、“废诗书”三节；这三节主要部分是议论，阔大而简劲，其事对于后来又有极大关系，故而采选。于《项羽本纪》，删去的部分就没有《秦始皇本纪》那么多，约占全篇的三分之一，都是叙述当时一般的战争情势的。原来《项羽本纪》注重在描写项羽这个人物，在十二“本纪”中，是并不拘守体例的一篇；从文章家看来，描写项羽的部分都是好文章，其叙述当时一般的战争情势的部分，虽是史学家所不容忽略，然而非作者“兴会之所属”了。于《高祖本纪》，只取了开头叙高祖微时的一节，和高祖还沛，酒酣作《大风歌》的一节；这两节都是描写高祖这个人物，采选的用意与《项羽本纪》相同。——其他各篇删节；大致都是如此。

编者用从前人评点的办法，把《史记》文字逐语圈断；认为颇关紧要或文章佳胜的处所，便在旁边加上连点或连圈。因为刊刻的不精审，就是原版也有很多地方把圈断的圈儿刻错了，其他翻刻排印的本子，也不能完全校正无误；其加上连圈的部分，把一段文字一直圈下去，圈断之处便无从辨别。因此，阅读此书的时候，先得自己下一番工夫，详审文字的意义而加上句读，不能全靠圈断的圈儿。阅读古书，第一步原在明句读；句读弄清楚了，对于书中的意义才确切咬定，没有含糊。像此书似的单用一种圈儿作符号，语意未完的地方是圈儿，语意完足的地方也是圈儿，本来不很妥当。读者自己下一番工夫，在语意未完的地方用“逗号”（“，”），在语意完足的地方才用“句号”（“。”），这是很有意思的一种练习，使你对于文中每一个字都不能滑过。至于文字旁边的连点和连圈，也可以不必重视；因为加上这种符号由于编者的主观，读者若能读得透彻，别有会心，也自有他的主观；而这两种主观，从读者方面说，以后者为要，前者只有拿来比照的用处罢了。

古人作文不分段，现在重印古书，往往给它分段，如果分得很精审的话，在读者自是极大便利。此书除了删去一段，下段另行开头以外，仍照原样不分段。因此，读者在断句之后，还得下一番分段的工夫。这番工夫也不是白用的，从这上边，你可以练习解析文章的手段。分段的时候，可以参考此书的注，因为注中有时提到关于段落的话。如《项羽本纪》，此书节录“初宋义所遇斋使者高陵君显在楚军”至“项羽由是始为诸侯上将军，诸侯皆属焉”为一段；但在其中“当阳君蒲将军皆属项羽”一句下注道：“以上一大段，总写羽为上将军之案”，便可知此处是一段之末，以下“项羽已杀卿子冠军”可另作一段。又如同篇节录叙“鸿门之会”的文字为一段；但在其中“乃令张良留谢”一语下注道：“张良留谢，自作一段读”，便可知此处是一段之始，该与上一语“于是遂去”划开。在注中没有提到的地方，就得自出心裁，把每一段都分得极精审。

编者所加评注，篇中篇末都有。在篇中的，有的写在文句之下，有的写在书页的上方。如所谓“眉批”，大致评注少数语句的，写在文句之下，评注较长的一节的，写在书页的上方，但这个区别并不严格，只能说是编者下笔时随便书写的结果。在篇末的，是对于本篇的评论；所选五十一篇的后面，并不是每篇都有，只有二十四篇有。我们既选读此书，对于这些评注，应当明白它的体例，辨别它的善否，选择它的善者而利用它。以下便就这方面说。

通常所谓“注”，是解释字义句义，凡读者不易了悟之处，都把它申说明白；或考证故事成语，凡读者见得生疏之处，都把它指点清楚。这类的注，此书并不多，所以阅读的时候，案头应当备一部较好的辞书。但此书属于这类的注，大体都明白扼要，可以阅看。如《秦始皇本纪》，于“丞相绾、御史大夫劫、廷尉斯等”下注道：“秦初三公之职如此”，读者便知“丞相”、“御史大夫”、“廷尉”是秦的“三公”，汉时“三公”是因袭秦制。又如《项羽本纪》于“公将见武信君乎”下注道：“即项梁”；于“项王令壮士出挑战”下注道：“独骑相持，不用兵卒者，谓之挑战”；于赞语“何兴之暴也”上方注道：“暴字只是骤字义，言苟非神明之后，何德而致此骤兴也”，读者对于“武信君”、“挑战”和“暴”字，或将迷惑，看了注语，便明白了。又如《秦始皇本纪》，于“人善其所私学，以非上之所建立”下注道：“人各以其所私学者为善也，长句曲而劲”；《高祖本纪》，于“高祖每酤，留饮酒，仇数倍”下注道：“始则索钱数倍常价，以其不琐琐较量也”；读者于此等语句或将不明其义，看了“人各以其所私学为善”，便明白什么是“人善其所私学”，看了“索钱数倍常价”，便明白什么是“仇数倍”。不过也偶尔有解释错的。如《项羽本纪》，于“马童面之，指王翳曰：‘此项王也’”下注道：“回面向王翳也”；把“回面向”解释“面”字，又把“之”认为称代王翳，都是显然的错误。这个“面”字向来认为用的反训，是“背向”的意思；又有人说是“偭”的借字，“偭”有“向”义，也有“背”义，《离骚》“偭规矩而改错”的“偭”字，便是“背”义。用代名词“之”字，所代的人或事物必然先见，没有先见了“之”字，然后提出它所代的人或事物的；现在说“回面向王翳”，便是“之”字先见，王翳后出了。这个“之”字分明是称代上一句“项王身亦被十余创……”的“项王”；“面之”便是

“背向项王”。

除了前一类的注以外，多数的评注可以分为两大类：一类是关于文章的，一类是关于事迹的。现在先说前一类。前一类中又可以分为几类。一类是说明文章的段落，前面已经提及，这里不再说了。又一类是说明文章的层次脉络。如《秦始皇本纪》，于“收天下兵，聚之咸阳，销以为钟金，金人十二，重各千石，置宫廷中”下注道：“一销兵”；于“一法度衡石丈尺，车同轨，书同文字”下注道：“二同律”；于“地东至海，暨朝鲜，西至临洮羌中，南至北向户，北据河为塞，并阴山，至辽东”下注道：“三舆地”；于“徙天下豪富于咸阳十二万户，诸庙及章台上林，皆在渭南”下注道：“四建京”；看了这四注，对于这节文字便有了统括的观念。又如《项羽本纪》，于“是时汉兵盛食多，项王兵罢食绝”下注道：“成败大关目，提出大有笔力”；于张良、陈平说汉王语中的“楚兵罢食尽”下注道：“再言之”；于“项王军壁垓下，兵少食尽”下又注道：“三言之”；其上方又注道：“‘兵罢食尽’之语凡三提之，正与项王‘天亡我’之言呼应；史公力为项王占地步，其不肯以成败论英雄如此，皆所谓‘一篇之中，三致意焉’者也”；这提醒了读者，由此可知屡叙兵罢食尽并不是无谓的赘笔。又如同篇，于“项王身亦被十余创，顾见汉骑司马吕马童曰：‘若非吾故人乎？’马童面之，指王翳曰：‘此项王也。’项王乃曰：“吾闻汉购我头千金……’”的上方注道：“项王语本一片，中间别插吕马童数笔，此夹叙法”；看了此注，便知项王“吾闻汉购我头千金……”的话与“若非吾故人乎”的话原是径接的，知道径接，项王当时的心情声态更觉如在目前；又可以进而推求，为什么要把吕马童向王翳说的话插在中间？推求的结果，便知道移到后面去就安排不好，唯有插在中间，才表现出当时的生动的场面。这一类注都有用处，都该细看。

又一类是说明文章的作用。如《项羽本纪》，于“诸项氏枝属，汉王皆不诛，乃封项伯为射阳侯”下注道：“合叙中见轻重法”，读者便知特提项伯，其作用在显示他是有恩于汉王的人，下文“桃侯、平皋侯、玄武侯”三人都无甚关系，所以只以“皆项氏，赐姓刘氏”了之。又如《高祖本纪》，于“吕公大惊，起迎之门。吕公者，好相人”下注道：“史公每用夹注法，最奇妙”，于下文“见高祖状貌，因重敬之，引入坐”下又注道：“接上‘迎之门’句”，读者便知“吕公者，好相人”的作用是插注，“引入坐”的作用是回接。又如《河渠书》，于“随山浚川，任土作贡，通九道，陂九泽，度九山，然河菑衍溢，害中国也尤甚”下注道：“忽宕一笔，是史公文至此方从洪水独抽出河来，以下皆言治河”；读者便知，“然河菑衍溢，害中国也尤甚”的作用从广泛的洪水转到单独的河害。这一类注也有用处，由此可以养成仔细阅读的习惯。

又一类是阐说文章的旨趣。如《项羽本纪》，于“梁父即楚将项燕，为秦将王翦所戮者也。项氏世世为楚将”的上方注道：“提出项燕王翦，以著秦项世仇，提出世为楚将，以著霸楚缘起”；又如同篇，于“项王渡淮，骑能属者百余人耳”的上方注道：“以下皆子长极意摹神之笔，非他传可比”；又如《高祖本纪》，于所选第一段的上方注道："汉室定鼎，诛伐大事，皆详于诸功臣世家列传中，及《高祖本纪》，则多载其细微时事及他神异符验，所以其文繁而不杀，灵而不滞；叹后世撰实录者不敢复用此格，而因以竟无可传之文也"；又如《六国表序》，于"独有秦记"至"此与耳食无异，悲夫"的上方注道："此段是正叙采《秦记》以著《六国年表》本意；然《秦记》卑陋，为世儒聚道，下段故特举'耳食'之弊，以见《秦记》之不可尽废也；文义始终照应，一丝不走。"以上四例，从第一例，可知叙述项燕为王翦所戮和项氏世世为楚将，并非闲笔墨；从第二例，可以唤起阅读时的注意，于项王战败自刭一大段，细辨其"极意摹神"之处；从第三例，可知《高祖本纪》内容的大概，以及其何以略于"诛伐大事"；从第四例，可知《六国表序》以"太史公读《秦记》"开头，以下以各国与秦并论，而侧重于秦，皆所以说明"因《秦记》"作表的旨趣。这一类注都于读者有帮助。

又一类是指出描写的妙笔。如《项羽本纪》，于"项伯……欲呼张良与俱去，曰：'毋从俱死也'"下注道："十余字耳，叙得情事俱尽，性情态色俱现，千古奇笔"；于"张良曰：'谁为大王为此计者'"下又注道："从容得妙"；于"（沛公）曰：'鲰生说我曰'"下又注道："急中骂语，皆极传神'"；于"张良曰：'料大王士卒，足以当项王乎'"下又注道："偏从容"；于"沛公默然曰：'固不如也，且为之奈何'"下又注道："又倔强，又急遽，传神之笔"；于"张良曰：'请往谓项伯，言沛公不敢背项王也'"下又注道："到底从容，音节琅琅可听，只如此妙"；于这段文字的上方又注道："以一笔夹写两人，一则窘迫绝人，一则从容自如，性情须眉，跃跃纸上，史公独绝之文，左国中无有此文字。"沛公与张良计议是史实，但这些注语并不论史实而论文章；从文章看，沛公的窘迫和张良的从容都表现了出来，而注语把表现了出来之处给点醒了。又如《高祖本纪》，于"吕后与两子居田中耨，有一老父过，请饮，吕后因餔之"下注道："看他连叙两个相人，无一笔犯复，古人不可及在此"，一个相人是吕公相高祖，一个相人是老父相吕后、孝惠和鲁元；于"相鲁元亦皆贵"下又注道："相人凡换四样笔，乃至一字不相袭，与城北徐公语又大不同。"所谓四样笔，一是吕公相高祖，明说"臣少好相人，相人多矣，无如季相"，二是老父相吕后，赞称"夫人天下贵人"，三是老父相孝惠，说明"夫人所以贵者，乃此男也"，四是老父相鲁元，不复记其言语，只叙道："相鲁元亦皆贵。"这也是论文章，记叙同样的事实，而文章能变化，确然值得玩味。后一注中所称"城北徐公语"，指《战国策·齐策·邹忌修八尺有余》一篇中的问答语而言。邹忌问其妻"吾孰与城北徐公美?"妻答道："君美甚，徐公何能及君也!"又问其妾"吾孰与徐公美?"妾答道："徐公何能及君也!"又问其客"吾与徐公孰美?"客答道："徐公不若君之美也。"每次问答语都不相同，向来认为文章能变化的好例；但与《高祖本纪》写相人的这一节对比，便觉得《战国策》问答语的变化仅在字句之间了。又如《项羽本纪》，"项王范增……乃阴谋曰：'巴蜀道险，秦之迁人皆居蜀'，乃曰'巴蜀亦关中地也'，故立沛公为汉王，王巴蜀汉中"一节，于"巴蜀亦关中地也”下注道：“‘乃阴谋曰’，‘乃曰’，一阴一阳，连缀而下，真绘水绘声手”；经这一点明，便知这两语一表私下的计划，一表公开的宣布，虽是简单的叙述，也具有描写的作用。又如《陈涉世家》，于“旦日，卒中住往语，皆指目陈胜”下注道：“画出情景”；经这一点明，便觉“指目陈胜”四字写出一个繁复而生动的场面，读者各自可以想象得之。又如《信陵君列传》，于“当是时，魏将相宾客满堂，待公子举酒，市人皆观公子执辔，从骑皆窃骂侯生”下注道：“方写市中公子侯生，忽从家内插一笔，从骑插一笔，市人插一笔，神妙之笔，当面飞来，又凭空抹倒”；经这一点明，便觉这几语看似突兀，而实则极入情理，以见所有的人都惊怪于公子的谦恭和侯生的骄蹇，于是“侯生视公子，色终不变”两语接上去，才格外的有力——因为看似突兀，所以说“当面飞来”，因为下文仍归到市中公子侯生，所以说“又凭空抹倒”。这一类注都足以启发读者，语句虽简短，有时又不免抽象一点，但读者据此推想开来，往往可以体会到描写的佳处。

以上所举几类的注，都是关于文章的。现在再说关于事迹的，又可以分为几类。一类是批评事迹，与文章全无关系；但其语精警，于读者知人论世颇有帮助。如《项羽本纪》，于樊哙带剑拥盾入项王军门一节的上方批道：“樊哙谏还军霸上，及定天下后排闼问疾数语，俱有大臣作用，此段忠诚勇决，亦岂等闲可同；论世者宜分别观之。”编者恐读者但认樊哙为粗豪武夫，所以批注这一条，唤起读者的注意。沛公攻进了咸阳，艳羡秦宫的富有，意欲就此住下来；樊哙劝他还军霸上，他不听；张良说樊哙的话是忠言，他才听了：事见《留侯世家》（此书《留侯世家》没有选录这一节）。高祖在禁中卧病，不让群臣进见；樊哙排闼直入，一班大臣也就跟了进去，却见高祖枕着一个宦者躺在那里；哙等于是流涕进谏，有“陛下病甚，大臣震恐，不见臣等计事，顾独与一宦者绝乎！且陛下独不见赵高之事乎？”的话：事见《樊哙滕灌列传》（此书没有选录下《樊哙滕灌列传》）。读者若细味本篇樊哙对项王说的一番话，再兼看那两篇，对于樊哙这个人物，印象自当不同。又如《廉颇蔺相如列传》，于相如送璧先归，庭对秦王一节的上方批道：“人臣谋国，只是致身二字看得明白，即智勇皆从此生，而天下无难处之事矣。玩相如‘完璧归赵’一语，当奉使时，已自分璧完而身碎，璧归赵而身不与之俱归矣。此时只身庭见，若有丝毫冀幸之情，即一字说不出。看其侃侃数言，有伦有脊，故知其明于致身之义者也。”这里提出“致身”二字，解释相如智勇的由来，很有见地。又如《淮阴侯列传》，于诸将问韩信致胜之术，韩信答以“置之死地”一节的上方批道：“岳忠武论兵曰：‘运用之妙，存乎一心。’夫心之精微，口不能言也，况于书乎。汉王尝以十万之兵，夹睢水阵，为楚所蹙，睢水为之不流；此与‘置之死地’者何异，而败衄至此。使泥韩信之言，其不至颠蹶舆尸，载胥及溺者几何矣。此总难为死守训诂者言也。”这一段以韩信背水阵与汉王夹睢水阵并论，两回战役情形相似，而一胜一败，可见致胜的因素决不止一个；韩信据兵法说由于“置之死地”这不过许多因素中的一个而已；因此归结到韩信的话不可泥，自是颇为通达的议论。又如《李将军列传》，于文帝说李广“惜乎子不遇时，如令子当高帝时，万户侯岂足道哉”的上方批道：“文帝‘惜乎子不遇时’之言，非谓高帝时尚武而今偃武修文也。文帝时匈奴无岁不扰，岂得不倚重名将？帝意正以广才气跅弛，大有黥彭樊灌之风；当肇造区宇之时，大者王，小者侯，取之如探囊矣。今天下已定，虽勒兵陷阵，要必束之于簿书文法之中；鰓鰓纪律，良非广之所堪也，故叹惜之。此实文帝有鉴别人才处；广之一生数奇，早为所决矣。”这一段发明文帝语意和李广所以一生数奇，都很精辟。

又一类也是批评事迹，也与文章全无关系，且所评只是编者一时的兴会，说不上知人论世：这一类评注于读者无甚益处，竟可不看，即使顺便看了，也无须加以仔细研求。如《项羽本纪》于项羽拔剑斩会稽守头下批道：“如此起局，自然只成群雄事业。”这似乎说项羽不能取天下，成帝业，乃由于他起局的不正，未免把历史大事看得太简单太机械了。于项王以马赐乌江亭长下批道：“以马与长者，好处分”；于项王对吕马童说：“若非吾故人乎”下又批道：“寻‘自刭好题目’”；于项王“乃自刭而死”下又批道：“以身与故人，又好处分”。这些都是在小节目上说巧话，颇像从前人批评小说的格调，对于读者实在没有什么启发。又如《绛侯周勃世家》，于文帝劳军细柳，“军士吏被甲锐兵刃彀弓弩持满”下批道：“作临阵之态，岂非着意妆点，见才于人主乎”；于“天子先驱至，不得入”下又批道：“若先驱得人，则不能令天子亲见军容矣，其理可知”；于“都尉曰：‘将军令曰’”下又批道：“极意作态”；于“于是上乃使使持节诏将军”下又批道：“此亦天子之诏也，天子未至则不受，至则受之，为其整肃之已见也，倨甚”；于“壁门士吏谓从属车骑曰：‘将军约，军中不得驱驰’”下又批道：“乃至以约束吏者约束天子，倨甚”；于“将军亚夫持兵揖曰”下又批道：“倨甚”；于这一节文字的上方又批道：“细柳劳军，千古美谈。全谓亚夫之巧于自著其能，以邀主眷耳；行军之要，固不在此也。何者？当时遣三将军出屯备胡，既非临阵之时，则执兵介胄，传呼辟门，一何过倨。况军屯首重侦探，岂有天子劳军已历两塞，而亚夫尚未知之理？乃至先驱既至，犹闭壁门，都尉申辞，令天子亦遵军令，不亦甚乎！然其持重之体迥异他军，则锥处囊中，脱颖而出，亚夫之谋亦工矣。顾非文帝之贤，安能相赏于形迹之外哉？”这些评语以为亚夫有意做作，好像他预知文帝能够赏识他那一套似的，未免是存心挑剔。从前有一部分翻案的史论就属于这一类，都无关于史实的认识。

又一类是批评事迹，却与文章的了解或欣赏有关。这一类大致可看，看了之后，于事迹，于文章，都可有进一步的体会。如《项羽本纪》，于“籍曰：‘彼可取而代也’”下批道：“蛮得妙，与高祖语互看，两人大局已定于此”；《高祖本纪》，于“观秦皇帝，喟然太息曰：‘嗟乎！大丈夫当如此也’”下批道：“与项羽语参看”。“两人大局已定于此”的话虽浮游无根，但把两语参看，确可见刘项微时，正具一般的雄心；而两语一表粗豪，一表阔大，也可从比较中见出。又如《项羽本纪》，于项王困于垓下，自为诗歌下批道：“英雄气短，儿女情深，千古有心人莫不下涕”；《留侯世家》，于高祖欲立戚夫人子为太子，因张良计阻，不得如愿，

“戚夫人泣，上曰：‘为我楚舞，吾为若楚歌’”下又批道：“项羽垓下事情，高祖此时却类之，英雄儿女之情，何必以成败异也，读之凄绝。”两事很相类，若取这两节文章对看，体会其文情，更吟味两人所为诗歌的感慨意绪，自比单看一节有趣得多。又如《魏其武安侯列传》，于篇首的上方批道：“叙魏其事，须看其段段与武安针锋相对，预为占地步处”；又道：“田蚡藉太后之势以得侯，魏其诎太后之私以去位，此一异也；田蚡贵幸，镇抚多宾客之谋，魏其赐环，投身赴国家之难，此二异也；田蚡居承相之位，不肯诎于其兄，魏其受大将之权，必先进乎其友，此三异也；田蚡之狗马玩好，遍征郡国而未厌其心，魏其之赐金千斤，尽陈廊庑而不私于己，此四异也；魏其以强谏谢病，宾客语之莫来，田蚡以怙势见疏，人主麾之不去，此五异也：凡此之类，皆史公着意推毂魏其，以深致痛惜之情；而田蚡之不值一钱，亦俱于反照处见之矣。”这些评语把两人事迹扼要提示，同时指出作者的文心，使读者看下去，头绪很清楚，并能领会于叙述中见褒贬的笔法。但这一类中也有不足取的。如《留侯世家》，于“子房始所见下邳圯上父老与太公书者，后十三年，后高帝过济北，果见谷城山下黄石，取而葆祠之”的“子房始所见下邳圯上父老与太公书者”下批道：“好结穴，诸传所无。”他人并没有老人授书事，他人传中当然不会有此结笔；这不过是补叙余事，回应前文而已，定要说是“诸传所无”的“好结穴”，未免求之过深。又如《张仪列传》，于苏秦使舍人阴奉张仪，让他得见秦惠王，既已达到目的，舍人辞去，张仪留他，舍人说：“臣非知君，知君乃苏君；苏君忧秦伐赵败从约，以为非君莫能得秦柄，故感怒君”下批道：“此数语恐当日未必明明说出，若说出一毫无味矣；史公未检之笔也，不可不晓。”因其明说无味，便认为“未检之笔”，这纯把作史看成作小说了。并且，不叙舍人说“苏君忧秦伐赵败从约”，下文张仪“吾又新用，安能谋赵乎”的话又怎能着拍？所以这个评语乃是不中节的吹求。

此书所选《史记》文字，其中二十四篇的篇末，有编者的评论，都就全篇而言。体例也不一律，或仅论事论人，或在论事论人之外兼论文章理法，或仅发表对于本篇的感想，现在各举一例。《商君列传》篇末评道：

> 商君变法一事，乃三代以下一大关键。由斯以后，先王之流风余韵遂荡然一无可考；其罪固不可胜诛。然设身处地，以一羁旅之臣，岸然排父兄百官之议，任劳怨，兼众劳，以卒成其破荒特创之功，非绝世之异才，不能为也。故吾以为古今言变法者数人：卫鞅，才子也，介甫，学究也，赵武灵王，雄主也，魏孝文帝，明辟也，其所见不同，而有定力则一。唯学究之害最深，以其执古方以杀人，而不知通其理也。

这一段说商鞅废古，罪不可胜诛，王介甫行新法，是执古方以杀人，都是从前读书人的传统见解，无甚意思。但说商鞅变法是三代以下一大关键，却有识见。秦变法之后，立了许多新制度，后来传给汉，于是秦汉的局面与三代大不相同；岂不是一大关键?《秦楚之际月表序》篇末评道：

> 题曰《秦楚之际》，试问二世既亡，汉国未建，此时号令所出，非项羽而谁？又当山东蜂起，六国复立，武信初兴，沛公未兆，此时号令所出，非陈胜而谁？故不可言‘秦’，不可言‘楚’，谓之‘际’者，凡以陈项两雄也。表为两雄而作，却以记本朝创业之由，故首以三家并起，而言下轩轾自明。次引古反击一段，然后收归本朝，作赞叹不尽之语以结之。布局之工，未易测也。

这一段前半据史实发明立题的旨趣，后半就文章阐说全局的布置，都很精当，于读者颇有帮助。又如《信陵君列传》篇末评道：

> 不知文者尝谓无奇功伟烈，便不足垂之青简，照耀千秋。岂知文章予夺，都不关实事。此传以存赵起，抑秦终；然窃符救赵，本未交兵，即逐秦至关，亦只数言带叙，其余摹情写景，按之无一端实事。乃千载读之，无不神情飞舞，推为绝世伟人。文章有神，夫岂细故哉！

这一段点明《信陵君列传》所以使人赞赏不已，不在信陵君的事功，而在文章描写的精妙，确是见到之言。

关于此书的评注，前面已经谈得很多。读者若能依据前面所分类目，逐一比附，取其精要的，特别加以体会，略其肤泛的，不再多费思索；便是善于利用此书了。当然，在编者的评注以外，读者自己若能有深入的心得，那是尤其可贵的。

（本篇前半谈《史记》的部分，有许多意见是从朱东润先生的《史记讲录》和《传叙文学与史传之别》采来的；不敢掠美，特此声明）。

1941年8月26日作

《国文百八课》	叶绍钧、夏丏尊
《文心》	夏丏尊、叶圣陶
《经典常谈》	朱自清
《论雅俗共赏》	朱自清
《语文常谈》	吕叔湘
《语文杂记》	吕叔湘
《语文闲谈》[选订本]	周有光
《在语词的密林里》	尘　元
《文章修养》	唐　弢
《汉字王国》	(瑞典)林西莉
《国学常识》	曹伯韩
《万历十五年》	(美)黄仁宇
《中国大历史》	(美)黄仁宇
《中国近百年史话》	曹聚仁
《写给大家的中国美术史》	蒋　勋
《中国建筑文化讲座》	汉宝德
《毛泽东的读书生活》	龚育之、逄先知、石仲泉
《白石老人自述》	齐白石
《绿色遥思》	张　炜
《京华忆往》	王世襄
《岁朝清供》	汪曾祺
《故事和书》	孙　犁
《世界美术名作二十讲》	傅　雷
《傅雷书信选》	傅　雷

《文言读本》	朱自清、叶圣陶、吕叔湘
《语文杂话》	朱自清
《标准与尺度》	朱自清
《阅读与讲解》	叶圣陶
《诗论》	朱光潜
《谈美》	朱光潜
《屐痕处处》	郁达夫
《英诗的境界》	王佐良
《三国史话》	吕思勉
《庄子浅说》	陈鼓应
《读书与治学》	胡　适
《怎样读书》	蔡元培等
《留学时代》	周作人等
《唐诗杂论 诗与批评》	闻一多
《干校六记》	杨　绛
《我们仨》	杨　绛
《北京城杂忆》	萧　乾
《中国哲学简史》	冯友兰
《古代的希腊和罗马》	吴于廑
《孔子传》	钱　穆
《国史新论》	钱　穆
《论书绝句（注释本）》	启　功 著　赵仁珪 注释
《给青年建筑师的信》	汉宝德
《给青年艺术家的信》	蒋　勋
《师门五年记 胡适琐记》	罗尔纲

图书在版编目（CIP）数据

阅读与讲解 / 叶圣陶著. -- 北京 ：生活 · 读书 · 新知三联书店，2012.9
（中学图书馆文库）
ISBN 978-7-108-03990-3

Ⅰ. ①阅… Ⅱ. ①叶… Ⅲ. ①阅读教学－教学研究－中学 Ⅳ. ①G633.332

中国版本图书馆CIP数据核字(2012)第017889号

责任编辑　丁立松
装帧设计　崔建华
责任印制　徐　方
出版发行　生活 · 讀書 · 新知 三联书店
　　　　　（北京市东城区美术馆东街22号）
邮　　编　100010
经　　销　新华书店
印　　刷　北京鹏润伟业印刷有限公司
版　　次　2012年9月北京第1版
　　　　　2012年9月北京第1次印刷
开　　本　787毫米×1092毫米　1/32　印张11
字　　数　224千字
印　　数　0,001－8,000册
定　　价　32.00元